L'Amérique de la dame aux yeux peints

Guy Simoneau

L'Amérique de la dame aux yeux peints

UNE ÉDITION DU CLUB QUÉBEC LOISIRS INC.

Dépôt légal — Bibliothèque nationale du Québec, 1999
ISBN 2-89430-383-1
(publié précédemment sous ISBN 2-89111-823-5)

Imprimé au Canada

À Enrique Morales Claverie.

L'auteur remercie sincèrement Mme Jeanine Archimbaud de la confiance qu'elle lui a témoignée, de sa générosité quotidienne, ainsi que pour ses souvenirs, écrits et parlés, ses lettres personnelles et sa correspondance, qu'elle lui a confiés.

Remerciements également à

Lydie Vialette
Colette Lemousy
Jean-Marc Lemousy
Huguette Lefranc
Alexandre Chouinard
Chantal Ménard
Rolando Acevedo
Carlos Gomes

Sylvie Lapointe
Christine Côté

«Le miracle du peuple maya, ce n'est pas
d'avoir édifié ces pyramides et ces
temples au prix d'un travail que l'homme
d'aujourd'hui a peine à concevoir.
Ce n'est pas d'avoir créé une civilisation
incomparable sur cette terre inhospitalière,
où survivre était déjà difficile. Le miracle,
c'est cette harmonie avec le temps, cet art de
penser et de vivre qui unissait l'homme au
reste de l'univers.
[...] La grande découverte
du peuple maya, c'est d'avoir pressenti que ce monde
terrestre n'est pas autonome, mais qu'il est une
parcelle de l'infini, et que ce temps n'est
qu'un passage sur la grande route du temps.»

J.M.G. Le Clézio,
Les Prophéties du Chilam Balam.

PREMIÈRE PARTIE

Prologue

Jeanine se rendit compte de la gravité de la situation lorsqu'elle descendit à l'aéroport La Aurora, à Ciudad Guatemala. L'endroit, sinistre, avait un air martial : dehors, les bâtiments étaient entourés de chars blindés; sur les routes avoisinantes roulaient des camions militaires bondés de soldats armés jusqu'aux dents. La vision était apeurante, bien qu'aucun coup d'éclat ne se produisît. Ces images inhospitalières, plantées dans un décor tropical, furent les premières que Jeanine, en 1970, alors âgée de 42 ans, encaissa, quelques minutes après son arrivée au Guatemala.

Assise à bord d'un minibus où la radio déversait ses bruits, elle tenait ses bagages, ballottés au gré des courbes et des cahots, et regardait par la fenêtre. Elle ne ressentait qu'un vague malaise, un bourdonnement oppressant difficile à identifier.

Dans les rues de la capitale du Guatemala, parmi les effluves des moteurs des camions et des autobus bariolés, tapageurs, elle marcha en direction d'un hôtel modeste, le Florida, où elle devait passer la nuit avant de prendre la route des montagnes, en autocar, vers sa destination, le village d'El Quetzal, pour y travailler. Sur son passage, parmi les petits marchands ambulants, elle remarquait les visages sérieux, tristes, mornes des gens, dont les yeux avaient une expression absente ou farouche. La vue des soldats qui pullulaient dans le centre-ville, cette agitation sourde, l'ambiance de guerre civile latente qui régnait dans cette ville criarde ne manquait pas maintenant de la troubler. Parlant à peine l'espagnol, elle parvenait difficilement à obtenir les renseignements les plus banals. Elle désirait savoir si le système de transport fonctionnait, si elle pouvait voyager, si…

C'est à ce moment que les doutes l'assaillirent : que faisait-elle là, au Guatemala, dans ce pays dont les dirigeants, depuis deux décennies, commettaient les pires abus et persécutions contre la population?

Avait-elle fait preuve d'inconscience, de naïveté, d'un goût de l'aventure effréné? S'agissait-il d'une fuite?… Ou bien l'aide humanitaire l'attirait-elle à ce point que son élan en fût irrépressible?

Pourtant, avant de partir de Montréal, elle s'était renseignée et connaissait les grandes lignes de l'histoire contemporaine du pays : en 1954, après dix ans de régime démocratique, un coup d'État fomenté par l'oligarchie guatémaltèque, appuyé par la force militaire locale et supporté par la CIA renversa violemment le gouvernement du colonel Arbenz, qui avait instauré une réforme agraire favorable à la classe paysanne, en majorité indienne. Le régime du président Jacobo Arbenz fut le seul régime démocratique à avoir jamais vu le jour au Guatemala, pays gouverné par des despotes et des dictateurs depuis son indépendance, en 1821. Au cours de la guerre civile qui fit rage dans les années soixante, la population de l'est du pays subit une sanglante répression de la part des militaires. À l'origine de la guérilla se trouvaient de jeunes officiers rebelles, déçus dans leurs espoirs démocratiques. Les nombreux massacres qui eurent lieu durant cette décennie – 10 000 morts parmi les paysans de l'*Oriente*, en réponse à leurs «accointances suspectes» avec la guérilla – furent exécutés sous les ordres d'un général répondant au nom d'Osorio. Cet Osorio était mieux connu sous le sobriquet de «*Carnicero del oriente*», «le boucher de l'Orient», ou le «chacal de l'Orient».

Lorsque Jeanine était en attente à l'aéroport de Mexico, deux heures avant le vol pour sa destination finale, elle avait lu les journaux qui titraient : « Coup d'État au Guatemala, couvre-feu imposé, chute du régime civil actuel (Julio César Montenegro), arrivée d'un régime militaire mettant au pouvoir le général Carlos Arana Osorio. »

Tout cela se bousculait dans sa tête. Elle était en nage, debout sur le trottoir brûlant en cette fin d'après-midi, portant sa valise et quelques sacs, croisant des centaines d'inconnus, entendant des voix et des paroles qu'elle ne reconnaissait pas. Elle atteignit finalement son petit hôtel tapi derrière une place publique. Après avoir donné un coup de fil à ses parents à Montréal pour les rassurer, elle entra dans sa chambre, regarda un instant le décor, et se laissa tomber sur le lit. Elle ne parvint pas à dormir tout de suite. Il lui fallait se ressaisir et se mettre au diapason de sa vie nouvelle.

La nuit venue, toutefois, elle ne dormait pas encore, et ce n'était pas à cause des sons incessants de la rue. Elle n'avait pu réprimer les souvenirs encore tout frais, perturbants, d'un homme, John, qui, ne voulant pas la perdre, avait tenté de lui faire changer d'avis. Elle avait résisté. Mais avait-elle fait le bon choix? Pourquoi n'avoir pas cédé à la vie facile que lui promettait cet Américain, John Younger, il y a quelques heures à peine, sur les plages du Mexique?

1

L'appel

Deux ans plus tôt, à 40 ans, plus rien ne retenait Jeanine Archimbaud dans sa coquette maison de Laval, au nord de Montréal. Juste avant de partir, elle jeta un dernier coup d'œil autour d'elle, puis elle attrapa ses deux valises et sortit dans la rue. À ce moment-là, sous les rafales de pluie glacée, elle était loin de se douter que cette décision capitale, celle de se séparer de son mari, l'entraînerait dans une vie peu banale, une existence qu'elle n'avait jamais osé imaginer.

Dans son pays natal, la France, vingt ans auparavant, elle avait cru devenir «libre» en se mariant, comme le croyaient alors la plupart des jeunes filles de sa génération Elle découvrait maintenant qu'elle s'était trompée sur le sens du mot «liberté». Dans le taxi, à peine quelques minutes après avoir quitté son mari, elle repensa à sa vie et tenta de rassembler toutes les pièces du puzzle. À travers les vitres battues par la pluie, elle distinguait à peine les bungalows plats et paresseux qui défilaient, entourés de champs en friche et d'herbes sauvages. Elle pensait que, si son mari n'avait pu lui apporter réconfort et tendresse pendant toutes ces années, c'est que lui-même, enfant, n'avait jamais pu goûter de tels témoignages de la part de son père et de sa mère. Il ne pouvait pas donner ce qu'il n'avait pas reçu. Elle comprenait aussi qu'on ne lui avait pas appris d'autre façon de s'exprimer, lors de conflits, que la colère et la rudesse. Mais le temps était venu pour elle de penser à sa propre personne, de briser ce carcan qu'était devenu son mariage, de quitter ce compagnon devenu un pur étranger. C'est dans cet état d'esprit qu'elle se dirigeait vers son nouveau foyer, loin des disputes et de la peur, dans un sous-sol d'une banlieue voisine. Le choc était grand : elle passait d'une grande maison aérée, tranquille, à la pénombre d'un logis exigu, au plafond bas, où elle entendait les pas des locataires du rez-de-chaussée. Cette promiscuité soudaine, elle l'accepta pourtant dès les premières minutes. Il ne s'agissait que d'un refuge, en somme – peu coûteux car elle n'avait que très peu d'argent –, qui l'aiderait à se rattraper.

De sa petite fenêtre, elle ne voyait des passants que leurs jambes en mouvement. Elle n'ouvrit pas tout de suite ses valises, savourant cette décision capitale qu'elle avait toujours reportée, attendant que sa fille Lydie atteigne ses 18 ans. Voilà que c'était fait et Lydie volait de ses propres ailes depuis déjà quelques mois.

Durant la soirée, elle déballa ses bagages, au son d'un transistor qui diffusait un spectacle en direct de La Ronde, à l'Expo 67 de Montréal.

⁂

Jeanine ne reculait devant aucun travail. Elle avait débuté, durant les années cinquante, au magasin Lajeunesse, au 6610 de la rue Saint-Hubert, à Montréal, où elle fut tour à tour vendeuse, couturière et étalagiste. Il lui arriva même de prêter sa voix pour la présentation de défilés de mode.

Maintenant seule, ne comptant plus que sur elle-même, elle mettait les bouchées doubles et, mis à part son travail régulier au magasin Lajeunesse, elle allait, si elle disposait de temps libre, monter les vitrines de la pimpante boutique *GiGi*, aussi rue Saint-Hubert. Un jour, Lydie, mannequin de son métier, vint lui dire bonjour. Jeune femme magnifique, Lydie, ce jour-là, portait une robe blanche de dentelle anglaise confectionnée par sa mère. Déjà, adolescente, dans sa France natale, Jeanine passait ses vacances à suivre des cours de couture chez une amie de sa mère, propriétaire d'un atelier de haute couture. À cinq ans, alors que les autres enfants apprenaient à pédaler sur leur bicyclette, la petite Jeanine pédalait sur une machine à coudre! Depuis, elle avait toujours aimé confectionner des vêtements pour elle et sa fille.

La propriétaire de la boutique s'approcha près des deux femmes et resta ravie devant l'originalité et l'éclat de la robe que portait Lydie. Jeanine dut avouer que c'était elle qui l'avait créée, d'après les esquisses de sa fille. La proposition de Mme Flechner ne tarda pas. « Si vous vouliez, leur dit-elle, vous pourriez créer des vêtements pour mes magasins et vous associer avec moi dans une entreprise de confection pour dames. »

Le soir même, dans leur petit sous-sol de banlieue, Jeanine et Lydie décidèrent de plonger dans l'aventure. C'était là une belle occasion pour la mère et la fille de repartir à zéro, coéquipières d'un projet commun. Elles installèrent leur atelier au 3637, boulevard Métropolitain, à Montréal, un énorme édifice de béton, véritable fourmilière de l'industrie du vêtement. Moins d'un an plus tard, leur entreprise comptait déjà une vingtaine d'employés et possédait une ligne de prêt-à-porter haut de gamme ainsi qu'une autre, accessible à tous.

À 19 ans, Lydie œuvrait sur ses planches à dessin et manquait rarement d'inspiration. Jeanine, elle, s'occupait de l'organisation et de l'administration de la manufacture. Très exigente pour elle-même, elle l'était aussi envers les autres : si elle annonçait une collection pour une date précise, elle ne manquait pas à sa parole. Un an après l'ouverture, en 1968, les Créations Lydie vendaient leurs vêtements à soixante-quinze boutiques du Québec et le succès s'avérait fulgurant. Jeanine sentit renaître en elle ce feu sacré dont la flamme s'était éteinte pendant les années antérieures, années arides, moroses, d'une vie conjugale qu'elle avait cru devoir supporter. Car c'était son estime personnelle et son assurance qu'elle avait vues progressivement s'altérer.

À l'hiver 1968, les deux femmes s'offrirent un voyage au Mexique, à Puerto Vallerta. De toute leur vie, c'était la première fois qu'elles prenaient des vacances ensemble, et cela les rapprocha beaucoup. Le séjour dura seulement deux semaines, mais elles ne passèrent pas inaperçues. Là-bas, Lydie se faisait appeler «la jeune fille aux yeux verts», «*la senorita con los ojos verdes*». Elle devint vite populaire à cause de sa beauté naturelle et de ses talents de mannequin. Elle avait déjà une longue expérience dans ce domaine, car, dès l'âge de neuf ans, elle posait pour des magazines à la mode, puis pour des messages commerciaux à la télévision.

Cette fois-là, au Mexique, elle connut son jour de gloire à Guadalajara lorsqu'on lui demanda si elle voulait participer à un défilé de mode pour recueillir des fonds pour les orphelins. Se prêtant à la cause avec plaisir, la jeune fille aux yeux verts fit alors la connaissance de la femme aux yeux violets, Elizabeth Taylor, présidente du gala.

En plus de ressentir cette petite fierté bien légitime pour une jeune femme d'à peine 20 ans, Lydie était surtout heureuse de voir sa mère sereine. Jeanine semblait éprouver une joie qu'elle n'avait pas connue depuis très longtemps.

Un matin où elle prenait son petit déjeuner, seule à une table, un couple l'invita à aller s'asseoir avec eux et elle accepta. Quelques minutes plus tard, sous le parasol, apparut John, un ami du couple, venu les saluer. Élancé, soigné, cet Américain dans la jeune cinquantaine, aux tempes grisonnantes et au front haut, était élégant, affable. Dès les premières secondes, ils se plurent. Jeanine, qui ignorait ce qu'était vraiment un coup de foudre, se demanda ce qui lui arrivait. Elle prit peur. Le repas terminé, elle trouva vite un prétexte pour se retrouver seule et s'interroger. Elle avait l'impression que ce qu'elle ressentait n'était pas normal, qu'elle n'avait pas droit à ces sensations soudaines…

Au cours de promenades le long de la mer et de conversations, elle sentit son élan envers John grandir à une vitesse prodigieuse. Après vingt ans de désert affectif, son cœur de femme, qu'elle avait cru endurci, ne s'était jamais desséché. Et elle se mit à croire au bonheur.

Cependant, son emballement fut rapidement mis à l'épreuve. John, dans un souci de franchise, d'une voix hésitante qu'il ne pouvait pas réprimer, refroidit son ardeur par cette révélation : « Tu sais, Jeanine, je suis déjà marié et je ne peux pas m'engager davantage… Ma femme est malade et, bien que nous vivions comme deux étrangers dans la même maison depuis quinze ans, je ne peux pas la quitter. »

Sa femme, victime de problèmes de santé et affligée de pertes de mémoire, s'était détachée de lui progressivement, avait même cessé de l'aimer. Il souffrait beaucoup de ce manque d'affection. Par ailleurs, père de quatre filles qu'il adorait, il ne voulait pas les quitter, sachant pertinemment que celles-ci n'auraient jamais accepté « une autre mère ».

Bien que Jeanine fût touchée par sa franchise, les dernières journées à Puerto Vallerta furent assombries par cet aveu navrant. À peine avait-elle ressenti un élan amoureux que déjà elle devait mettre les freins. Au moins, en gardant ses distances, elle pourrait se protéger de cette relation qui ne lui permettait pas d'être elle-même, d'aimer totalement, comme elle l'aurait désiré. D'un autre côté, l'irruption dans sa vie de cet homme si sympathique et si attirant avait quelque chose de réjouissant. Elle demeura partagée entre ces deux sentiments jusqu'à son départ.

Dans l'avion de retour, aux côtés de Lydie, Jeanine était agaçée. « Pourquoi je n'arrive pas à oublier cet homme qui s'est mis en travers de ma route? » pensait-elle tout haut, à l'adresse de sa fille.

Lydie lui offrit un sourire en guise de réponse.

De retour au Québec, encore animée par son voyage, Jeanine quitta son sous-sol de banlieue, qu'elle trouvait tout à coup bien mesquin et déprimant. Elle emménagea avec Lydie à Montréal, face au parc Lafontaine, dans un appartement dont les larges fenêtres donnaient sur un oasis de verdure. Il y avait bien un petit tiroir dans sa tête qu'elle n'arrivait pas à fermer, mais elle se disait que son «amour de vacances» serait vite oublié quand elle se replongerait dans la vie normale. Le retour au boulot se fit donc en quatrième vitesse.

Elle entrait à la manufacture au petit matin et en sortait bien après le coucher du soleil. Avec sa fille ou avec des copains et des amies, elle s'offrait des week-ends à la campagne, des balades en bateau à moteur sur les lacs du Québec, profitant de tout ce que la vie avait de bon à offrir. Elle pouvait se le permettre enfin.

En fait, elle était persuadée que cette hyperactivité l'aiderait à oublier cet amour qui lui semblait impossible. Peine perdue. Peu de temps après son retour à Montréal, John lui envoya un courrier qu'elle trouva au premier abord peu romantique : la sachant d'origine française, il avait cru la toucher en lui faisant parvenir une carte postale auréolée du personnage de Napoléon! Les quelques mots écrits à la main au verso l'atteignirent cependant : après les formalités d'usage où il lui disait espérer qu'elle était bien rentrée chez elle, il ajoutait qu'il aimerait la revoir au moins une fois encore, dans un endroit dont ils conviendraient ensemble...

Jeanine se mit alors à lui écrire, afin de préserver ce mince filet de bonheur. Au fond, elle ne désirait pas oublier cette rencontre qui avait transformé une partie de sa vie.

⁂

Tôt un matin, elle traversait le parc Lafontaine, sous les ormes et les érables, afin de prendre l'air avant d'aller s'engouffrer dans l'atelier de confection. S'était-elle trompée de rue? Elle n'arrivait pas à retrouver la voiture qu'elle s'était offerte trois mois auparavant, symbole d'une certaine indépendance. Après avoir tourné en rond autour du parc, elle se rendit compte qu'on la lui avait volée. Elle se dit qu'après tout ce n'était qu'une voiture, et ce fut l'occasion pour elle de découvrir le tout nouveau métro de Montréal.

Curieusement, peu de temps après cet incident, le mauvais sort se manifesta de nouveau. En l'espace de quelques mois, Jeanine et Lydie se firent voler leurs biens personnels, à leur appartement, non seulement une fois mais à plusieurs reprises. Cela ne les empêcha pas de continuer de rouler à fond de train. À raison de quatre-vingt-dix heures par semaine, elles préparaient la présentation d'une importante collection qui devait avoir lieu un mois plus tard, à l'hôtel Mont-Royal, rue Peel.

Le 2 juillet 1969, jour de la présentation, alors que toute la ville dormait encore, Jeanine se rendit très tôt à la manufacture pour aller chercher la collection, fine prête sur les supports à roulettes, les vêtements en rangées, presque au garde à vous. Débordante d'énergie, enthousiaste à l'idée que leur collection serait couronnée dans quelques heures, Jeanine dédaigna l'ascenseur et grimpa les escaliers quatre à quatre. Quand elle fut rendue en haut, les jambes lui manquèrent et ce ne fut pas à cause de l'effort de la course : devant elle, la porte de l'atelier était défoncée, leurs créations avaient disparu et l'équipement de travail s'était volatilisé. Les jambes flageolantes, s'appuyant sur une colonne d'acier, elle dut se rendre à l'évidence : c'était la catastrophe. Les voleurs avaient bien choisi leur moment pour opérer. La veille, c'était un jour férié, le 1er juillet, fête du Canada, et l'immeuble était désert. Ce fut le coup de grâce.

⁂

Les deux femmes comprirent que tous ces vols dont elles avaient été victimes depuis un an étaient liés. À cette époque, une famille de la mafia qui était très active dans l'industrie du vêtement s'efforçait d'intimider tous ses concurrents. Un de ses outils de travail privilégiés s'appelait «le racket de protection». Jeanine et Lydie se souvenaient du sort de leur collègue de l'étage inférieur, un Québécois, qui avait goûté à cette médecine. Un mois auparavant, il avait été assassiné en sortant de chez lui. Le groupe criminel lui avait offert d'«acheter» son entreprise, et il avait refusé.

Après le pillage de leur manufacture, les deux femmes alertèrent la police. Celle-ci constata les dégâts et fit son rapport, mais l'enquête avorta et le dossier expira sur les tablettes. Elles n'entendirent plus jamais parler de l'incident.

Peu enclines à se faire «protéger» de la sorte ou à lutter contre des intérêts obscurs et puissants, Jeanine et Lydie optèrent pour le retrait en douce, la mort dans l'âme. Elles payèrent leurs vingt-deux employés et leurs fournisseurs. Les Créations Lydie n'existaient plus mais cette expérience de création et de confection de vêtements allait servir Jeanine plus tard, dans de meilleures circonstances. Pour l'instant, assommée, elle passa les trois semaines suivantes au lit à dormir presque sans interruption. Un repos qui permit à des images de prendre forme…

Quant à Lydie, la fin de l'épisode de la manufacture fut pour elle une sorte de libération. Âgée de seulement 20 ans, elle avait dû constamment nourrir de ses idées, de son imagination, de son talent de dessinatrice ce petit atelier devenu une véritable industrie. Cela représentait une énorme responsabilité. Le dénouement de cette aventure, qui prenait l'allure d'une calamité pour sa mère, la soulagea d'un énorme poids. Allégée, elle retourna à son travail de mannequin, en plus de créer des costumes de scène pour des vedettes populaires de l'époque, telles Nanette et Tony Roman.

Les deux mois suivants ne furent qu'un délai. Installée maintenant dans un appartement du boulevard Saint-Joseph, à l'angle de la rue Saint-Denis, Jeanine tenta un ultime retour dans le monde de la confection de vêtements. Ayant réussi à récupérer une machine à coudre et du tissu de l'atelier saccagé, elle se remit à l'ouvrage. Mais le cœur n'y était plus. Un après-midi particulièrement lumineux où les rayons du soleil traversaient les vitraux des fenêtres et coloraient les tissus blancs étendus sur la grande table sur laquelle elle était penchée, elle décida soudain de changer de vie.

Elle déposa les ciseaux et éteignit le moteur de sa machine à coudre. Les trois semaines pendant lesquelles elle avait dormi pour se reposer avaient probablement été salutaires, et une pensée avait ressurgi.

2

Le grand saut

Vers la fin de cette année 1969, Jeanine se rappelait une réflexion qu'elle avait formulée quatre ans auparavant, alors qu'elle était clouée au lit. À l'âge de 37 ans, des douleurs aux vertèbres cervicales, de la fièvre et des nausées l'avaient obligée à être hospitalisée d'urgence à l'hôpital Notre-Dame, à Montréal. Victime du bacille de Koch, elle ne pouvait baisser la tête, éternuer ou même rire sans déclencher d'horribles maux de tête. Le pronostic était très pessimiste et Jeanine se demandait comment elle s'en sortirait. Heureusement, sa sœur Colette, installée au Québec depuis 1959, l'accompagna lors de ces moments douloureux. D'une patience d'ange, elle lui donnait la becquée, car Jeanine était incapable de se nourrir elle-même et ne pouvait supporter un oreiller sous sa tête. Elle devait demeurer constamment allongée sur le dos, en bougeant le moins possible. Au cours d'une nuit particulièrement pénible, Jeanine murmura à sa sœur Colette : «Si je m'en sors, et je le dois car ma fille de 15 ans a plus que jamais besoin de moi, eh bien, un jour, je consacrerai ma vie et mes forces aux plus pauvres…»

À cette époque, les pays industrialisés baignaient dans une grande opulence, et la pauvreté matérielle appartenait exclusivement aux pays du Tiers-Monde.

Les mots «coopérant», «aide humanitaire» et «solidarité internationale» ne faisaient pas encore partie d'un vocabulaire usuel. Il y avait bien ces missionnaires qui étaient envoyés au

Tiers-Monde pour «évangéliser et faire la charité», mais Jeanine n'était pas religieuse.

Bien sûr, cette sympathie qu'elle éprouvait envers les pauvres du monde entier était authentique, car déjà, à 14 ans, elle avait demandé à son père si elle pouvait «partir comme missionnaire en Afrique». Sage, son père lui avait répondu : «Ma petite fille, tu es très jeune et cette décision est très grave... À ta majorité, nous en reparlerons...»

Et voici qu'à 41 ans, les circonstances de sa vie le permettant, elle réentendait cet appel, d'autant plus qu'elle ressentait une certaine frayeur à l'idée de vivre seule. Aussi, elle se sentait remplie d'une énergie telle qu'elle ne parvenait pas à l'épuiser avec satisfaction dans son univers personnel, non plus que dans son pays d'adoption, et sentit alors un besoin impérieux de se consacrer à quelque chose hors de l'ordinaire, soit le soulagement des misères des autres, espérant que cela l'aiderait à surmonter les siennes.

Elle fit part de son grand projet à son père et à sa mère, Jean et Ida Archimbaud. Ceux-ci, alors dans la soixantaine, avaient choisi de terminer leur vie au Québec. En 1964, ils avaient quitté la France pour venir s'établir à Montréal, auprès de leurs deux filles, Colette et Jeanine. Comme Jeanine s'y attendait, ses parents l'écoutèrent et l'encouragèrent dans son projet, non sans un serrement au cœur. Alors qu'ils avaient quitté leur vieille France pour se rapprocher d'elle, voilà que leur fille leur annonçait son grand départ! Bons princes, ils eurent ces paroles à son endroit : «Nous préférons savoir nos enfants heureux loin de nous plutôt que malheureux près de nous.»

Elle en discuta ensuite avec sa sœur Colette. Celle-ci lui apprit qu'elle correspondait depuis quelques années avec un prêtre canadien-français en mission au Guatemala, en Amérique centrale. Elle lui envoyait de l'argent tous les mois et recevait les bulletins d'information d'El Quetzal, le village où la mission était établie. Elle informa sa sœur qu'on demandait des volontaires pour travailler auprès des populations mayas des régions montagneuses. Cela constituait une occasion en or et Jeanine envoya ipso facto une lettre accompagnée de son curriculum vitæ.

Deux mois après avoir offert ses services au village d'El Quetzal, elle attendait toujours une réponse. «Peu importe, dit-elle. Trop occupés, ils n'auront pas eu le temps de répondre à ma lettre.» En février 1970, mois de son quarante-deuxième anniversaire de naissance, elle prépara ses valises.

Il lui restait une autre personne à avertir, John, cet Américain attachant avec qui elle s'était liée. Depuis leur rencontre au Mexique, quelques lettres échangées avaient entretenu leur lien. Encouragée par Lydie, qui voulait voir sa mère connaître un peu de bonheur auprès d'un homme, Jeanine était même allée à New York pour y passer quelques jours avec lui. C'est là qu'ils avaient convenu de se revoir. Même si elle était séparée de son mari depuis presque deux ans, Jeanine, à la seule pensée de ce voyage au but romantique, s'était sentie encore fautive vis-à-vis de lui. Elle ne regrettait pas sa décision de l'avoir quitté, mais il lui était difficile de se détacher de son mari après plus de vingt ans de vie commune. C'est pourquoi Lydie, la voyant indécise, l'avait aidé à chasser ses remords et avait organisé la randonnée. Avec l'aide d'une copine, elle avait reconduit sa mère dans la métropole américaine, où John l'attendait.

Durant cette période de rencontres et de lettres, Jeanine et John n'avaient pas parlé de projets, ni communs ni individuels, s'abandonnant plutôt à l'instant présent, se laissant emporter par la fièvre d'une relation vivifiante, passionnée.

Or, quand, au téléphone, Jeanine exposa son projet à John, signifiant par là que leur histoire se terminait avant même d'avoir réellement commencé, l'ingénieur californien fut sous le choc. Il la pria de remettre son projet à plus tard, de réfléchir encore aux conséquences d'un tel choix. «Passer le reste de sa vie dans le Tiers-Monde!...» En vain. Jeanine Archimbaud était une femme d'action et de décision, et les suppliantes pressions de cet homme n'allaient pas la faire fléchir. La seule petite victoire de John fut de la convaincre de passer quelques jours à Puerto Vallarta, au Mexique, pays voisin du Guatemala, avant qu'elle ne fasse le grand saut. Il voulait en discuter avec elle en tête-à-tête…

Forte de sa décision, bardée de sa conviction, Jeanine accepta, sachant bien qu'elle pourrait résister à ses tentatives de «détournement».

Enfin, une seule chose l'avait tourmentée jusqu'à la fin, malgré sa décision irrévocable : elle répugnait à s'éloigner de Lydie, même si celle-ci venait d'avoir 22 ans. Quand elle y réfléchissait, elle reconnaissait qu'elle avait été exigeante envers son enfant. Lydie avait été une petite fille introvertie, silencieuse, trop tranquille. Inquiète, Jeanine l'avait inscrite à des cours de danse, de chant, d'art dramatique, afin de la faire «sortir de sa coquille». Elle avait voulu la voir réussir là où elle-même n'avait pas pu, petite, s'exprimer, occupée à survivre dans la misère et la guerre. Mais Lydie n'avait pas eu envie de tous ces cours. Au début, elle avait été pétrifiée quand elle était arrivée sur la scène, et ses professeurs s'émouvaient du «courage» de la jeune fille qui avait persisté malgré tout. Le temps avait passé et Lydie, sans chérir outre mesure ces exercices artistiques à saveur thérapeutique, y avait trouvé de plus en plus une sorte d'exutoire qui lui avait permis de se mesurer à elle-même pour mieux «affronter» les autres. Aujourd'hui, elle admettait que sa mère avait eu raison d'exiger d'elle cet effort.

Sa fille avait été l'amour et le centre de sa vie, et, durant les vingt années de sa vie conjugale, son enfant avait constitué l'unique motif de son bonheur, le bijou précieux à protéger. À quelques heures du départ, elle s'inquiétait de quitter Lydie, mais se demandait aussi comment elle-même allait réussir cet affranchissement.

Le soir, dans l'avion, au-dessus de Montréal illuminé, alors qu'elle regardait s'éloigner son pays d'adoption, Jeanine se rappelait les dernières paroles de son père, prononcées de sa voix réconfortante : «La meilleure chose qui puisse arriver à Lydie est que sa «mère poule» ne soit plus là... Le temps est venu de couper le cordon ombilical, autant pour toi que pour ta fille.»

Le souvenir de ces paroles rassurantes la calma, sans pour autant la délester complètement du poids de son choix.

La main dans la main, Jeanine et John Younger marchaient en silence sur une promenade de bois longeant l'océan. Au large, le vent soulevait une écume aérienne de nuages. Chacun des deux se sentait agité intérieurement et évitait de le laisser trop paraître. Il ne leur restait qu'une journée à passer ensemble à Puerto Vallarta.

Dès l'arrivée de Jeanine, deux jours auparavant, John avait essayé de la convaincre de rester un peu plus longtemps au Mexique, afin de réfléchir à sa décision. Elle lui avait répondu doucement qu'elle ne voulait plus retourner en arrière et que, de toute façon, son départ pour le Guatemala ne pouvait pas être différé.

Le vent s'apaisa. Sans s'être consultés, ils choisirent un banc face à la mer, ourlée de petites vagues blanches. Au loin, cela ressemblait à un chapelet de perles sur fond bleu. Le Pacifique, calme et puissant à la fois, s'achevait à leurs pieds. Le plus beau spectacle de la nature n'aurait pu toucher ces deux êtres qui semblaient en parfaite harmonie. Derrière ses lunettes de soleil qui lui donnaient un air dur, John Younger ne parvenait pas à retenir ses larmes. Cette femme si déterminée, racée, si belle dans sa fougue, qui fonçait droit vers son but, vivait en même temps une certaine détresse. John n'était pas dupe : on ne peut être si volontaire et si passionné, tout laisser tomber pour plonger dans l'inconnu, sans vivre un tourment. Entre autres choses, c'était surtout cette ambivalence qui, chez Jeanine, avait réussi à l'attendrir et à l'émouvoir. Lui qui avait toujours réussi ce qu'il avait entrepris, il admettait difficilement que Jeanine puisse s'éloigner ainsi. Cela constituait à ses yeux un échec.

Elle, de son côté, femme entière, ne pouvait se contenter de jouer le second rôle. Car John, prisonnier en quelque sorte de son château californien, ne pouvait modifier sa vie conjugale et familiale, pour des raisons qu'il jugeait légitimes : il ne pouvait abandonner sa femme malade; il ne voulait pas peiner ses quatre filles, qui n'auraient pas supporté cette séparation et la lui auraient reprochée amèrement. La seule solution était de vivre sa relation avec elle de façon clandestine. Cette situation ambiguë, à la saveur de fruit défendu, laissait à Jeanine, à cette époque, un sentiment de culpabilité assez désagréable, une impression de souillure.

En quittant le Québec et sa famille au beau milieu de sa vie, elle avait renoncé à tout, ou presque, afin de réaliser son nouveau rêve. Elle décida de renoncer aussi à John en cet après-midi qui virait maintenant au crépuscule.

Le lendemain, John l'accompagna à l'aéroport. Ce fut lui qui, en passant devant le kiosque à journaux, eut l'idée d'acheter un quotidien. Il s'arrêta net dans le corridor et, quasi réjoui, s'écria : «Jeanine, tu ne peux pas te rendre au Guatemala! Regarde les journaux : "Coup d'État au Guatemala, couvre-feu imposé, chute du régime civil actuel, arrivée d'un régime militaire mettant au pouvoir le général Arana Osorio".»

John croyait tenir là un argument solide et à toute épreuve. Il lui semblait insensé de se rendre dans un pays de dictature. Mais Jeanine était au courant de la situation précaire qui prévalait dans le pays et cela ne constituait pas, selon elle, une véritable raison pour rebrousser chemin : il ne s'agissait pas d'une révolution mais d'un coup d'État. Et, dans son for intérieur, elle se disait : «Pourquoi s'en prendrait-on à moi, qui veux seulement travailler parmi les pauvres?»

Le moment arriva où elle dut traverser les tourniquets, seule. Juste avant, ils étaient restés quelques moments enlacés, sans un mot inutile, sans les banalités d'usage. Jeanine s'était ensuite dirigée vers le gros transporteur aérien qui allait l'emporter au Guatemala. John, s'étant déplacé vers une fenêtre panoramique, plissait ses yeux gris-bleu. Il la regarda monter jusqu'à la toute fin, avant de rebrousser chemin vers son Cessna, à l'autre bout de l'aéroport, et de mettre le cap sur la Californie.

3

D'El Quetzal à Nuevo Progreso

Jeanine avait quitté sans regret la ville lugubre de Ciudad Guatemala, infestée de militaires, pour se rendre au village d'El Quetzal, dans le sud-ouest du pays. C'est avec anxiété qu'elle sonna à la porte d'une bâtisse en blocs de ciment située près d'une église; on n'avait jamais répondu à sa lettre expédiée de Montréal trois mois plus tôt. Lise Genest, une jeune infirmière québécoise, l'accueillit avec un grand sourire. Jeanine apprit alors que le personnel de la mission, après avoir lu sa lettre, n'avait pas jugé bon de lui répondre affirmativement ni de la décourager. «À quoi bon? lui dit Lise Genest en souriant. Au ton et à la sincérité qui se dégageaient de votre plume, tout le monde ici savait que vous alliez apparaître tôt ou tard!»

El Quetzal se trouve dans une région montagneuse et volcanique. Le Guatemala étant situé à la rencontre de trois plaques tectoniques, les tremblements de terre y sont fréquents. Un jour, quelque temps après son arrivée, Jeanine en compta quarante-huit en vingt-quatre heures, soit un à toutes les demi-heures! Peu habituée à de telles sensations fortes, où le sol semblait glisser sous ses pieds et la tirer vers le vide, elle vécut cette fois-là une véritable initiation. À chaque secousse, elle attendait la suivante, dans la crainte qu'elle ne soit fatale.

Jeanine réussit tant bien que mal à surmonter ces inconvénients, grâce à la beauté sauvage et naturelle de ce coin de pays. Le temps passé à cet endroit fut en quelque sorte un apprentissage plus ou moins agréable de ce à quoi elle aspirait.

Elle œuvrait dans une mission, prodiguant soins et services à la population locale aborigène.

La mission disposait d'une petite pharmacie ambulante, garnie de médicaments. Jeanine et d'autres bénévoles, dans le but de fournir des soins aux Indiens isolés, se déplaçaient dans les montagnes, une fois par mois. La forêt qu'ils devaient traverser, verte à longueur d'année, était d'une luxuriance étonnante, à cause de l'humidité permanente. Chaque fois, Jeanine avait l'impression de marcher dans une forêt de brume, chargée d'odeurs fortes et douces émanant du sol et de l'air. Des orchidées blanches poussaient sur des troncs d'arbres autour desquels voletaient d'énormes papillons multicolores. Des champignons rouge foncé sortaient de la mousse couvrant cette terre toujours humide. L'oiseau emblème du Guatemala, le Quetzal, vert émeraude et rouge rubis, appelé aussi « manteau de lumière », se laissait observer parfois à travers le feuillage exubérant de la forêt, à l'aube. Selon les croyances mayas, cet oiseau meurt si on le capture, car il symbolise la liberté.

Jeanine était émerveillée. Pourtant, quelque chose la contrariait. Derrière la beauté frappante du paysage se cachaient une tristesse et une misère indéfinissables. Les Indiens des montagnes et des villages environnants vivaient dans une telle indigence, dans un dénuement si total, qu'elle en fut bouleversée. Elle considérait que les membres du personnel de la mission d'El Quetzal mettaient trop l'accent sur l'aspect religieux de leur œuvre. Insatisfaite de son travail, elle ne s'estimait pas suffisamment impliquée, trouvait que ses tâches ne répondaient pas aux besoins urgents, élémentaires, des paysans indiens, tels l'eau courante, les services sanitaires, les soins médicaux, une meilleure alimentation. Elle aurait tant aimé faire plus, être davantage près d'eux et adoucir, par sa petite contribution, la détresse qui se blottissait dans les montagnes. Selon elle, le prêtre responsable de la mission s'acoquinait avec les grands propriétaires terriens de la région alors que ses relations avec les paysans aborigènes étaient trop superficielles.

Une autre chose la préoccupait. Peu après son arrivée à El Quetzal, elle s'était aperçue qu'on essayait de changer les habitudes des Indiens. Bien que d'obédience catholique depuis que les conquistadores ont ouvert la voie à l'évangélisation au XVIe siècle, les Indiens avaient réussi à conserver un esprit, des rites et des pratiques qui appartenaient en propre au peuple maya et ils n'hésitaient pas à les mélanger à la tradition chrétienne. Leur culture ne s'était jamais éteinte. Le culte des dieux mayas de la terre, de la pluie, du vent et du soleil se confondait naturellement avec celui des saints catholiques. Aussi, lors de processions religieuses que les Indiens affectionnaient, le personnel catholique de la mission voyait d'un mauvais œil le côté spectaculaire, «païen», qu'on y trouvait : profusion d'encens, costumes éclatants, fleurs multicolores déposées sur les autels...

Il en était de même en ce qui concernait les chandelles. Jeanine avait observé combien cet objet était vénéré par les aborigènes. La bougie, gardienne de la vie, répandait la lumière et la chaleur. Elle chassait aussi les forces de la nuit, tant redoutées dans la mythologie maya. Les chandelles abondaient autant à l'intérieur des maisons que dans les lieux publics. Dans les églises, les hommes et les femmes, recueillis, tenaient toujours dans leurs mains une chandelle allumée à la flamme dansante. Les missionnaires tentaient depuis longtemps, en vain, de détourner les Indiens de cette pratique millénaire.

Les maladresses de ces gens et le sentiment d'inutilité qu'elle ressentait alors lui firent se poser plusieurs questions. Elle alla même jusqu'à remettre en question sa présence là-bas. Avec un grand effort, elle prit son mal en patience et profita des enseignements de Lise, devenue une amie lors de visites à des patients au village ou dans la forêt. Elle améliora aussi sa connaissance de la langue espagnole, apprit l'histoire du pays, s'instruisit des mœurs de ses habitants, de leur culture. Après huit mois, elle pressentait confusément que sa présence dans ce village ne constituait qu'une étape, un premier pas qui la mènerait ailleurs.

❧

Un jour, la mission reçut la visite d'un homme venu d'un village voisin, Nuevo Progreso. Jeanine s'aperçut tout de suite combien la faconde de ce grand gaillard blond aux yeux bleus, son dynamisme naturel, sa manière d'être soulevait l'atmosphère empesée et solennelle de la mission. Chaque fois qu'il venait à El Quetzal, pour une affaire ou une autre, tout s'animait autour de lui, dès qu'il descendait de sa vieille jeep poussiéreuse.

La surprise de Jeanine fut totale lorsqu'elle apprit que ce fumeur invétéré qui marchait constamment de long en large, incapable de rester en place, était un prêtre catholique, le *padre* Bertoldo.

Ce prêtre peu ordinaire lui semblait un homme d'action, direct et franc. Lors de leur deuxième rencontre, après quelques minutes de «conversation», elle baragouinant l'espagnol et lui s'exprimant dans un mélange de français, d'italien et d'espagnol, il vit bien que Jeanine s'ennuyait à mourir dans ce patelin. Il devinait chez elle une énergie qui ne demandait qu'à être utilisée à bon escient. Il l'invita alors sur-le-champ à venir travailler avec lui à Nuevo Progreso. Le village ne comptait que 1 500 âmes mais s'y rattachaient, à des kilomètres à la ronde, des *aldeas* – des hameaux –, composés de milliers d'habitants, en majorité indiens, des gens extrêmement démunis, éparpillés dans les montagnes. Même s'il y abattait déjà un bon travail auprès de la communauté indienne, le *padre* Bertoldo se sentait un peu isolé et éprouvait le besoin de s'adjoindre du renfort. Jeanine n'allait pas rater pareille occasion. Elle sentit toutefois le besoin de le prévenir : «Vous savez, *padre*, je n'ai pas vraiment de penchant missionnaire, et je ne vais pas régulièrement à la messe. Quant à ma façon de prier, elle m'est personnelle.» Le *padre* ne sourcilla pas; chacun semblait trouver en l'autre quelqu'un à sa mesure.

La distance à parcourir entre les deux villages n'était pas bien grande, mais la route menant à Nuevo Progreso était cahoteuse à souhait, et le moteur de l'autobus avait des ratés (les véhicules de transport publics du Guatemala sont souvent d'anciens autobus scolaires nord-américains, recyclés sommairement). De sa fenêtre ouverte, Jeanine apercevait parfois, à travers le feuillage des arbres, des baraques faites de tourbe, des cabanes en planches près desquelles des familles indiennes étaient réunies autour d'un feu. Ou encore elle devinait des hommes et de jeunes garçons au milieu des *milpas* – lopins de terre défrichée –, qui cultivaient les champs de maïs, l'aliment sacré des Indiens. (Pour les Indiens mayas, l'homme provient du maïs et cette croyance constitue le fondement de leur identité.)

Au bout de quelques heures, elle aperçut, du haut d'un promontoire, le village de Nuevo Progreso. Il lui plut d'emblée. L'autobus ayant dû s'arrêter pour une réparation quelconque, elle en profita pour sortir un moment. De là-haut, la vue était splendide : derrière la maison paroissiale, près de l'église, là où elle habiterait, s'élevait le point culminant de l'Amérique centrale, le Tajumulco, un volcan toujours actif, à 4 200 mètres. En tournant la tête de l'autre côté, elle sentait le souffle humide du Pacifique, à plusieurs kilomètres cependant, et pouvait en apercevoir le cercle lumineux. Nuevo Progreso avait poussé entre ces forces de la nature, éternelles.

L'autobus grimpa la route de terre pleine de trous et bordée de fleurs qui conduisait au village. Mêlé au voile de poussière soulevé par le véhicule dans le soleil, le parfum sucré des hibiscus et des bougainvillées rouges ravissait Jeanine. Elle souriait à tout.

À la maison paroissiale, le *padre* Bertoldo, toujours aussi enthousiaste et chaleureux, lui souhaita la bienvenue et lui présenta la cuisinière ainsi que le fils de celle-ci. On la mena à ses nouveaux quartiers : une petite chambre contenant un lit étroit muni d'un matelas bosselé, une chaise, une armoire avec des rideaux en guise de portes. Malgré ce dénuement, cette presque austérité, l'intuition de Jeanine la poussait à croire qu'elle avait eu raison de venir s'installer dans ce village. L'ouverture d'esprit du *padre* Bertoldo, les enfants aperçus sur la route, le personnel de la maison paroissiale, les fleurs sauvages, l'ambiance générale du lieu, la perspective d'un travail réel, tout concourait à nourrir son espoir de repartir vraiment à zéro. En quittant El Quetzal, elle perdait un «salaire» de 10 dollars par mois; quand elle arriva à Nuevo Progreso, il ne fut pas question, entre le *padre* et elle, de rémunération. Jeanine se disait qu'elle n'avait pas de grands besoins, qu'elle pouvait confectionner elle-même ses vêtements; en outre, elle serait nourrie et logée. Alors, que désirer de plus? Elle dont l'amour de la vie, sous toutes ses formes, l'avait animée depuis l'enfance, elle se trouvait enfin dans un milieu où elle pourrait utiliser pleinement son immense capacité d'aimer.

❧

Le *padre* Bertoldo était originaire de l'Italie du Nord. Lorsqu'il était arrivé à Nuevo Progreso en 1960, à titre de missionnaire, sa tâche avait été énorme. Il avait dû ériger une église brique par brique et bâtir une maison modeste de ses propres mains, aidé par la population locale.

Maintenant, si sa volonté restait inébranlable, ses moyens demeuraient limités. Il pratiquait lui aussi la charité au sens traditionnel, mais déjà il y apportait une variante. Par exemple, un dimanche par mois, après la messe, il distribuait aux paysans indiens des provisions alimentaires qu'il faisait venir de la capitale par train. À chaque famille, il demandait une somme modique afin de payer les coûts de manutention et de transport. Cela permettait, selon sa philosophie, d'éviter de tomber dans le paternalisme. Son principal mérite, aux yeux de Jeanine qui l'écoutait parler et observait son comportement avec les Indiens, était de considérer ceux-ci avec respect et de s'en être fait des amis. Parce qu'il donnait beaucoup, le *padre* était quelqu'un qu'on aimait spontanément.

Quand Jeanine lui demanda pourquoi il s'était fait prêtre et avait abouti parmi les Indiens du Guatemala, il lui répondit d'une façon qui la fit sourire et qui illustrait bien le personnage. Recourant à un mélange d'espagnol et de quelques rares mots de français qu'il connaissait, il répondit, l'œil taquin : «En Italie, dans ma jeunesse, j'aimais bien Anna, mais j'avais trop d'amour à donner pour une seule femme et quelques enfants que je pourrais avoir… J'avais trop d'amour. Ça débordait!»

Elle ne le lui dit pas sur le coup mais, d'une certaine façon, elle se reconnaissait dans ces paroles.

En faisant le tour des «installations» de sa mission, le *padre* montra à Jeanine des boîtes de médicaments déposées sur une tablette et dont il ne savait que faire. Des gens de la capitale lui avaient fourni ces remèdes de base, mais, s'il possédait des talents dans le domaine de la construction, le rayon de la médecine ne lui était pas familier. Tout ce qu'il savait, c'était qu'à la pharmacie du village le prix des remèdes était inabordable et qu'il faudrait bien trouver d'autres solutions un jour. Aussi, quand ils se retrouvèrent tous les deux face à ces ressources inutilisées, ils eurent la même idée : celle de mettre sur pied un dispensaire, afin de procurer des soins immédiats et d'assurer des traitements préventifs aux Indiens qui en auraient besoin. Le *padre* connaissait depuis longtemps le piètre état de santé des aborigènes du Guatemala. Constituant plus de 50 % de la population, ces Indiens accusaient le plus bas taux d'espérance de vie d'Amérique centrale; presque tous les enfants étaient sérieusement atteints de malnutrition et naissaient dans l'indigence; la plupart des adultes souffraient de carences alimentaires en raison de la consommation exclusive de maïs et de fèves. Il fallait ajouter à cela le manque d'accessibilité à l'eau potable, l'absence presque totale de vaccination, une hygiène quasi inexistante. Pour chaque groupe de 10 000 Indiens, on trouvait un seul médecin.

L'État avait peu d'argent et son service public, en matière de santé, était le plus faible d'Amérique centrale. Les classes dirigeantes riches du pays, composées de Ladinos[1], ne contribuaient pas à son développement. Elles expédiaient la majeure partie de leur argent à Miami ou ailleurs aux États-Unis, et envoyaient leurs enfants dans les universités américaines.

Aussitôt l'idée du dispensaire adoptée, les choses s'organisèrent. En une journée, Jeanine, avec l'aide d'un menuisier, termina la construction d'une pièce pour installer son service en face de la place de l'Église, d'accès aisé pour les Indiens venant des montagnes. Un long corridor couvert menait au dispensaire, pour abriter les visiteurs pendant les nombreux mois de pluie de cette région du Guatemala.

Le *padre* voyait enfin ses boîtes de remèdes disposées en rangées, prêtes à être utilisées! Il présenta à Jeanine des médecins de ses amis, d'une ville voisine, Coatepeque. Ils donnèrent des conseils et des informations de base à Jeanine, et lui fournirent des listes de médicaments et de traitements. Pour le renouvellement des médicaments, Jeanine pourrait s'approvisionner à des laboratoires de la capitale, évitant ainsi les prix élevés des pharmacies. En outre, le *padre* et Jeanine avaient réussi à convaincre des médecins des environs, faisant partie de l'Association nationale du Café[2], de venir au dispensaire une fois par mois pour donner leur temps et leur science, bénévolement. À leurs côtés, elle complétait son entraînement. Elle lisait,

1. Minorité dirigeante non indienne du Guatemala, métisse ou blanche, parlant espagnol et ayant adopté la culture occidentale.
2. Le Guatemala est le plus gros producteur de café de l'Amérique centrale.

prenait des notes. Toujours guidée par un sentiment d'urgence dans tout ce qu'elle entreprenait, elle assimilait rapidement.

En cette période d'apprentissage, elle eut droit, quelque temps plus tard, à un enseignement d'un tout autre ordre. Un matin, elle s'éveilla en sursaut. Dehors, il faisait noir et un brouhaha envahissait la place devant la maison paroissiale; des Indiens, à genoux dans la rue, priaient. Jeanine accourut dans la cuisine, vers le *padre*, et lui demanda ce qui se passait. Il l'emmena dans le patio et lui montra du doigt la direction du volcan qui venait d'entrer en éruption. Elle n'avait encore jamais vu un tel spectacle, aussi désolant qu'impressionnant, et elle se sentit bien petite. Tout autour, la végétation était recouverte d'une épaisse couche de poudre brune, tandis que le ciel était noir. Les débordements du volcan durèrent presque deux jours, paralysant les activités dans les régions touchées. D'un côté, cette pluie de cendre occasionnait des problèmes de respiration à la population, faisait s'effondrer des toits – faits de palmes – sous le poids de la poussière, et suffoquer plusieurs animaux. D'un autre côté, si la pluie se mêlait à cette semence volcanique, le mélange se transformait en un engrais inespéré et les terres devenaient très fertiles pour plusieurs années. Jeanine apprit donc que la nature, au Guatemala, pouvait être à la fois violente et généreuse.

Si le contact avec les éléments naturels du pays s'imposa à elle ainsi, de façon toujours instantanée et imprévue, son rapport avec les habitants et les Indiens du village et des alentours se développa, par contre, de manière progressive. Son regard avait été attiré par leurs vêtements, particulièrement les *huipiles*, ces blouses aux intenses couleurs portées par certaines femmes. À chaque village indien correspondaient des couleurs et des motifs différents, qui les distinguaient entre eux.

Doucement, elle commença à établir une relation de confiance, conversant et riant avec les femmes et les jeunes filles indiennes venues au dispensaire chercher des remèdes et de l'aide médicale. Elle faisait son nid, tranquillement. Elle les vit enfin s'attarder un peu plus longuement, nouer un lien de plus en plus solide avec elle, à son grand bonheur. Le *padre* l'avait prévenue que les Indiens ne s'ouvriraient à elle qu'avec le temps et que cela demanderait de sa part une infinie patience. Après quelques mois, grâce à sa sincérité naturelle et à sa générosité, la plupart des habitants de Nuevo Progreso lui témoignèrent leur confiance. Déjà les femmes partageaient avec elle leurs problèmes personnels ou familiaux.

Comme Jeanine n'avait jamais de temps à perdre, elle voulait souvent faire les choses trop rapidement. Victime de son trop grand désir de bien faire, elle tentait parfois d'imposer un rythme trop «occidental», par exemple en ce qui concernait la propreté ou la cuisine, et alors le *padre* la ramenait à l'ordre : «Ici, *gringa*, ça ne se passe pas de cette façon...» Elle acceptait ces petites leçons de tolérance, bien déterminée à faire le moins d'erreurs possibles.

Un soir de pluie, elle décida de faire l'inventaire des choses qu'on avait plus ou moins abandonnées à leur sort. Dans un coin de la maison paroissiale, elle repéra une vieille machine à coudre; plus loin, elle trouva une vieille table de ping-pong, au bout d'un couloir, et se dit que cela ferait une bonne table de travail. Depuis quelque temps, une idée germait dans sa «petite tête». Progressivement, elle rassembla des aiguilles, des ciseaux, du fil, des règles à mesurer. Elle emprunta, avec l'accord du *padre*, quelques bancs de l'église qui étaient sans dossier. Finalement, elle dépoussiéra la vieille machine à coudre et la débarrassa de ses toiles d'araignée, la restaura, lui injecta quelques gouttes d'huile usée et l'installa au milieu de la pièce. Elle voulait créer, sous le même toit que le dispensaire, une école de couture pour les jeunes filles de la région, habiles et habituées aux travaux manuels. Elles pourraient ainsi, peut-être, trouver du travail plus tard.

Un mois et demi après l'arrivée de Jeanine à Nuevo Progreso, on faisait l'ouverture officielle du dispensaire et de l'école de couture. Ce qu'elle ignorait, c'est que, pendant ce temps-là, le *padre* avait déjà commencé sa campagne de recrutement dans les villages et les hameaux des montagnes. Résultat : devant son nouveau local, équipé d'un matériel de fortune, cinquante-quatre élèves se présentèrent devant elle pour les cours de couture, soit le double des employés qu'elle avait eus jadis à sa manufacture de Montréal, si bien pourvue et aménagée!

Combinant son talent d'organisatrice à sa grande imagination, elle mit en marche un processus que rien ne pourrait plus freiner. D'abord, elle avait remarqué le talent et la patience d'une belle jeune Indienne aux yeux doux et aux traits fins, Thelma, âgée de 15 ans. Elle lui proposa d'être son assistante et lui offrit des cours particuliers et intensifs. Cette promotion procurait à la jeune fille une fierté supplémentaire et permettait à Jeanine d'être plus disponible pour l'ensemble des tâches, car, à tout moment, elle devait se rendre au dispensaire pour régler des problèmes d'un autre ordre. Des paysans indiens habitant dans les montagnes venaient y chercher des soins de base pour des infections ou des blessures. Elle passait ainsi facilement d'un lieu à l'autre, et une mince cloison délimitait les deux univers.

Les vêtements éparpillés du *padre* n'avaient pas échappé à l'œil de Jeanine et, venant un jour à manquer de tissu pour l'école de couture, elle ne se gêna pas pour les utiliser. En «vieux garçon» qu'il était, le *padre* laissait parfois ses vieilleries accrochées ici et là, dans le vague espoir de leur trouver une utilité future. Plus tard, il eut peine à reconnaître ses chemises et ses pantalons lorsque Jeanine lui brandit fièrement sous les yeux ce que ses étudiantes en avaient fait : des bonnets et des bavettes pour bébés!

Elle n'avait pas terminé. À la sacristie, elle découvrit un grand sac plein de vieux ornements. Les tissus étaient soyeux – velours, taffetas, satin – mais dans un état lamentable, rendus inutilisables pour leur fonction première, habiller les statues des saints qui se trouvaient dans l'église... Le *padre* trouvait que

Jeanine avait du culot mais il lui donna l'autorisation de les récupérer pour son école de couture. Après qu'elle eut choisi les morceaux qui avaient été épargnés par les souris et les cancrelats, ces lambeaux satinés et colorés se transformèrent, sous les doigts des jeunes étudiantes indiennes, en magnifiques robes pour petites filles.

La mission du *padre* Bertoldo, sous l'impulsion de Jeanine, prenait une nouvelle allure, s'enrichissant d'activités quotidiennes et utilitaires. Certaines élèves de l'école de couture acceptaient de marcher 14 kilomètres, matin et soir, pour participer à cette nouvelle vie. Pendant la saison des pluies, interminable, les chemins boueux devenaient difficilement praticables, même à pied, mais la fréquentation demeurait la même. Jeanine s'émouvait de l'enthousiasme, du goût de vivre et d'apprendre des jeunes Indiennes.

Elle fit une autre proposition au *padre* : aménager un dortoir où les filles pourraient dormir la nuit, au lieu de remonter sans cesse dans les montagnes tous les soirs. Les jeunes Indiennes pourraient aussi être nourries sur place. En échange, elles étudieraient le matin, et, l'après-midi, effectueraient des tâches ménagères. L'idée fut adoptée rapidement par le *padre*. Cependant, sa réalisation exigeait un minimum d'argent, et Jeanine n'avait aucun revenu, sauf, de temps en temps, un chèque qu'elle recevait de son père, bien qu'elle ne lui eût rien demandé. Elle se gardait bien de parler de sa situation financière à ses parents, pour ne pas les embêter, d'autant plus que, lorsqu'elle regardait autour d'elle, elle se considérait comme une privilégiée.

Le *padre* et Jeanine s'étaient entendus pour ne compter que sur eux-mêmes, et, selon ce principe, il lui avait fortement recommandé d'éviter la gratuité ou le crédit auprès des aborigènes. Il lui avait répété maintes fois : «Aidons-les à garder la fierté et la dignité qui caractérisent le peuple maya. Sous prétexte de bonté, nous leur ferions du tort; ils deviendraient vite des mendiants.»

Voilà un discours qui, en 1970, venant d'un religieux, ne laissait pas Jeanine indifférente. Elle éprouvait une grande admiration pour ce *padre* qui savait si bien comprendre ces gens. Elle devinait qu'elle avait tout à apprendre de lui, même si, au début, elle-même avait eu de la difficulté à ne pas céder à un excès de générosité envers les Indiens.

Tout comme Jeanine, le *padre* s'activait sans cesse. À ce chapitre, elle trouvait qu'ils se ressemblaient. La majeure partie du temps, il roulait par monts et par vaux dans sa jeep. Il adorait cette vie à l'orée de la jungle, où tout était à faire, malgré les obstacles, et il avait refusé, avant de venir là, d'être employé dans une mission confortable où tout était déjà en place, convenu. Individualiste endurci, il avait eu le désir de s'installer dans un espace vierge et de créer lui-même sa propre mission.

Fonçant courageusement sur des routes dangereuses d'accès, surtout lors de la saison des pluies, qui, avait-il l'habitude de dire à Jeanine, durait treize mois par année, le *padre* allait rencontrer des familles indiennes, visiter des malades et des mourants, participer à des fêtes, célébrer des messes dans la forêt. Pour prévenir les gens de sa venue, il disposait d'un système original. Dans un coin de l'église, il avait installé un micro, connecté à un amplificateur de fortune, relié à quatre haut-parleurs fixés sur la tour du clocher. Quand il lançait un message, sa voix se répandait jusque dans les montagnes, atteignant ainsi son but.

De plus, il avait réussi, au cours des années, à faire construire dans le village une école primaire et secondaire. L'analphabétisme sévissait de façon alarmante au Guatemala et, chez la population indienne, le taux atteignait un record. La presque totalité des femmes indiennes ne parlaient pas espagnol, confinées qu'elles étaient dans leur milieu, ne fréquentant pas l'école. Elles ne s'exprimaient que dans leur langue, soit l'une des 23 langues parlées par les groupes ethniques du Guatemala, dont les plus populeux étaient les Quiché, les Mam et les Cakchiquel.

Jeanine se trouva donc à devenir le bras droit du *padre*, sans que cela eût été dit ouvertement. Ayant de la difficulté à prononcer son prénom, il l'appelait parfois Violeta, à cause du nom de son ex-mari, Vialette. Jeanine ne s'en formalisait pas et trouvait que ce prénom sonnait bien à ses oreilles. En plus de ses propres responsabilités, elle l'appuyait dans ses démarches. Elle le vit, par sa ténacité, réussir à convaincre un riche propriétaire terrien des environs de s'impliquer au profit de la population pauvre. Cet homme permit la construction d'un réservoir d'eau potable sur ses terres afin de capter l'eau d'une source de grand débit et de la distribuer à la population locale. Ensuite, on aménagerait un système d'égouts. Quand Jeanine n'était pas prise au dispensaire, elle accompagnait le *padre* pour l'exécution de ses projets. D'une présence discrète, elle écoutait, posait des questions, enregistrait tout, même si elle ne maîtrisait pas encore bien l'espagnol.

Sa première «grande sortie» chez les aborigènes fut pour la célébration d'un anniversaire dans une famille du village de Nuevo Progreso, une fête à laquelle le *padre* lui avait demandé de l'accompagner. L'aspect extérieur de la maison de leurs hôtes était le même que celui de la plupart des habitations du village : murs de planches de bois et toit de tôle ondulée. À leur arrivée, ils furent accueillis gentiment par les principaux membres de la famille. Ce qui frappa d'abord Jeanine fut le silence général de tous les autres, les jeunes et les moins jeunes, une vingtaine en tout, qui étaient assis sagement sur des bancs le long des murs de la pièce centrale. Ils ne la regardaient pas avec une curiosité moqueuse; ils constataient simplement la présence d'une nouvelle personne et l'acceptaient chez eux, tout en affichant un détachement qui leur était coutumier. Cette introduction dans l'intimité des coutumes indiennes constituait sa première expérience et elle ne savait trop comment se comporter. Voyant son embarras, le *padre* s'approcha d'elle et lui murmura à l'oreille : «Ne t'en fais pas; il en est toujours ainsi au début. Il n'y a rien d'autre à faire qu'à attendre.»

Au bout de quelques minutes, des jeunes filles apportèrent des plateaux chargés de tasses de *caliente*, une boisson aux fruits délicieuse et parfumée. Jeanine remarqua le costume traditionnel porté par deux femmes : une blouse brodée et une jupe jaune, faite d'un grand morceau de soie enroulé plusieurs fois autour de la taille et que l'on referme en y faisant une boucle. Elle n'osait pas refuser la générosité des Indiens, qui veillaient à ce que sa tasse soit toujours pleine, sans oublier celle du *padre*. On leur servit également des *tamalitos*, faits d'une pâte de maïs cuite à la vapeur et fourrés de fèves noires, à la saveur pimentée.

Ce fut lors de cette soirée que les Indiens, trouvant son nom difficile à prononcer, décidèrent à leur tour de l'appeler à leur façon : «*la dama con los ojos pintados*», «la dame aux yeux peints». Car Jeanine, bien que vivant dans les montagnes du Guatemala depuis un an, avait continué à se maquiller les yeux, en harmonie avec le bleu de son regard. Elle le faisait sans affectation, comme elle se lavait les mains ou se peignait les cheveux.

La soirée terminée, Jeanine tenta de se lever. Incapable d'y arriver, elle essaya encore, mais en vain. Son baptême du *caliente*, à base d'eau-de-vie, l'avait sonnée. Le *padre*, un peu en retrait, riait sous cape. Il avait assisté à l'initiation de la *gringa*. Beau joueur, il s'approcha d'elle, la soutint discrètement et l'«escorta» jusqu'à la jeep, en lui soufflant : «*Hija*, fille, à l'avenir, méfie-toi du *caliente*, car bien souvent il contient de *l'aguardiente*, de l'eau-de-vie…»

Le lendemain matin, bien qu'elle admît avoir apprécié sa visite chez les Indiens, elle eut sa première prise de bec avec le *padre*, lui reprochant de ne pas l'avoir prévenue des effets de ce *caliente* si parfumé. Elle alla même plus loin : «Je trouve que vous vous laissez embobiner un peu trop facilement par des Indiens ivres qui viennent chez vous, et que vous les cajolez trop. Vous devriez réagir et leur faire la leçon sur l'alcool, leur dire de s'occuper davantage de leur famille au lieu de se perdre dans les vapeurs de l'eau-de-vie.»

Le *padre* lui répondit du tac au tac : « Violeta, tu comprendras plus tard, quand tu connaîtras l'histoire de ce peuple opprimé depuis cinq cents ans. Ce sont leurs misères qui les rendent comme ça et l'alcool demeure leur seule façon de s'échapper... »

Il venait d'exprimer à sa façon la même idée qu'un grand écrivain guatémaltèque avait formulée avec une amère ironie, un jour, devant des journalistes : « La seule façon d'endurer la tragédie du Guatemala est de rester ivre... La drogue peut, elle aussi, aider à supporter le mal. »

Jeanine se calma et réfléchit aux paroles du *padre*, déconcertantes au premier abord, troublantes dans leur vérité. Sur ces entrefaites, la cuisinière se dirigea vers elle et lui annonça qu'une vieille dame, à la porte, voulait parler à la « *mujer del cura* », la femme du curé... Alors là, c'était le bouquet! Elle demanda des explications au « curé ». Le *padre*, en cachant mal son envie de rire, lui expliqua que, pour plusieurs Indiens, il était impossible de croire qu'un prêtre puisse vivre sans femme. Donc, toute femme vivant sous son toit devenait la *mujer del cura*. « Eh bien! se dit Jeanine mi-figue mi-raisin, quel harem! » Elle s'étonnait surtout de voir le *padre* s'en amuser ouvertement, au lieu de leur expliquer, de leur faire comprendre... C'était peine et temps perdus, selon lui, et il se plut à lui répéter : « *Paciencia, Violeta, paciencia...* »

En 1970, Jeanine dut retourner brièvement à Montréal pour assister à la prononciation de son divorce par un juge. Les jours précédant son départ de Nuevo Progreso, elle était un peu plus nerveuse que d'habitude, car ce voyage constituait le dernier acte de sa délivrance. Le seul pincement au cœur qu'elle ressentit en arrivant à Montréal lui fut causé par la pensée des objets qu'elle avait abandonnés dans la maison de Laval, des objets sans importance mais auxquels on s'attache au cours d'une vie sédentaire et bien réglée, tels que de la vaisselle en

Jeanine et sa sœur Colette (à gauche), en Auvergne en 1944.

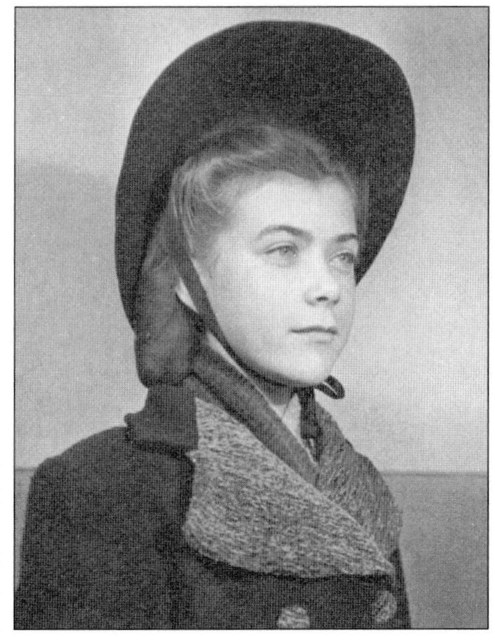

Jeanine à 13 ans, pendant la Deuxième Guerre mondiale, alors qu'elle était pensionnaire en Auvergne, dans le centre de la France.

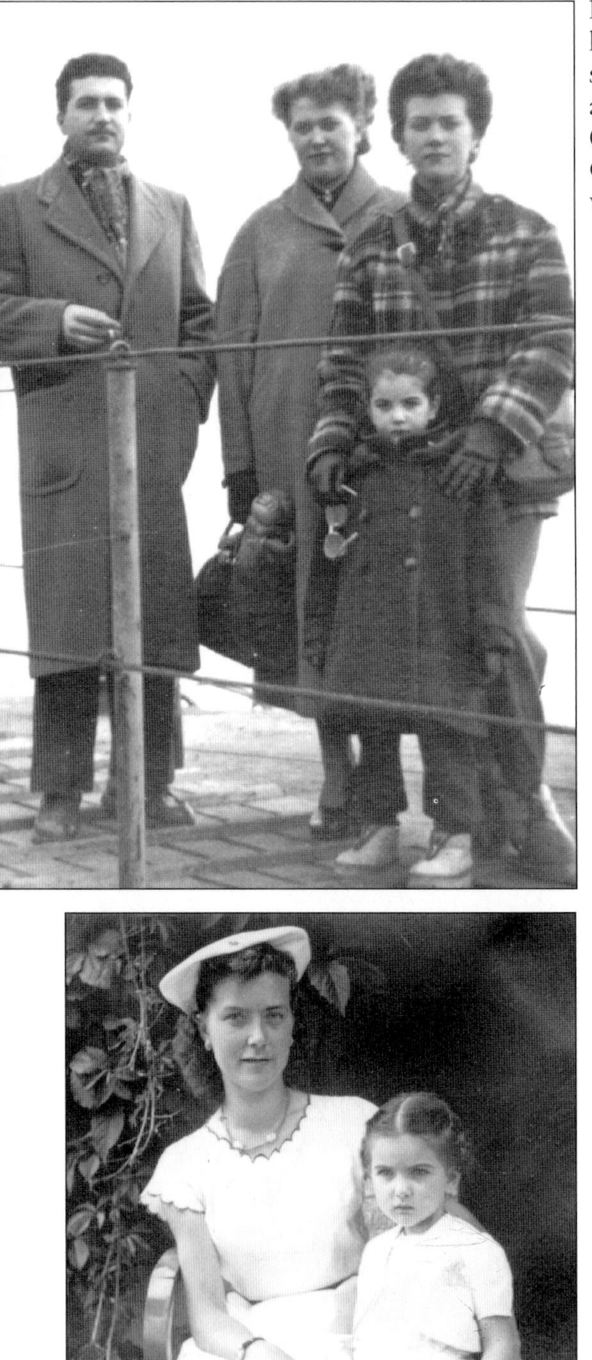

Départ de Jeanine pour le Canada avec sa fille Lydie, au Havre, en 1953. (À gauche, sa sœur Colette et son mari Henri, venus les saluer.)

Première neige pour Lydie, à son arrivée au Québec, en mars 1953.

Jeanine et sa fille Lydie, âgée de trois ans.

Le grand départ
pour le Guatemala :
à l'aéroport de Dorval
en compagnie
de ses parents et
d'une amie,
en janvier 1970.

En compagnie
d'une Indienne et
de son bébé,
venus chercher
des soins.

Jeanine a aidé Thelma à accoucher. Dans un hamac, Jeanine berce la petite Véronica.

Aidée de sa fidèle amie Thelma, Jeanine reçoit les Indiens dans son dispensaire de Nuevo Progreso.

Jeanine a réussi à mettre sur pied un atelier de couture.

Le petit dispensaire de Jeanine devenu un hôpital : *l'Hospital de la Familia*, première phase, en 1974.

Une partie du village de Nuevo Progreso, vue de l'hôpital.

Avec le boute-en-train de Nuevo Progreso, le *padre* Bertoldo, en 1976.

Animatrice de fêtes pour récolter des fonds, Jeanine chante avec Manolo.

Le père de Jeanine,
Jean Archimbaud,
graveur, en 1972.

Jeanine entourée
de sa mère
et de son père,
peu de temps avant
la mort de celui-ci.

Défilé de petites Indiennes dans les rues du village, organisé par Jeanine lors d'une fête à Nuevo Progreso en 1975.

Malgré son âge, la mère de Jeanine l'accompagna souvent en Amérique centrale. Ici en compagnie d'une Indienne à Nuevo Progreso, en 1977.

porcelaine, un meuble en bois patiné par le temps, une lampe bien dessinée.

Heureusement, Lydie l'accompagna en cette journée. À la cour, tout finalement se passa dans les normes, jusqu'au moment où le juge annonça à Jeanine qu'elle avait droit à une compensation financière de la part de son ex-mari, propriétaire de deux maisons. Jeanine, à l'étonnement de tous, refusa poliment.

À la sortie, rue Notre-Dame, dans le Vieux-Montréal, elle s'expliqua à Lydie. «Ce que je désire par-dessus tout, c'est la liberté et la paix totale, lui confia-t-elle. Si j'acceptais cette proposition du juge, j'ai l'impression qu'il existerait toujours un lien avec mon ex-mari.» Sa grande fille de 22 ans la comprit. Elles s'embrassèrent et, une nouvelle fois, se quittèrent.

Jeanine profita également de ce bref séjour pour voir ses parents qu'elle adorait. Elle rapporta au Guatemala quelques tableaux de son père, des dessins, des photographies de famille, les seuls objets auxquels elle tenait vraiment. Ainsi, ses parents l'accompagneraient dans son cœur là-bas.

Lors de ce retour, en fin d'après-midi, à l'aéroport de Ciudad Guatemala, Jeanine dut attendre l'autobus, qui était en retard. Ce délai éveilla en elle un désir, un souhait. Elle avait toujours conservé le numéro de téléphone du bureau de John, à San Francisco. Il avait insisté : elle pouvait téléphoner quand ça lui plairait. Elle ne l'avait pas encore fait, ou n'en avait pas eu l'occasion, ou avait toujours hésité. Les quelques rares lettres échangées au cours des dernières années n'avaient eu pour résultat que de raviver son sentiment de solitude. Maintenant, sa voix lui manquait, sa présence également. Elle s'éloigna du bruit cacophonique de la salle d'attente, trouva un coin tranquille et demanda la communication. Il était encore temps de raccrocher, elle le savait, mais elle en fut incapable. À l'autre bout, John, remué, se ressaisit et la remercia d'avoir pensé à l'appeler. Ils promirent de se voir, du bout des lèvres, sans préciser où ni quand. Ils craignaient de fonder de faux espoirs. Le silence des dernières secondes de la conversation ne révélait pas un malaise, mais plutôt un rapprochement dans l'espace. Ils hésitaient à raccrocher car ils ne voulaient pas couper le contact trop rapidement.

❧

Avec son humour pince-sans-rire, le *padre* avait le don de désarçonner Jeanine, si spontanée et si vive. Une nuit, elle fut dérangée dans son sommeil par une série de petits bruits incongrus au pied de son lit, des grincements intermittents, accompagnés de sons aigus. Se réveillant en sursaut, elle se mit debout sur son grabat et commença à hurler, ameutant toute la maisonnée. Tout le personnel fit irruption dans sa chambre, le *padre* en tête, croyant qu'on étranglait sa «Violeta». Ce fut le fou rire général. Les filles indiennes, habituées à la présence des souris et des rats, la débarrassèrent des rongeurs, tandis que le *padre* lui reprochait de s'en prendre à ces «petites bêtes du bon Dieu» et lui souhaitait bonne nuit. Le lendemain, Jeanine se promit de faire un grand nettoyage de la maison paroissiale de Nuevo Progreso, même si cela devait prendre quelques jours.

Les cancrelats fourmillaient dans le bureau du *padre* et dans ses papiers. Tout ce qui était comestible était attaqué. Dans sa chambre, l'odeur de moisi prenait à la gorge et l'humidité excessive endommageait les tissus. Les autres pièces de la maison ne payaient pas plus de mine, recouvertes d'une vilaine couleur vert-de-gris. Des insectes monstrueux s'y baladaient et des champignons prenaient naissance ici et là sur des morceaux de cuir. La saison des pluies, au Guatemala, avec la dizaine de mètres d'eau qu'elle déverse à chaque année, laisse des séquelles. Dans ce pays d'Amérique centrale, la chaleur et l'humidité des forêts est à l'origine du gigantisme de certaines bestioles, comme les *Cupiennius coccineus*, des araignées si grosses et si puissantes qu'elles sont capables de tuer au combat une grenouille ou un oiseau. Avant d'arriver face à face avec un tel monstre, Jeanine préférait prévenir, et c'est pourquoi elle s'attela à la tâche de bousculer les meubles.

Quand le *padre* arriva à la maison paroissiale, au retour d'une de ses courses folles dans la montagne, il découvrit les lieux sens dessus dessous et «reprocha» à Jeanine son zèle. «Si tu n'avais pas eu cette idée géniale de vouloir mettre de l'ordre et de la propreté dans mes pièces, nous n'aurions aucune idée de l'étendue des dégâts!»

Jeanine demeura d'abord interdite devant un tel raisonnement... puis elle éclata de rire. Le *padre* ne put s'empêcher de sourire lui aussi et, tout en relevant ses manches, voulut se mettre à l'ouvrage, ne sachant pourtant par où commencer.

Jeanine alla ensuite dans l'église, dans le but de chasser les chauves-souris qui y avaient élu domicile, et de laver les murs et le plancher. Elle se dit aussi qu'il fallait repeindre le dispensaire. Elle eut alors une idée pour obtenir de l'aide.

Elle avait remarqué, lors de ses courses au village, que de nombreux jeunes soldats passaient leur temps dans des bars, le soir, ou étaient oisifs durant le jour. Depuis quelques années, des membres de l'armée étaient cantonnés à Nuevo Progreso, en plein village, et vivotaient dans une caserne qu'ils avaient érigée. Les soldats, omniprésents, se livraient à des occupations plus ou moins énigmatiques, en plus de faire des bébés aux filles du village, séduites par l'uniforme... Pourquoi, pensait Jeanine, ne pas demander à l'officier de leur prêter ces bras et ces jambes pour compléter le grand nettoyage? Elle avait bien d'autres chats à fouetter. Le *padre* trouva l'idée audacieuse, originale. L'officier de l'armée à qui il s'adressa réfléchit quelques instants, puis ordonna à quatre de ses soldats d'aller se rendre utiles. Deux d'entre eux furent employés à peindre le dispensaire, et les deux autres à laver les murs et le plancher de l'église.

En ce début des années 70, depuis l'arrivée au pouvoir du général Ozorio, la présence de l'armée avait décuplé. La résistance au pouvoir militaire, que le même Ozorio avait lui-même anéantie dans l'est du pays durant les années 60, avait repris vie depuis, sous d'autres formes, dans d'autres foyers. La guérilla était menée par l'Armée de Guérilla des Pauvres (EGP) et par l'Organisation de l'Armée du Peuple (ORPA)[1], deux organisations révolutionnaires nouvellement fondées. Elles étaient campées dans les régions montagneuses du centre et de l'ouest du pays, l'Altiplano, pays des Indiens. Afin d'établir un contrôle permanent dans le secteur, l'armée avait construit une caserne militaire à proximité. En imposant au pays les thèmes de l'ordre et de la loi, Ozorio avait proclamé : « S'il faut donner au pays l'allure d'un cimetière pour le pacifier, je n'hésiterai pas à le faire. »

Pendant que des commandos de l'armée menaient une campagne de terreur systématique auprès des sympathisants de l'opposition dans certaines régions, des troupes s'installaient dans des villages, dans le but d'assurer la visibilité et la présence des militaires, témoignage d'un pouvoir incontestable.

En outre, les soldats se livraient à d'étranges occupations, d'apparence anodine. Un matin, de la fenêtre de sa chambre, Jeanine avait aperçu un groupe de soldats rustres qui s'agitaient, en plein milieu de la route, autour d'une chaise. Attrapant au passage des jeunes et des vieux, ils les collaient sur le banc et, en un tournemain, leur rasaient les cheveux, la barbe, la moustache, parfois seulement à moitié, pour les ridiculiser davantage. Cette tonte était en quelque sorte la signature du nouveau président Osorio, un symbole de sa façon machiavélique de voir les choses : puisque tous les guérilleros portaient les cheveux longs et la barbe, il fallait que les autres citoyens acceptent de se faire tondre, prouvant ainsi qu'ils n'appartenaient pas à la guérilla. De la sorte, les vrais guérilleros seraient plus aisés à reconnaître et à éliminer. Les droits de la personne étaient le dernier souci des dirigeants de ce pays.

1. Dirigée par Rodriguo Asturias, fils de l'écrivain Miguel Angel Asturias.

L'occasion lui fut donnée d'aller visiter les *fincas* des grands propriétaires terriens – plantations de café, de canne à sucre, de coton –, dont elle avait beaucoup entendu parler. La vision désolante qui lui sauta aux yeux la laissa abasourdie. Elle voyait ces hommes et ces enfants, véritables esclaves, travailler pour un salaire de misère, insuffisant pour nourrir leur famille nombreuse; ils ne bénéficiaient d'aucune protection médicale ni sociale; ils n'avaient pas le droit non plus d'élever des vaches ni des poules, une activité qui leur aurait fourni une alimentation autre que les éternelles et peu nourrissantes tortillas, concoctées et cuites dans des masures où les riches propriétaires n'auraient même pas logé leurs bêtes à cornes.

La nuit, sur ces *fincas*, des centaines d'Indiens mal nourris s'entassaient dans des immenses préaux ouverts aux quatre vents et à la pluie, couchés sur la terre humide, ce qui favorisait les épidémies, dont la tuberculose. Pour plusieurs d'entre eux, la mort représentait souvent une délivrance.

Dans la région de Nuevo Progreso, elle rencontra aussi un *finquero*, un propriétaire terrien, hors de l'ordinaire. Il avait eu l'idée de hausser le salaire des ouvriers de sa plantation de café de 50 cents à 1,50 $ par jour. De telles initiatives individuelles étaient sévèrement punies, et, un jour, le fils du propriétaire, un grand jeune homme dans la vingtaine, fut attaqué et blessé. Au volant de son véhicule, il avait été pris en chasse par des hommes engagés par l'oligarchie terrienne, qui avait voulu servir un avertissement au *finquero* trop généreux…

Au Guatemala, la plupart des propriétaires terriens, soit une vingtaine de familles puissantes, s'étaient regroupés pour instituer un système d'exploitation des travailleurs indiens. Et gare à ceux qui ne voulaient pas s'y soumettre. En outre, certains de ces propriétaires tout-puissants avaient une façon diabolique de recruter le personnel indien pour les récoltes. Lors des fêtes dans les villages, ils envoyaient leurs *caciques*, sorte de patrons de terrain, chercher de la main-d'œuvre chez les populations les plus démunies. Ces hommes engageaient des joueurs de marimba, l'instrument de musique national du Guatemala, et offraient généreusement aux Indiens de l'*agua caliente*, de l'eau-de-vie. Quand ceux-ci étaient ivres, on leur faisait «signer», avec leurs empreintes digitales, un contrat de travail.

Pour quelques sous par jour, ce contrat les livrait pieds et poings liés aux propriétaires, ceux qu'on appelait «les exploiteurs de la vallée de la Mort». Car, pour les Indiens, descendre de leurs montagnes vers les plantations de café ou de canne à sucre représentait un risque souvent fatal, celui d'un voyage vers la mort. Entassés dans des camions fermés servant habituellement au transport du bétail, les passagers s'agrippaient les uns aux autres, en proie au manque d'air. À la fin du périple, plusieurs Indiens étaient morts par asphyxie.

Ces histoires mettaient Jeanine en colère. Elle en oubliait toute tolérance et déversait sa rage au *padre*. Celui-ci la laissait toujours exprimer sa fureur et sa peine, et elle ne comprenait pas, à cette époque, pourquoi il ne prenait pas vraiment position.

Les premières années de Jeanine à Nuevo Progreso furent marquées de moments pénibles. Dans les premiers mois, elle contracta le paludisme, maladie causée par la piqûre de moustiques, et qui se manifeste par de fortes fièvres intermittentes, accompagnées de maux de tête insupportables. Elle fut en proie au délire durant plusieurs jours. Pendant dix-huit ans, elle portera les séquelles des traitements inadéquats qu'on lui administra à ce moment au Guatemala.

Elle attrapa ensuite la dysenterie, une infection intestinale causée par des bacilles. D'une maigreur anormale, elle n'était plus que l'ombre d'elle-même, et se vit confinée au repos forcé. Elle en profita pour s'instruire davantage sur le Guatemala, lisant des livres et prenant des notes dans son journal.

Au début, quelques mois après son arrivée, le *padre* Bertoldo, en badinant, lui avait dit qu'elle n'arriverait jamais à apprendre l'espagnol : «Violeta, tu es trop vieille et tu as la tête trop dure!» La boutade du *padre*, au lieu de la décourager, avait eu l'effet contraire. Jeanine avait mis les bouchées doubles, et maintenant elle maîtrisait parfaitement l'espagnol. De plus, elle désirait faire l'apprentissage de certaines langues indiennes.

Au bout de quelques jours, un phénomène se produisit. Son inactivité obligatoire fit monter en elle des souvenirs heureux et douloureux. Quand elle se jetait dans le travail, elle s'accommodait assez bien de sa solitude affective, mais là, désœuvrée, fiévreuse, elle sentait le poids de cet exil qu'elle avait choisi, de ce renoncement à l'amour. John Younger, qui était entré dans sa vie avec tant de facilité, était encore présent dans ses pensées. Elle n'arrivait pas à l'oublier, bien qu'elle eût tout fait pour y parvenir. Heureusement, elle put confier sa peine au *padre*. Elle lui avoua sa rencontre avec cet homme, l'attachement soudain, les rendez-vous improvisés, un amour rendu difficile par la distance, et enfin l'impossibilité où il se trouvait de vivre avec elle une union véritable au grand jour.

L'écoute bienveillante du *padre* renforçait le sentiment de complicité et d'amitié qui existait entre eux. Malgré ses airs bougons, le *padre* Bertoldo avait une grande sensibilité et Jeanine l'appréciait. Encouragée par la façon dont il avait accueilli ses confidences, elle osa lui faire part de sa volonté d'aller passer quelques jours auprès de John.

❧

Cela faisait presque deux ans qu'ils ne s'étaient vus, soit depuis leur séparation à l'aéroport de Puerto Vallerta, en 1970. Pour cette première rencontre, Jeanine avait choisi un endroit du Guatemala qui était reconnu comme une des grandes merveilles du monde, le lac Atitlan, à mi-chemin entre Nuevo Progreso et Ciudad Guatemala.

L'idée de revoir Jeanine rendait John très nerveux. Dès qu'il descendit de son petit avion privé, il fut pris d'un trac terrible. Jeanine, de son côté, avait le cœur qui battait fort. Si elle appréhendait ces rencontres trop brèves qui se terminaient si abruptement, il lui était difficile d'y résister. Les larmes aux yeux tous les deux, ils se moquaient de cet excès de sentimentalité mais ils n'y pouvaient rien.

Installés dans un hôtel dont la fenêtre s'ouvrait sur un paysage éblouissant, ils s'imprégnèrent de toute cette beauté. Le lac Atitlan, « tel un morceau de ciel qui serait tombé[1] », était ceint d'un diadème formé des trois plus majestueux volcans du pays, l'Atitlan, le Toliman et le San Pedro, d'une hauteur de 3 000 mètres chacun. Les Indiens de la communauté cakchiquel cultivaient le maïs près des rives du lac, sur ses pentes abruptes, et vivaient aussi de la pêche. Des mères brossaient leur linge sur les pierres plates du lac, et des enfants se baignaient dans ses eaux turquoise. Cette vision enchantait John, mais Jeanine savait le drame et la misère qui se cachaient derrière ce tableau de rêve. En de tels moments, elle se sentait seule aux côtés de l'Américain, malgré le fort lien qui les unissait.

Ils parlaient aussi beaucoup de leur vie respective, de leurs grands enfants, mais, au bout du compte, la perspective de leur séparation gâchait toujours tout. John devait retourner en Californie, Jeanine à Nuevo Progreso. Les larmes recommençaient. Malgré les quelques jours de bonheur vibrants qu'elle avait vécus, Jeanine se demandait où cela la menait.

❧

L'école de couture prenait les allures d'un atelier en pleine éclosion et le dispensaire accueillait de plus en plus de patients. En ce qui concernait l'école, Jeanine demandait 25 cents par mois à chaque élève, afin, en autres choses, de remplacer les

---

1. *Week-end au Guatemala*, de Miguel Angel Asturias, écrivain guatémaltèque, prix Nobel de littérature 1967.

aiguilles et le fil; au dispensaire, elle majorait d'un cent le prix coûtant de chaque capsule, dragée ou comprimé.

Jeanine était débordée, et, après quelques recherches pour trouver de l'aide, elle rencontra une infirmière, au village, qui accepta de venir travailler chaque avant-midi. Cela lui permit de s'absenter occasionnellement et de se rendre en autobus à Ciudad Guatemala, à plus de 250 kilomètres. Là-bas, grâce aux petits bénéfices obtenus, elle acheta de nouveaux médicaments et du matériel de base pour les soins prodigués au dispensaire.

À Ciudad Guatemala, Jeanine prit l'habitude de loger dans un petit hôtel sympathique, à prix très raisonnable, le Centro America. Elle y passait une nuit et repartait tôt le lendemain. Un jour, alors qu'elle terminait son petit déjeuner, une dame âgée lui demanda si elle pouvait s'asseoir à sa table. Quand Jeanine l'eut mise au courant de son travail à Nuevo Progreso et de son école de couture pour les jeunes Indiennes, la vieille dame lui suggéra d'aller voir une amie, Mary Nelson, qui tenait une boutique de vêtements, non loin de l'hôtel.

Jeanine se rendit donc chez cette Mary Nelson, une Américaine qui la reçut en compagnie de son assistant guatémaltèque, Luis Menchu. La propriétaire de la boutique était effectivement à la recherche de couturières; Jeanine lui dit qu'il y en avait plusieurs à Nuevo Progreso, qu'elle préparait pour le marché du travail, et lui offrit leurs services sur-le-champ. Mme Nelson promit à Jeanine d'aller bientôt la voir à son école de couture, et de lui donner une réponse à ce moment-là.

Chaque fois qu'elle allait dans la capitale pour chercher des vivres ou des médicaments, Jeanine achetait aussi des magazines et des journaux, pour connaître tous les nouveaux développements de la situation du Guatemala, de l'Amérique centrale et du monde en général. Un jour, à son retour, dans l'autobus, en lisant un quotidien de la capitale, elle tomba sur une lettre ouverte étonnante. Un professeur d'université, un Ladino, déclarait cyniquement que, «pour en finir avec ces maudits

Indios, des sous-hommes, la solution était d'obliger les femmes indiennes à avoir des enfants avec des Blancs»!... Jeanine fut révoltée. Le racisme endémique et la ségrégation des Ladinos envers la population aborigène provoquaient chez elle un dégoût profond : une minorité composée de riches propriétaires terriens, d'éleveurs de bétail et de commerçants, maintenait la majorité de la population dans l'ignorance et l'indigence absolue. Ce monde était donc scindé en deux sociétés. Si les liens de Jeanine avec les femmes indiennes qu'elle fréquentait se développaient, ils n'avaient pas encore atteint le stade qui lui aurait permis de partager ses sentiments, ses impressions sur la persécution dont souffraient les Indiens.

La semaine suivante, Mary Nelson et Luis Menchu vinrent à Nuevo Progreso. Ils rencontrèrent le *padre* et visitèrent la petite école de couture. Si celle-ci n'avait rien d'impressionnant, Mme Nelson fut étonnée et touchée par l'énergie de Jeanine, qui avait elle-même monté cette école, avec des moyens extrêmement réduits. L'Américaine vit aussi que les jeunes Indiennes de l'école travaillaient avec soin et enthousiasme, et réussissaient de belles choses. Après la visite, elle accepta la proposition de Jeanine. Une belle aventure naissait, sous les yeux ahuris du *padre*, qui n'en revenait pas. L'école de couture de Jeanine, isolée à flanc de montagne, allait devenir une petite manufacture avec de vraies ouvrières, qui, sous la direction de «Violeta», allait fournir à une boutique de la capitale les créations de celle-ci!

Sans perdre de temps, Jeanine fit passer des examens aux élèves désireuses de travailler. Les meilleures furent engagées, une quinzaine, et, parmi elles, un seul garçon, âgé de 15 ans. Bientôt arrivèrent des tissus faits à la main par des Indiennes, des châles colorés, des ceintures brodées, de la doublure, du fil. Rien ne manquait. Un ami du *padre*, Don Juan del Carmen, propriétaire d'une *finca*, impressionné par les initiatives de Jeanine, lui offrit quatre machines à coudre neuves. La jeune entreprise en avait désormais cinq.

Jeanine créait, dessinait, coupait et vérifiait l'exécution des modèles. Pour les jeunes élèves, tout cela était nouveau, et elle se promettait de les faire passer à tour de rôle par toutes les étapes de la production. Mais, pour le moment, elle attribuait aux meilleures les tâches les plus difficiles. Par exemple, Thelma, à qui elle s'attachait de plus en plus, l'aidait à superviser, en plus de se révéler excellente dans la pose des doublures. D'autres étaient responsables des assemblages en ligne droite, de la pose des fermetures éclair ou de la finition à la main.

Le succès vint rapidement. Mary Nelson et son assistant venaient chercher les «collections» toutes les deux semaines. Quand ils ne pouvaient pas venir, Jeanine et le *padre* s'occupaient de l'envoi. À la fin de la semaine de travail, durant toute la soirée du dimanche, ils repassaient et emballaient les modèles, finalisant les factures jusqu'à deux heures du matin. Ils chargeaient alors la voiture du *padre* et celui-ci prenait la route de Ciudad Guatemala à trois heures et demie, profitant de la fraîcheur de la nuit.

Sous le ciel encore étoilé, parmi les drôles de cris des singes hurleurs de la forêt tropicale, le *padre*, dans sa vieille jeep, devenait livreur de collections de vêtements : des robes d'intérieur, des robes du soir, des jupes longues, des blouses, des chapeaux, des chemises d'homme, des bikinis... Ceux-ci, faits avec un tissu particulier de la région du Coban, située un peu plus au nord, ne pesaient que trois onces. Jeanine et ses employées avaient pris l'habitude d'utiliser les moindres chutes, ne permettant aucune perte. Une autre leçon de son enfance, du temps de la guerre.

Au sortir des routes cabossées, avant d'emprunter la voie nationale, le *padre*, le sourire au lèvres et tenant son volant à deux mains, se remémorait une scène qui avait rendu Jeanine furieuse. Lors de la réalisation du premier modèle de bikini, il s'était coiffé du soutien-gorge! Les jeunes Indiennes avaient pouffé de rire et s'étaient caché le visage, selon leur habitude dans de telles circonstances. Jeanine, qui n'acceptait pas de voir son travail ridiculisé par l'homme de la maison, l'envoya promener... Lorsqu'elle était fatiguée, elle n'appréciait pas particulièrement ce genre d'humour, et elle ne se gênait pas pour le dire. Par ailleurs, elle devinait que le *padre* aimait sa façon de répliquer, haute et forte, et elle s'amusait à se conformer à ce rôle.

La manufacture de Jeanine atteignit son apogée lorsque Mary Nelson lui demanda de préparer des modèles pour un défilé de mode qui aurait lieu à l'hôtel Antigua, dans la ville du même nom, devant 500 femmes d'affaires d'Amérique latine. Antigua, ancienne capitale fondée par les conquistadores en 1527, sous la direction du plus cruel d'entre eux, Pedro de Alvarado, a prospéré pendant deux siècles. Elle a subi de nombreux séismes, et celui de 1773 lui a été fatal. Célèbre malgré tout par sa beauté architecturale et le mystère qui se dégage de ses murs lézardés, de ses facades ocre, bleu et orange, et de ses portes en bois verni, Antigua est restée une ville d'un autre siècle, figée dans le temps, assoupie au pied du volcan Agua. Elle est demeurée l'illustration la plus éloquente de la vieille Espagne. Des Nords-Américains fortunés et de riches Guatémaltèques ont acheté ses plus belles demeures coloniales, qu'ils ont reconverties en hôtels ou restaurants de luxe, flanqués de boutiques de bijoux où le jade, pierre fine de l'art maya, occupe une place de choix.

C'est dans un décor en plein air à l'ombre des arbres entourés de fleurs, que ces femmes issues des milieux aisés purent admirer une soixantaine de modèles sortis tout droit de l'atelier de Jeanine. Une douzaine de mannequins, engagés par Mary Nelson, présentaient la collection. Le moment arriva où Jeanine fut présentée à la foule, vêtue d'une de ses créations. La suite fut une vraie folie : les commandes se mirent à pleuvoir, tellement qu'elle se demanda comment elle pourrait faire face à la demande.

De retour à Nuevo Progreso, elle engagea des brodeuses, une nouveauté dans son entreprise en pleine expansion. Les heures de travail s'allongeaient et personne ne s'en plaignait. Les filles étaient heureuses. En général, elles recevaient un salaire de 40 quetzals par mois, équivalant à l'époque à 40 $ U.S. En comparaison, le salaire de leur père, qui travaillait dans les plantations de café ou de coton, était de 24 quetzals par mois.

Jeanine avait remarqué, à propos de la monnaie guatémaltèque, un fait curieux, révélateur d'une mentalité bien enracinée. Sur les billets de différentes valeurs, allant jusqu'à 100 quetzals, apparaissaient les visages de personnages importants, des militaires, des présidents. Le seul billet sur lequel était représenté un Indien, Tecun Uman, un chef de la tribu maya des Quichés et héros de la résistance aux conquistadores du XVIe siècle, valait seulement un demi-quetzal. C'était la plus petite coupure…

Durant les derniers mois, Jeanine s'était tellement donnée à son atelier de confection qu'elle en avait la main droite meurtrie, à force de manipuler les ciseaux. Les doigts gonflés d'ampoules, elle devait les entourer de bandages afin de les protéger. Dans une seule journée, elle pouvait couper entre cent et deux cents morceaux de tissu. De son petit atelier modeste sortaient aussi des robes confectionnées pour des gens tels que l'épouse de l'ambassadeur des États-Unis, ou pour Mme Fox, des cinémas du même nom. Jeanine ne se laissait pas impressionner par ces titres et ces noms de personnes représentant l'establishment américain. Pour elle, ces personnalités étaient avant tout des clientes. Elle pensait que si la clientèle de la petite fabrique contribuait à améliorer les conditions de vie et de travail de son entourage, de ses ouvrières indiennes, de la communauté, et à payer des dépenses inévitables pour les projets qu'elle mettait sur pied, elle serait malhabile de la refuser.

Avec l'aide des revenus supplémentaires, elle transforma graduellement l'ordinaire de la maison paroissiale. D'abord, elle se débarrassa des lits bosselés qui martelaient les dos; elle acheta ensuite du linge de maison et de la vaisselle; elle fit repeindre les pièces de la maison, et y installa des fleurs et des plantes, à la plus grande joie du *padre*, et de la sienne. Les armoires du dispensaire se garnirent d'un peu plus de matériel et de remèdes, et l'infirmière de service put y travailler de façon plus assidue.

Le soir, elle et les pensionnaires s'amusaient à confectionner des rideaux et des portières avec différents matériaux : graines de café grillées, fines tiges de bambou, fèves rouges ou grises, graines d'arbre semblables à des yeux de biche, épines en forme de corne de cerf. D'austère, la *casa parroquiale* devint une maison pleine de gaieté.

Un jour, Jeanine reçut un ballot de 36 robes blanches d'une organisation américaine de charité. Plusieurs de ces robes de petite fille n'étant pas assemblées, elle et ses couturières s'en chargèrent. Jeanine eut alors l'idée de les faire porter par les plus pauvres des petites Indiennes du village, lors d'une fête et d'une procession. Les fillettes se présentèrent chez Jeanine un matin, souriantes, joyeuses. Une fois vêtues de leur robe éclatante, garnies d'un ruban blanc dans leurs cheveux noirs, elles étaient prêtes à défiler, pieds nus et fleur blanche à la main.

Les dames de la population ladino du village ne voyaient pas d'un œil favorable ce groupe d'enfants s'immiscer parmi les autres. Elles ne voulaient pas des 36 petites Indios dans le défilé. Ces personnes comprenaient mal comment Jeanine, une *dama*, une femme respectable, pouvait accompagner le groupe des va-nu-pieds lors de la procession. On commença par lui demander, à elle et aux enfants indiens, de se placer en arrière, puis on les pria de se retirer davantage vers l'arrière, parce qu'elles embarrassaient, et, finalement, on leur indiqua clairement de sortir des rangs!

Jeanine abdiqua. La rage au cœur et retenant ses larmes, elle emmena les petites filles et leurs mères à l'écart, et elles se régalèrent d'un goûter qu'elle leur avait préparé. Cet exemple de racisme manifeste des Ladinos envers les Indiens, elle le vivra partout, durant les 24 ans de sa vie en Amérique centrale. Si elle se liait à plusieurs personnes, elle se faisait aussi beaucoup d'ennemis.

Plus tard, revenue à la maison, elle déversa sa colère sur le *padre* et lui raconta sa mésaventure. Il prêta bien l'oreille à Jeanine, comprit sa peine encore une fois, mais ne prit pas parti. Jeanine s'interrogea. Était-ce parce que le *padre* voulait éviter tout affrontement avec ce groupe de femmes ladinos du village? Déçue une fois de plus, ne se sentant pas appuyée, elle eut la douloureuse impression d'être reléguée davantage à sa solitude. Elle ne le laissa pas paraître car elle ne voulait pas y croire encore, mais elle sentit que leur amitié se détériorait.

❧

Le petit dispensaire dont elle était responsable accueillait de plus en plus de patients. Le mot s'était transmis dans les montagnes et les alentours, et les Indiens se présentaient toujours plus nombreux, pour les raisons les plus variées, comme cette femme qui surgit à sa porte, un jour, complètement affolée. Prise de tremblements, les yeux exorbités, elle était incapable de parler. Jeanine réussit à la calmer, l'invita à entrer, et lui offrit un thé chaud et un peu de nourriture. La paysanne lui raconta que, dans le champ de maïs où elle travaillait, elle avait été poursuivie par un serpent gigantesque qui s'élançait dans les airs et virevoltait autour d'elle. Des hommes s'étaient amenés et avaient chassé le reptile à coups de machette, puis avaient reconduit la femme épouvantée au dispensaire. Dans des situations pareilles, elle se sentait bien dépourvue, mais elle compensait par l'empathie et la générosité. Lorsqu'elle ne disposait pas d'assez de ressources pour soigner le patient, elle le faisait monter dans sa jeep et l'emmenait à l'hôpital de la ville voisine, Coatepeque.

En vérité, son plus cher désir, qu'elle lançait parfois au *padre* comme une sorte de réflexion qu'elle formulait tout haut, était d'avoir un jour un hôpital, afin de fournir des soins de santé aux Indiens frappés des pires maux, aux femmes qui accouchaient, ainsi qu'aux enfants atteints d'infections. Un vœu auquel le padre se contentait de répondre d'un hochement de tête pensif. Pour l'instant, avec l'aide d'une infirmière à mi-temps, elle réussissait l'impossible.

Un soir, la voyant livide, le *padre* lui apporta, en guise de remontant, un petit verre de vin de messe. C'était gentil, mais insuffisant. Le lendemain matin, à cause de sa pression très basse et de ses jambes tremblantes de fatigue, Jeanine resta clouée au lit. Comme elle était incapable d'ingurgiter aucun aliment, on la nourrit au sérum. Elle sommeillait, plus ou moins consciente de ce qui se passait autour d'elle, quand quelqu'un frappa à la porte de sa chambre. C'était le *padre*, muni d'une règle en bois provenant de l'atelier de couture. D'un air détaché, il s'approcha du lit et se mit à la mesurer. Perplexe, Jeanine l'interrogea : «Qu'est-ce que vous fabriquez?» Le *padre* répondit, pince-sans-rire : «Je prends les mesures pour le cercueil!»

La sachant prompte à réagir, il devinait que cette petite mise en scène la piquerait au vif, la ferait sortir de sa torpeur. Et cela réussit! Trop fatiguée pour se répandre en paroles cependant, Jeanine le foudroya du regard.

Conciliant, le *padre* laissa tomber l'idée du cercueil. Il suggéra plutôt une médecine de son cru : «Un bon thé arrosé copieusement de rhum ferait certainement l'affaire… Si cela ne l'assomme pas, poursuivit-il en s'adressant aux autres autour du lit, cela la sauvera peut-être!»

Quand Jeanine était épuisée, elle n'avait guère le sens de l'humour. Elle explosa, le traitant de «médecin de chèvres» et lui conseilla d'aller prodiguer ses soins ailleurs, lui indiquant la porte.

La scène se termina avec un peu de regret dans les yeux du *padre*. Son désir n'était que de secouer un peu Jeanine, non de la faire sortir de ses gonds. D'un autre côté, il savait que si sa nature passionnée lui faisait parfois prendre un air furibond, elle était exempte d'amertume.

Après l'incident, seule dans sa chambre, Jeanine se rendit compte combien son dynamisme, son énergie et son travail comptaient aux yeux du *padre*. L'humour cinglant et maladroit dont il avait usé révélait chez lui un certain désarroi. Il ne pouvait souffrir de la voir absente du travail. Bref, se dit-elle, il se sentait un peu perdu sans son bras droit.

Deux jours plus tard, de retour de Ciudad Guatemala, le *padre* déposa deux grosses boîtes dans la chambre de Jeanine. Toujours avec son humour particulier, mais cette fois avec plus de délicatesse, il lui dit : «Si tu dois nous quitter pour un monde meilleur, ce sera plus agréable au bord de la mer…» Elle ne comprit pas très bien. Il lui demanda alors de vérifier le contenu des boîtes. Jeanine y découvrit des boîtes de conserve, du vin, des biscuits, du jus… De vrais produits de luxe! Quand elle lui demanda s'il avait obtenu un héritage, il lui répondit par un rire, sans plus. Puis il dit simplement qu'il l'emmenait en pique-nique avec quelques amis d'El Quetzal.

❧

Sur la côte du Pacifique, à Tilapa, à 40 kilomètres au sud de Nuevo Progreso, Jeanine profita de la journée pour marcher tranquillement au bord de la mer. Au cours d'une promenade avec Lise, l'infirmière d'El Quetzal, elle se heurta un orteil contre un petit objet dur. Intriguée, elle fouilla le sable et déterra une magnifique statuette de pierre représentant un dieu maya. Long de 15 centimètres, l'objet brillait au soleil, constellé d'une fine poussière d'or. Elle le serra contre elle, émue. Plus tard, elle réussit à faire dater la statuette : elle remontait à 850 ans a.v. J.-C. Elle provenait d'une des plus grandes civilisations de l'histoire de l'humanité. Les Mayas, qui nourrissaient une véritable passion pour le soleil, le ciel et les étoiles, étaient des astronomes remarquables; ils inventèrent aussi l'écriture, et la complexité de leurs arts architectural et sculptural fit de leur civilisation la plus raffinée du continent américain. Tikal, Palenque, Copan sont des noms de cités magiques où la toute-puissance des rois se manifestait dans l'abondance des arts : peinture, céramique, gravure…

Le déclin de la civilisation maya est demeuré l'une des plus grandes énigmes de l'histoire humaine, malgré tous les trésors, les temples, les pyramides, les hiéroglyphes qu'elle nous a livrés depuis.

Jeanine était très fière de son petit dieu maya, à qui il manquait un bras et une main. Un jour, une Indienne aperçut la sculpture dans sa chambre et lui donna un conseil : «Ne t'en débarrasse jamais. Si tu le fais, le malheur te poursuivra toujours.»

4

Le souhait

Lors de leur dernière rencontre, plusieurs mois auparavant, Jeanine et John avaient laissé entendre qu'ils se verraient de nouveau, sans préciser où ni quand, afin d'éviter des attentes trop douloureuses.

Un matin, en ouvrant son courrier, Jeanine écarquilla les yeux à la vue d'une petite enveloppe où elle reconnut l'écriture de John. Il lui annonçait sa visite à Nuevo Progreso, pour une durée de quelques jours. Il voulait la voir, découvrir où elle vivait, ce qu'elle y faisait. Il viendrait à bord de son Cessna et serait accompagné d'un ami médecin, le docteur Marquis. Mis au courant, le *padre,* le jour venu, sauta dans sa jeep et alla chercher les deux hommes à la frontière du Mexique, à l'aéroport de Tapachula.

Des chambres furent aménagées pour recevoir les deux visiteurs, à la maison paroissiale. Par délicatesse pour le *padre* et les autres pensionnaires de la maison, Jeanine et John s'étaient entendus pour ne pas partager une réelle intimité sous ce toit pendant le séjour de celui-ci, si pénible que cela pût leur paraître.

John et le *padre* se lièrent d'amitié dès les premiers instants. Cette visite bouleversa quelque peu l'horaire déjà chargé des deux bourreaux de travail. En outre, Jeanine n'était pas à prendre avec des pincettes. La brièveté de la présence de John et l'impossible promiscuité entre eux la rendaient maussade. Malgré tout, elle se livrait à ses occupations quotidiennes auprès des malades, et John l'accompagnait parfois. Dans sa douce Californie, bien qu'elle lui eût parlé de son travail et des conditions de vie des Indiens du Guatemala, il était difficile pour John d'imaginer une telle détresse. Il découvrait maintenant un monde qu'il n'avait pas vraiment soupçonné et il comprit alors quelle sorte de femme était Jeanine. Il réalisa que le choix de vie dont elle lui avait tant parlé n'était pas une fuite. Il voyait maintenant cette femme à l'œuvre, et il en était ébahi.

Au cours du dernier repas avant le départ de John et de son ami médecin, le *padre* s'aperçut du peu d'entrain de Jeanine et lui demanda discrètement de se montrer un peu plus aimable, telle une petite fille bien élevée… Jeanine ne lui obéit qu'à moitié. Pour chasser sa mélancolie, elle se mit à discourir sur les besoins sanitaires, alimentaires et médicaux de la population indienne de la région. Elle parla des enfants qui mangeaient de la terre à pleines mains; des jeunes filles de 20 ans qu'elle voyait mourir par manque de globules rouges dans le sang, victimes des vers; des masures en planches où habitaient les familles, dans une seule pièce au sol de terre battue et au milieu de laquelle quelques pierres servaient à faire du feu pour cuire les aliments. Les deux Américains restaient bouche bée.

Le lendemain matin, Jeanine se réveilla plus tôt qu'à l'accoutumée. Encore une fois, le moment des adieux survenait trop rapidement et l'attente d'une prochaine rencontre s'annonçait pénible. Elle préféra chasser ces pensées et se dirigea vers son dispensaire, prête à attaquer une autre journée de travail.

À environ une heure du départ de John, elle délaissa son travail et rejoignit le *padre* et leurs deux visiteurs. Ils marchèrent tranquillement tous les quatre sur le chemin de terre autour de la maison paroissiale, chacun semblant suivre le fil de ses pensées, dans un silence que le *padre* tentait de rompre gauchement. Tout à coup, John interrompit la marche et, sans avertissement, lança à Jeanine et au *padre* une série de questions à brûle-pourpoint : «Quel serait votre plus cher désir? Quels projets avez-vous en tête? Comment pourrions-nous vous aider?»

Jeanine tourna la tête vers le *padre*, mais n'obtint qu'une surprise muette. Elle n'allait pas rater une pareille proposition. Regardant John, elle déclara aussitôt : «Notre plus grand souhait serait d'avoir un hôpital pour soins d'urgence.»

Elle avait dit «*notre* plus grand souhait...» pour ne pas vexer le *padre* et lui donner l'impression d'être dans le coup, car elle lui en avait soufflé mot déjà, sans trop y croire. Mais ce rêve d'un hôpital en bordure de la forêt lui appartenait et mijotait depuis longtemps dans sa tête.

❧

Au moment de son départ, John Younger remit à Jeanine et au *padre* Bertoldo un certain montant d'argent afin d'acheter un terrain en contrebas de la maison paroissiale, là où pourrait s'ériger l'hôpital. L'ingénieur américain n'avait donc pas proféré des paroles en l'air. Jeanine et le *padre* exultaient. Quand le Cessna se fut envolé, le *padre*, remarquant les yeux rougis de Jeanine, se demanda si elle pleurait de joie à l'idée de la construction de l'hôpital ou bien de tristesse à cause du départ de John. Pour la taquiner, il lui décerna un autre surnom, *la llorona*, «la pleureuse» Deux semaines plus tard, le premier envoi d'argent de John, par l'intermédiaire d'une fondation californienne – le Family Club de San Francisco –, était en route vers Nuevo Progreso, pour le début de la construction de l'hôpital.

❧

Lorsque Jeanine, le soir, s'arrêtait de travailler, elle songeait à ce qu'était devenue sa vie. Dans le dépouillement de sa chambre, alors que tous dormaient – le *padre*, la cuisinière et son fils, les élèves, les couturières –, elle imaginait que John, dans sa Californie, se sentait peut-être coupable de ne pas pouvoir s'engager davantage avec elle et lui offrir une vraie relation affective. Elle se dit que, en faisant cette «contre-proposition» généreuse au sujet de l'hôpital, il tentait peut-être de prolonger sa relation avec elle, de la raviver sous une forme nouvelle. Il utilisait les moyens à sa portée pour ne pas la perdre. Malheureusement, cela ne le rendait pas plus présent.

Certes, une part d'elle avait renoncé à son histoire d'amour avec John. Toutefois, sa liaison avec lui ne s'était pas avérée complètement vaine, car elle y trouvait une consolation : la construction de l'hôpital. Elle connaissait maintenant la réponse à la question qu'elle s'était posée avec Lydie quelques années auparavant, dans l'avion qui les ramenait de Puerto Vallerta, à savoir pourquoi cet homme impossible à oublier s'était trouvé sur sa route.

Les travaux de construction de l'hôpital, qui compterait 30 lits, étaient l'affaire du *padre*, qui, en bon Italien, ne répugnait pas à ce genre de besogne. Des ouvriers indiens et ladinos furent engagés, et les opérations se firent à bout de bras, sans machinerie moderne. On nivela d'abord le terrain, puis, avec difficulté, on éleva les fondations sur des pentes raides. Celles-ci se transformant en torrent durant la saison des pluies, à partir de juin, on dut alors cesser les travaux et attendre la fin du déchaînement de la nature.

Nuevo Progreso, à cause de sa situation géographique, était constamment survolé par les nuages froids des montagnes, pansus et gonflés d'eau. Venant en sens contraire, à quelques kilomètres plus au sud, les vents chauds et moites de la mer provoquaient une rencontre d'une violence inouïe et donnaient lieu à des orages mémorables. De tels déluges se produisaient couramment au Guatemala. Les Mayas avaient d'ailleurs un dieu de la pluie, nommé Chac, muni d'un nez étiré évoquant un serpent, et Ik, un dieu du vent, qu'ils vénéraient.

Un soir, des bourrasques puissantes chargées de pluie provoquèrent une inondation dans le réfectoire. Les cris de Jeanine attirèrent le *padre*, qui surgit au pas de course, la lampe de poche à la main à cause de l'électricité qui manquait de façon intermittente. Pétrifiée, Jeanine lui fit signe de se pencher. Braquant sa lampe sous la grande table, il surprit deux longs serpents noirs et visqueux, des crotales. Calmement, il s'empara d'un balai et les repoussa vers l'extérieur, non sans peine, car ceux-ci ne voulaient plus quitter leur nouveau refuge.

Le *padre* choisit ce moment pour donner une petite leçon d'anatomie reptilienne à Jeanine, pour sa propre sécurité, car la région foisonnait de plusieurs de ces espèces à sang froid. Tout comme le jaguar, animal sacré des Mayas, le serpent fait partie de l'histoire millénaire des Indiens et était souvent représenté, dans l'art maya, sur les frontons des temples et des pyramides ainsi que sur les bijoux. On le nommait Chan et il symbolisait la fécondité. Le *padre* tira un album illustré d'un tiroir et lui expliqua ceci : «Si la tête d'un serpent est ronde, comme ceux que je viens de pousser dehors, il n'y a aucun danger; par contre, si elle est en forme de triangle, il faut se méfier car son poison est mortel...» Jeanine en prit bonne note.

Un jour, le *padre* lui-même, après avoir enfilé sa soutane, poussa un cri horrible. Cette fois, ce fut elle qui apparut en coup de vent. Le *padre* se contorsionnait. Soulevant la soutane blanche, Jeanine aperçut un gros scorpion qui s'affairait, son aiguillon crochu et venimeux accroché entre les omoplates de la victime. Pendant une journée complète, le *padre* fut fiévreux, et, alité, il se croyait vraiment à l'article de la mort. Inquiet, inutilement car le danger n'existait plus, il voulait être veillé continuellement. «Je ne veux pas mourir seul, Violeta. Je veux que tu restes près de moi; je ne veux personne d'autre.» Elle lui servit alors une petite leçon de charité chrétienne et le rassura : «Voyons *padre*, ce n'est rien, juste la piqûre d'une petite bête du bon Dieu...»

❧

Tous les deux ans, Jeanine revenait au Québec pour une courte période. Les frais du voyage étaient payés par ses parents. Cela lui fournissait l'occasion de revoir ceux-ci et sa fille Lydie, mais elle ne se complaisait pas dans ces retrouvailles malgré le réconfort qu'elles lui procuraient. À Montréal et dans les environs, elle récoltait des fonds, d'une façon personnelle car les fondations et les organismes d'aide internationale étaient plutôt rares à l'époque. Elle donnait des entrevues aux journalistes, leur expliquant la situation des Indiens du Guatemala et en profitant pour inviter les gens à envoyer des fonds à Nuevo Progreso. Des amis et des parents, dont sa sœur Colette, s'occupaient de récupérer des vêtements, du tissu, des chaussures, que Jeanine distribuait ensuite là-bas.

Une fois, le curé de la paroisse Notre-Dame-des-Anges, dans la partie nord de Montréal, l'invita à venir s'adresser aux gens, lors d'une messe, pour leur parler des problèmes et des besoins du village de Nuevo Progreso. À la sortie, sur le parvis, elle n'eut pas honte de tendre elle-même le chapeau pour récolter quelques sous; après tout, cet argent n'était pas pour elle. Tout le monde parti, le curé s'avança vers elle pour lui souhaiter au revoir et bonne chance. Il fut estomaqué d'apprendre qu'elle avait recueilli 500 dollars en quelques minutes, lui qui ne voyait jamais la couleur d'un billet de 20 dollars lors de ses quêtes du dimanche!

D'un naturel cordial et spontané, Jeanine s'avérait excellente en matière de levée de fonds, et, lorsqu'elle était convaincue d'une cause qu'elle croyait juste, rien ni personne ne pouvait la retenir.

Elle avait conservé des liens avec les milieux de la mode et on lui demanda, lors d'un de ses passages à Montréal, si elle voulait agir à titre de présentatrice pour un défilé. En échange, les profits de l'événement iraient à son travail en Amérique centrale. Au cours de la soirée, elle rencontra une femme, Céline

Chaput, épouse de Jean-Marc Chaput, conférencier et motivateur bien connu. Leur fils Patrick, et Hélène, l'amie de celui-ci, voulaient faire un voyage au Guatemala et Mme Chaput demanda à Jeanine si elle pouvait les recevoir à Nuevo Progreso, dans leur *casa*, pour quelques jours. Cette dernière fut d'accord. À ce moment-là, Jeanine, tout comme le jeune couple, ignorait ce qui allait résulter de cette première visite.

Chaque fois qu'elle revenait de ses voyages-éclairs au Québec, elle constatait, dans la communauté de Nuevo Progreso, le résultat de ses efforts. Ce plaisir lui faisait oublier tous les soucis et la fatigue accumulés. Par exemple, elle voyait régulièrement plusieurs de ses élèves qui, devenues autonomes, avaient trouvé de l'emploi comme cuisinières ou couturières; d'autres avaient même acheté des machines à coudre et travaillaient dans leur communauté, contribuant au soutien de leur famille.

Cette fois-ci, une surprise l'attendait. Elle se rendit compte que la physionomie de Thelma, sa jeune assistante de l'école de couture qui lui était si chère et qu'elle considérait maintenant comme sa fille, avait changé. Enceinte depuis plusieurs semaines, elle était toujours aussi belle, mais son visage, encadré par de longs cheveux noirs et soyeux, était triste. Elle confia à Jeanine que sa famille acceptait difficilement sa grossesse et qu'elle ne voyait pas comment elle pourrait continuer à vivre dans cette atmosphère. Jeanine demanda au *padre* si la jeune Indienne de 16 ans pouvait venir vivre avec eux à la maison paroissiale. Le *padre* acquiesça, malgré les rumeurs que cela risquait de provoquer au village. Résigné, il avoua : « Ce ne sera pas la première ni la dernière fois que l'on m'attribuera quelques fautes… »

À ce moment-là, le dispensaire n'était pas vraiment équipé pour recevoir les femmes qui accouchaient et Jeanine n'avait pas encore participé à un tel événement. Quelques mois plus tard, lors de l'accouchement de Thelma, elle demanda l'aide d'une sage-femme du village, une Indienne très âgée, aux longues tresses blanches. De l'autre côté du mur, les élèves de l'école de couture cessèrent tout à coup leur travail, gardant le silence et tendant l'oreille.

Jeanine eut alors l'occasion d'admirer le courage et le stoïcisme des Indiennes devant la souffrance physique. Elle assista la vieille dame, soutint la jeune mère par des paroles encourageantes, et tout se déroula bien. La petite Véronica fut le premier bébé à voir le jour sous leur toit. Le *padre* et Jeanine devenaient parrain et marraine pour la première fois au Guatemala. Ils le seraient encore dix-sept fois par la suite.

Le Guatemala accusait le plus haut taux de mortalité infantile de l'Amérique centrale. Seule une infime minorité de femmes accouchaient dans un environnement médical normal. Chez les autres, en majorité indiennes, plusieurs des bébés mouraient dans la période périnatale.

Malgré leur dénuement quasi total, les Indiens trouvaient leur plus grande richesse et leur plus grande fierté dans les enfants qu'ils avaient, quelles que soient les conditions. Pour un Occidental, il était difficile d'admettre pareil raisonnement, et Jeanine, lors de ses passages au Québec, entendait parfois les gens émettre des doutes. Elle qui se trouvait sur le terrain, elle comprenait le sens que les Indiens prêtaient aux mots «famille», «enfants», «communauté». Pour eux, c'était une question de survie de la race, et la famille représentait l'unité fondamentale de l'organisation sociale. Jeanine avait vite appris qu'il était absurde de prétendre les changer, ou les convaincre de quoi que ce soit. Elle ne pouvait que les accompagner, leur apporter son aide, dans le respect de leurs traditions et de leur culture. Elle était d'ailleurs la première à affirmer au *padre* qu'elle apprenait et qu'elle recevait beaucoup plus que ce qu'elle donnait. Cette découverte lui avait procuré une force intérieure indispensable qui l'aidait à ne pas se laisser aller au découragement, car parfois les problèmes que vivaient les aborigènes lui semblaient insolubles. Dès son arrivée au pays, elle avait été révoltée par l'exploitation dont étaient victimes les Indiens sur tous les plans, et elle se demandait comment la situation évoluerait.

Si, en 1973, la région où elle habitait demeurait relativement calme, Jeanine était parfaitement au courant que la répression militaire s'accentuait dans le reste du pays, où, conséquence inévitable, les guérilleros se réorganisaient. Les organisations catholiques qui œuvraient auprès des Indiens, et dont Jeanine faisait partie, devenaient la cible de plus en plus fréquente des journaux et des autres médias. En fait, plusieurs des religieux étaient de tendance progressiste et désiraient faire participer les aborigènes à leur mieux-être, trouver des solutions concrètes aux nombreux problèmes d'hygiène, de santé et d'habitation qu'ils connaissaient. À cause de cela, on les accusait d'être des sympathisants de la guérilla ou des «communistes».

Jeanine et tous les autres étrangers ou citoyens du pays qui étaient sensibles à la réalité du Guatemala appréhendaient l'avenir avec une certaine angoisse.

Un matin, elle fut réveillée par un bruit lourd, à peine étouffé par la forêt. Les coqs chantaient à tue-tête, les chiens aboyaient, les poules couraient en tous sens. Jeanine comprit la raison de cette agitation en se penchant à la fenêtre : des véhicules blindés traversaient le village, effrayant la population locale, et grimpaient dans les montagnes à la recherche des «subversifs» qui s'y cachaient… N'importe qui pouvait être jugé subversif, et le but de l'armée, en tuant inopinément des «suspects», était de terroriser les Indiens, afin qu'ils ne sympathisent pas avec des membres de la guérilla dissimulés dans les forêts de l'Altiplano.

À l'époque, le simple fait de donner une *tortilla* ou un plat de maïs à un guérillero de passage était sévèrement puni par les militaires. Des centaines de paysans indiens inoffensifs avaient déjà payé de leur vie un geste aussi banal. Jeanine l'apprenait parfois de parents ou d'amis des victimes, qui le lui faisaient savoir par des sous-entendus, jamais ouvertement, à cause de leur peur des soldats. Ou bien elle le lisait dans les journaux, comme tous ceux intéressés à la vie politique et sociale du pays.

On sentait régner dans le pays une tension qui touchait désormais toutes les couches de la société. L'envahisseur, ici, ne provenait pas d'ailleurs, mais de l'intérieur des frontières; il appartenait au même pays que les résistants, que ses victimes, et son visage n'était pas franc. C'était un phénomène nouveau pour Jeanine, qui avait connu en France, dans son enfance, les brutalités de l'occupant allemand, un étranger facilement identifiable, lors de la Deuxième Guerre mondiale.

5

La famille Archimbaud

Au milieu des années 30, Jeanine, alors âgée de sept ans, vivait à Moyeuvre-Grande, en Lorraine, dans le nord-est de la France, à quelques kilomètres d'où elle était née le 21 février 1928. La fillette aux yeux bleus, aux cheveux châtains et au nez retroussé se livrait dans l'insouciance, avec son frère Jean-Louis et sa jeune sœur Colette, à tous les jeux que la nature lui offrait. Pendant que tous les enfants de cette partie du monde s'amusaient de la sorte, l'Europe voyait ses fondations trembler : récession, grèves, avènement de Hitler au pouvoir en Allemagne, guerre civile en Espagne. Tout cela n'était pas de bon augure, et Jean Archimbaud, le père de Jeanine, prévoyait le pire. En visionnaire, il eut l'idée de rassembler sa petite famille et de la préparer physiquement et psychologiquement. Tous les week-ends, sous prétexte de promenades, M. Archimbaud emmenait ses trois poussins dans la forêt et les entraînait à des marches de plus en plus difficiles. Homme intelligent et sensible, il s'efforçait de ne pas décourager ses enfants outre-mesure et leur racontait, à chaque randonnée, des histoires qu'il inventait. Émerveillés, les trois jeunes s'en donnaient à cœur joie parmi les fleurs, les herbes, les champignons et les petites bêtes de la forêt.

Cette «préparation» comportait un autre volet : Jeanine, son frère et sa petite sœur apprenaient à faire leur toilette à l'eau froide, à ne rien laisser dans leur assiette quand ils mangeaient, sinon le reste était servi au repas suivant. Leur père voulait les habituer à une certaine discipline, développer chez eux une force de caractère susceptible de les aider tôt ou tard. Il avait l'habitude de répéter à Jeanine : « Dans la vie, nous pouvons chuter, mais c'est à nous de nous relever et de continuer... Rien n'est facile, et tant pis pour les faibles... »

Cet homme était un grand artiste. Graveur – un des meilleurs de France –, dessinateur et peintre, il exposa plusieurs de ses œuvres à Paris et ailleurs au pays, avant la Deuxième Guerre mondiale. Une fois marié et père de trois enfants, il mit sa carrière d'artiste en veilleuse afin de mieux pourvoir aux besoins de sa famille. Il dénicha un emploi de dessinateur industriel aux usines Wendell, une des plus importantes usines de métallurgie de France, et y travailla jusqu'en 1938.

Quand la guerre fut déclarée, le père de Jeanine fut mobilisé. Il incomba alors à sa mère de prendre soin de la famille et de la nourrir.

La Lorraine, région limitrophe de l'Allemagne, se trouvait dans une position extrêmement vulnérable. Un jour, au plus fort du conflit, le père de Jeanine fut pris en otage par la Gestapo, avec une soixantaine d'hommes et de garçons. On les obligea à rester debout durant vingt-quatre heures face à un mur. Les plus faibles s'écroulaient par terre, certains piquaient une crise de nerfs. Au bout de quelques heures, les soldats allemands leur apprirent qu'ils attendaient un train militaire et que, s'il était attaqué par la résistance française, ils seraient tous fusillés. Heureusement, le convoi militaire allemand arriva sans encombre et les otages furent libérés.

Ce que son père endura pendant ces heures indescriptibles, Jeanine ne le sut jamais. Quand Jean Archimbaud eut retrouvé les siens, il garda le silence et refusa d'accabler ses enfants de cet événement qu'il venait de vivre. La joie de les revoir lui suffisait.

La famille Archimbaud réussit tant bien que mal à traverser ces années de guerre, marquées par des séparations temporaires, des déplacements – elle dut quitter la maison paternelle pour se réfugier, d'abord à Chaumont, puis plus tard dans le Cher, dans le centre de la France –, la maladie, la peur, la pénurie et la faim. Jeanine, malgré son jeune âge, montrait une hardiesse étonnante. Elle découvrit la bravoure de sa mère lorsque celle-ci entraîna ses trois enfants au fond d'un ravin pour les mettre à l'abri du tir des avions italiens.

L'amour qui existait entre les membres de sa famille contribua beaucoup à leur survie mentale et physique durant cette période.

Les expériences qu'elle vécut durant cette guerre marquèrent Jeanine de plusieurs façons et lui permirent d'apprendre le sens du mot «solidarité». Ce fut pendant cette période que Jeanine découvrit aussi l'espoir toujours renouvelé d'améliorer son propre sort et parfois celui des autres.

À la libération, en 1945, la famille Archimbaud retourna en Lorraine, dans son coin de pays. Celui-ci était à peine reconnaissable. La maison paternelle avait été presque complètement vidée : la quasi totalité des œuvres de son père (gravures, toiles, illustrations) avaient été confisquées par les Allemands, en plus de son matériel d'artiste. Le seul objet resté à sa place était le piano de la mère de Jeanine.

Mais la vie reprit son cours normal, malgré les séquelles que la guerre laissa chez tous les enfants d'Europe. Un an après la fin du conflit, Jeanine Archimbaud, le jour de son examen final à l'école supérieure, fut ramenée d'urgence à la maison. Le médecin de famille posa un diagnostic consternant : encéphalite méningée tuberculeuse. Bien qu'il n'existât pas de traitement connu à cette époque pour une telle maladie, Jeanine, grâce aux soins patients de sa mère, recouvra lentement la santé, au grand soulagement de tous.

Cette soudaine maladie rappela aux parents de Jeanine la fragilité de leur fille. À l'âge de six mois, atteinte d'une double bronchopneumonie, elle avait failli mourir. Comme un séjour au bord de la mer était le meilleur remède qui puisse être recommandé pour une telle affection, ce fut sa grand-mère, vivant près de la mer du Nord, qui prit soin d'elle. Après de longs traitements, le bébé de six mois était devenu une belle fillette de cinq ans, prête à retourner chez ses parents.

À la fin de la convalescence qu'elle dut vivre après la guerre, Jeanine décida de tirer un trait sur toute cette période de sa vie, intervalle cruel qui avait gâché son adolescence. Maintenant devenue une jeune femme, elle espérait autre chose. Elle voulait apprivoiser l'avenir, se faire une vie nouvelle, s'offrir une liberté qui serait vécue dans la joie et non dans la tristesse. Amoureuse depuis déjà quelque temps, ou croyant l'être, elle se maria à l'âge de 19 ans.

Elle créait enfin sa nouvelle destinée. Une belle petite fille, Lydie, naquit en 1949. La jeune famille s'installa chez les beaux-parents de Jeanine, propriétaires de vignobles et d'un hôtel-restaurant. Jeanine apprit à conduire le camion et les chevaux, et, un peu casse-cou, elle enfourchait à l'occasion une grosse moto Harley-Davidson.

Un drôle d'accord intervint entre les jeunes époux et les beaux-parents. Il fut convenu que Jeanine et son mari, employés dans l'entreprise familiale, seraient logés et nourris mais ne recevraient aucune rémunération, les beaux-parents invoquant l'argument suivant : « Tous nos biens seront à vous, plus tard... »

Au bout de cinq ans, n'y tenant plus, le mari de Jeanine s'éleva contre cette situation intenable et cette promesse absurde. Il eut du flair car son père vécut jusque dans les années 90... Les parents refusèrent de reconsidérer l'entente et restèrent sur leur position. Jeanine s'étonna d'autant d'intransigeance. Désormais, les liens étaient rompus. L'amertume de son mari était telle qu'il voulait absolument mettre un continent entre sa mère et lui, et ce n'était pas une figure de style.

Cherchant un pays d'accueil, le couple vit une annonce dans un journal : « Le Canada et la Nouvelle-Zélande demandent des immigrants. » Ils écrivirent à l'adresse indiquée, à Paris, pour obtenir des renseignements, et le Canadien Pacifique fut le premier à leur répondre. C'est ainsi qu'ils choisirent le Canada, non sans se renseigner, lire et se documenter sur leur futur pays d'adoption.

Le 5 mars 1953, le couple et l'enfant de cinq ans s'embarquèrent sur un énorme paquebot d'émigrants, désuet et vieillot, le *Homeland.* Laissant derrière elle son père et sa mère, Jeanine était inconsolable.

À cause des tempêtes, le voyage fut long. Il dura cinq jours de plus que prévu, et, quand ils accostèrent à Halifax, au bout de onze jours, Lydie, dans les bras de sa mère, était bien légère. Tous les passagers avaient été malades.

Les trois jours de train du trajet Halifax-Montréal furent moins éprouvants. Jeanine s'étonna de voir autant d'églises construites en bois, autant de clochers. Assise en face d'elle, la petite Lydie reprenait des couleurs. Seule sur son banc de moleskine rouge, plutôt secrète, elle dessinait sagement pendant des heures. Elle avait été initiée au dessin très tôt par son grand-père Archimbaud, qui fut son maître à cet égard, et avec lequel elle avait développé, au fil des années, une relation fort bénéfique.

Durant le jour, malgré la lumière qui entrait à pleine fenêtre, le roulis du train réussissait parfois à endormir Lydie. Instinctivement, à tâtons, elle cherchait sa poupée et la serrait très fort contre elle. Sa mère ne trouvait alors plus d'intérêt à regarder ces immenses étendues de neige, piquetées de pins et de sapins. Le spectacle de sa petite fille endormie monopolisait toute son attention.

Jeanine et sa petite famille arrivèrent au Québec gonflés d'enthousiasme, bien décidés à repartir à zéro. Les papiers d'immigration qu'ils avaient en main leur indiquaient leur destination : Saint-Eustache, un village situé tout près de Montréal, où ils travailleraient dans une ferme d'élevage de vaches laitières et de porcs, pour un salaire de 90 dollars par mois.

Rapidement, ils s'aperçurent que la vie paysanne ne leur convenait pas. Ils vivaient à l'étage au-dessus de l'étable, et les effluves des vaches laitières firent regretter à Jeanine les parfums de la douce France. Côté confort, ils s'accommodaient d'un petit lit ayant connu des jours meilleurs, tandis que Lydie dormait sur les malles de voyage.

Au début de l'été, ils entendirent parler d'un jardinier de Sainte-Dorothée de Laval qui était à la recherche de main-d'œuvre. Toujours en quête d'un meilleur sort, Jeanine réussit à convaincre son mari de déménager.

Le couple de jardiniers, M. et Mme Nadon, eurent un doute quand ils rencontrèrent Jeanine et son mari pour la première fois. Bien qu'il ne fût pas sûr de leur compétence de jardiniers, M. Nadon décida de leur donner leur chance, «parce qu'ils avaient l'air du bon monde».

Jeanine et son mari possédaient peu d'expérience en culture maraîchère, mais ils compensèrent par la ténacité et la bonne volonté. Jeanine réussit même à convaincre les Nadon de la laisser conduire le tracteur, afin de tirer les remorques de légumes. Quant à Lydie, elle semblait enfin heureuse. Les plus jeunes des enfants Nadon devinrent ses amis. Elle avait l'embarras du choix car Mme Nadon avait seize frères et sœurs, lesquels avaient, dans le voisinage, une ribambelle de jeunes enfants.

Après des années de vaches maigres à la campagne, ils trouvèrent enfin du boulot en ville. En 1958, ils purent s'acheter une maison à Laval, dans un quartier tout neuf.

Le confort se greffait à leur vie de tous les jours, le décor s'enjolivait, mais leur vie de couple ne s'embellissait pas. Jeanine n'était pas heureuse avec son mari, non plus que lui avec elle. Lydie, alors âgée de 10 ans, subissait cette atmosphère pesante. Avec son petit chien, elle s'évadait des heures durant dans les champs autour de la maison. Elle faisait le même manège au chalet «dans le Nord». Elle partait toute la journée avec son petit compagnon dans les sentiers autour du lac ou dans les sous-bois, et, une fois le calme revenu, elle arrivait dans la véranda, les joues roses, affamée, à l'heure du souper.

Parfois Jeanine écrivait à sa mère, en France, car celle-ci lui manquait énormément. Elle donnait des nouvelles à ses parents, mais elle passait toujours sous silence ses difficultés conjugales, pour ne pas les inquiéter. La lettre terminée, Lydie avait pris l'habitude d'ajouter un dessin en marge, pour ses grands-parents. Si elle dessinait une fleur, cela signifiait que tout allait bien à la maison; si elle dessinait un ciel tacheté de gros nuages noirs, cela voulait dire le contraire…

Seuls deux événements comblèrent Jeanine au cours des dix années qui suivirent son arrivée au Canada. Ce fut d'abord l'installation de sa sœur Colette sur le sol québécois en 1959, puis celle de son père et de sa mère, qui débarquèrent en 1964.

Sans idées préconçues, humbles, ouverts et attentifs à la réalité québécoise, ses parents s'adaptèrent rapidement. Son père, à 63 ans, tomba amoureux du Québec, qu'il parcourut dans tous les sens et dont il s'inspira durant de longues années. Il n'avait pas oublié d'apporter son matériel d'artiste – une tonne de matériel, comme le titraient les journaux de l'époque – et il allait devenir un des graveurs les plus réputés et les plus prolifiques du pays au cours des deux décennies suivantes. Son succès jouerait également un rôle inattendu dans les tâches quotidiennes de sa fille Jeanine en pays maya.

6

L'*Hospital de la Familia*

En 1974, la construction de l'hôpital de Nuevo Progreso allait bon train. D'un commun accord, les donateurs de San Francisco, Jeanine et le *padre*, décidèrent de l'appeler *Hospital de la Familia.*

Aidée des conseils de médecins et d'amis, Jeanine planifia l'aménagement de l'hôpital. Des listes sans fin encombraient la petite table de sa chambre, devenue son second bureau. Il lui fallait trouver, au meilleur prix, des lits en fer résistants, sur roulettes, des matelas de coton, des oreillers et toute la panoplie des instruments nécessaires. Comme elle n'avait pas l'argent nécessaire pour acheter une table d'opération, elle mit à profit ses talents d'artiste et en dessina une, puis demanda à don Luis Diaz, le forgeron du village, de la réaliser. Pour le confort des malades, elle fabriqua des coussins en cuirette.

Jeanine s'occupait aussi des demandes officielles auprès des ministères du gouvernement guatémaltèque. Le ministre de la Santé accorda son autorisation pour le fonctionnement de l'*Hospital de la Familia*, fit don d'équipements médicaux, de couvertures et d'un gros poêle en fonte pour la cuisine, et assura, dès le début, l'existence d'un service d'épidémiologie. À cela, il fallait ajouter l'installation des dortoirs, de la salle des urgences, de la salle de stérilisation, d'un laboratoire, d'une clinique dentaire, d'une pharmacie, d'une cuisine, et enfin d'une buanderie en plein air (ce qui n'était aucunement superflu dans une région où les serviettes mettent huit jours à sécher à l'air libre!). Tout cela avec peu d'argent : la fondation dont était responsable John Younger, à San Francisco, avait voté un budget modeste.

Jeanine avait entendu parler d'un centre d'aide nommé Caritas[1] se trouvant dans la capitale. Elle s'y rendit à la première occasion, empruntant le véhicule du *padre*. Caritas lui fournit des médicaments, du sérum, des appareils médicaux, en beaucoup plus grande quantité qu'elle ne s'y attendait. En échange, on lui demanda d'aider à faire le tri de tout le matériel qui se trouvait dans le centre et de conseiller les gens qui y travaillaient.

Toute l'aide reçue s'avérant malheureusement insuffisante, Jeanine eut l'idée d'organiser des soirées récréatives au centre culturel du village, à l'intention de la population de Nuevo Progreso, composée de Ladinos et d'Indiens. Elle dirigea la confection de costumes pour les danseurs et danseuses, faits de coton écru, de broderies de laine pour les filles, et d'une ceinture rouge sur un pantalon foncé et d'une chemise blanche pour les garçons. Elle mit sur pied des spectacles de chants et de danses folkloriques, qui eurent lieu au centre culturel. Elle avait prévu une collation durant les entractes. Les jours précédents, elle avait fait du porte à porte avec ses filles, qui, un grand panier sur la tête, avaient recueilli farine, sucre, œufs et fruits. La cuisine débordait d'activité et, après chaque soirée, les recettes au profit de l'hôpital s'élevaient à 200 dollars, ce qui constituait une fort belle somme dans les circonstances. On institua aussi une tradition : celle de faire chanter à Jeanine au moins une chanson à chaque soirée, tantôt en français, tantôt en anglais, ou encore en espagnol ou en italien! Prête à supporter le ridicule pour le bien de la cause, Jeanine se faisait accompagner par une guitariste ou un violoniste, et, quand elle en avait assez, elle déposait le micro et prétextait une urgence à la cuisine ou dans un autre service.

1. Organisme de charité international, soutenu, entre autres, par l'Unicef.

De son côté, l'Association nationale du Café, ayant eu vent de ces soirées, demanda à Jeanine de préparer des banquets lors d'importantes réunions de ses membres dans la région. L'organisation méticuleuse de ces repas, accompagnés de vins importés, dignes des riches propriétaires de l'association, était bénévole. Jeanine installait les gens à de grandes tables sur le terrain de la maison paroissiale, à deux pas de l'hôpital, dont la construction s'achevait. À la fin des repas, elle s'emparait de son chapeau de paille et faisait le tour des tables. Chaque fois, elle ne récoltait pas moins de 1 000 dollars au profit de l'hôpital.

Dès le début, il avait été prévu de construire, en annexe à l'hôpital, une sorte de prolongement de la maison paroissiale, pour les séjours plus ou moins longs de médecins et de personnel infirmier, du Guatemala et d'ailleurs. Cela ressemblait à un chalet suisse, avec huit chambres de deux lits, deux salles de bains, et un grand balcon donnant sur l'ouest pour assister au coucher du soleil. Depuis quelque temps, une fondation californienne, la *Direct Relief Foundation*, envoyait de façon sporadique des médecins et des dentistes bénévoles, compétents et précieux. Jeanine obtint aussi l'aide d'étudiants en médecine de l'université San Carlos, de la capitale. Ceux-ci effectuaient des séjours de six mois ou d'un an, nourris et logés à la maison paroissiale, et faisaient profiter l'hôpital de leurs connaissances. L'ami de John Younger, le docteur Harold Marquis, cardiologue, et sa femme Mary, infirmière, vinrent aussi prêter main-forte à Jeanine. Retraités, ils s'installèrent au nouvel hôpital pour une durée de deux ans et s'occupèrent de former le personnel infirmier. Le médecin septuagénaire se familiarisa rapidement avec le traitement des maladies tropicales. Le dispensaire, né de quelques boîtes de médicaments posées sur une tablette, possédait maintenant, après quatre ans d'existence, un inventaire d'une valeur de près de 5 000 dollars, qu'allait utiliser le mieux possible le docteur Marquis.

Ainsi, grâce à l'enthousiasme et à l'énergie de «Violeta», le petit *Hospital de la Familia*, planté dans une région montagneuse, aux abords de la forêt, était prêt à fonctionner avant même son inauguration officielle, et les patients ne manquaient pas. Les problèmes qui affectaient le plus la santé des Indiens, particulièrement les enfants, étaient les parasites intestinaux et la tuberculose. Devant l'arrivée incessante de petits malades, l'espace consacré à la pédiatrie allait s'agrandir continuellement au fil des ans.

Même si elle ressentait beaucoup d'empathie pour les enfants atteints, Jeanine n'hésitait pas à s'impliquer personnellement dans les tâches quotidiennes de l'hôpital. D'accompagner et de soulager avec constance la souffrance de ces enfants contribuait à adoucir sa propre douleur. Elle fut bouleversée, un jour, lorsqu'un garçon de sept ans, atteint de la tuberculose, mourut dans ses bras. C'était la première fois qu'elle vivait une pareille expérience.

Tout pouvait survenir, à toute heure du jour ou de la nuit, et le personnel ou Jeanine devait réagir de la meilleure façon possible, sur-le-champ. Un soir, une jeune fille de 15 ans, atteinte de la tuberculose, sortit de sa chambre en vacillant et s'appuya contre le chambranle de la porte. Les yeux révulsés, les mains à la gorge, elle étouffait. Un médecin accourut, suivi de Jeanine, et, sans perdre de temps, il lui enfonça ses doigts au fond de la gorge. Il réussit péniblement à la dégager, permettant à la jeune patiente de reprendre son souffle. Dans un seau qu'elle tenait, Jeanine vit tomber des ascaris, des vers parasites de l'intestin. La jeune fille aurait pu y rester.

Les Indiens connaissaient bien ces parasites intestinaux, dont presque tous les enfants étaient affectés. Leur médecine traditionnelle – infusion de menthe, de feuilles d'eucalyptus et de citron – donnait d'assez bons résultats, mais la lutte était toujours à recommencer.

Au cours des années, une des préoccupations de Jeanine fut de mener des campagnes afin de débarrasser les Indiens de ce fléau, mais la tâche n'était pas facile. Dans ces régions où l'eau potable se trouvait à des kilomètres des villages, il était difficile de faire comprendre aux familles indiennes la nécessité de se laver les mains avant les repas ou d'empêcher les enfants de mettre leurs doigts pleins de terre dans leur bouche. Elle constatait que, malgré ses efforts, les résultats n'apparaissaient pas très encourageants.

Comme, à cette époque, le personnel de l'hôpital n'était pas encore très expérimenté, Jeanine, lorsque le service de la pédiatrie était surchargé de travail, délaissait sa chambre pour aller dormir dans le couloir de l'hôpital, sur un lit pliant, près des enfants, afin de s'assurer qu'ils étaient en sécurité et bien servis. Ses nuits devinrent courtes et agitées. Au bout de quelques mois de ce régime, le *padre* intervint. Bien que toujours affairé à ses propres occupations – visites dans les montagnes, funérailles, messes – et devant superviser la fin des travaux de l'hôpital, il n'oubliait pas «Violeta». Il s'aperçut à quel point elle abusait de ses forces. «Toi, tu regagnes ta chambre pour la nuit et tu dors», lui lança-t-il un soir. Elle suivit le conseil du *padre*, qu'elle trouva plein de sagesse.

Jeanine s'attachait parfois à un enfant en particulier. Ainsi, le petit Manuel, âgé de 5 ans, mais qui en paraissait beaucoup moins, se présenta un jour avec sa mère à l'hôpital. Victime de malnutrition, il avait de la difficulté à se tenir debout et sa maigreur dramatique ne présageait rien de bon. Jeanine convainquit le *padre* de le garder avec eux, et la mère du petit, veuve et déjà entourée d'une marmaille, ne s'y opposa pas.

Jeanine le prit sous son aile et suivit rigoureusement les conseils des médecins. Elle devait surveiller son régime, l'alimenter de lait et de vitamine A, de légumes, de fruits cuits, le tout en petite quantité, augmentant les portions au fil des mois.

Lorsqu'elle lui donna son premier bain, elle découvrit sur sa peau de vilaines taches noirâtres, saignantes par endroits, une autre conséquence de la sous-alimentation. Elle ne savait trop comment s'y prendre avec le bambin, craignant de lui faire mal davantage. Manuel ne bronchait pas, habitué, comme les autres enfants de sa communauté, à la douleur physique. Après l'avoir lavé, elle appliqua un onguent sur son petit corps, lui enfila un pyjama propre et le confia à une des filles du personnel, puis partit en courant pleurer dans sa chambre. Le *padre* l'avait avertie : «Celui-là Violeta, tu ne le sauveras pas à moins d'un miracle...»

Elle s'obstina. La santé du petit s'améliora. Assis sagement sur des oreillers dans sa chaise de bois, il faisait de grands sourires à Jeanine lorsqu'elle s'approchait de lui. Dans ces moments-là, le reste du monde n'existait plus.

Au bout de quelques mois, le petit garçon gambadait dans les corridors de l'hôpital. Don Pedro et son épouse, un couple du village, amis du *padre*, n'avaient pas d'enfant. Avec l'accord de la mère de Manuel, ils l'adoptèrent. Plus tard, le petit Manuel devint beau et fort, heureux dans sa famille d'adoption. Le bonheur de Jeanine, chaque fois qu'elle le rencontrait au village ou aux alentours, augmentait. Ce dénouement favorable ne se répétait pas avec tous ses petits malades, loin de là, mais l'histoire de Manuel épongeait bien des peines.

Les responsabilités de Jeanine comportaient par ailleurs des décisions désagréables à prendre. Car si la plupart des médecins américains se montraient à la hauteur de leur tâche et respectueux envers leurs patients aborigènes, certains d'entre eux ne parvenaient pas à s'adapter, contenaient mal un racisme latent, ne trouvaient guère de satisfaction dans leur travail, et dérogeaient à l'éthique médicale. Un jour que Jeanine revenait de faire des courses dans la capitale, elle vit, avant même d'avoir éteint le moteur de la jeep, une infirmière accourir vers elle en criant : «Ça va mal! Ça va mal!...» En marchant vers l'hôpital au pas de course, elle apprit qu'un médecin avait donné son congé à une femme indienne qui avait accouché et qui souffrait d'une hémorragie, proposant à la femme de retourner chez elle à pied, à travers la montagne, sur une distance de 10 kilomètres! Heureusement, Jeanine vit que la patiente n'avait pas encore quitté l'hôpital et cela la rassura. Elle se dirigea alors vers le médecin et lui annonça, d'un ton virulent : « Vous, demain, vous ne travaillerez plus ici! » Le lendemain, le médecin et son épouse, qui l'accompagnait, partirent sans protestation. L'*Hospital de la Familia* n'était décidément pas pour eux.

Elle n'avait pas demandé l'avis du *padre* Bertoldo, et peu importait. De toute façon, lorsqu'il s'agissait de congédier quelqu'un, il demandait toujours à Jeanine de le faire car il en était incapable.

❦

Le jeune couple des Chaput, Patrick et Hélène, à la suite de l'invitation de Jeanine et du *padre* à venir visiter leur *casa*, avaient eu l'occasion de se rendre à Nuevo Progreso et ils étaient tombés amoureux du Guatemala. C'est alors qu'ils développèrent une idée originale : celle de créer une agence de voyage différente des autres, qui emmènerait les touristes chez les Indiens. Patrick et Hélène voyaient le village de Nuevo Progreso comme un terrain idéal pour démarrer leur projet – le Club Aventure Voyages. En retour, le *padre* et Jeanine bénéficieraient d'un apport économique pour la poursuite de la construction de l'hôpital.

Un soir, un premier groupe de toutistes, formé d'une vingtaine de Québécois et accompagné des Chaput, sacs au dos, débarquèrent au village de Nuevo Progreso, transformant tout à coup le paysage. Jeanine avait prévu leur venue et les attendait. Depuis quelque temps déjà, trop occupée par l'hôpital, elle n'avait plus eu le temps de diriger l'école de couture. Aussi Mary Nelson lui avait-elle proposé de déménager l'atelier à Chichicastenango, une ville située un peu plus au nord, très populaire auprès des touristes. Thelma, sa couturière bien-aimée, irait habiter là-bas avec sa petite fille Veronica, et occuperait le poste de directrice.

Jeanine ne voyait pas Thelma la quitter sans peine. Elle avait un peu le sentiment de perdre sa deuxième grande fille, à qui elle vouait tant d'affection. Elle l'aida financièrement à faire restaurer la petite maison qu'elle allait habiter là-bas avec Véronica.

Le temps était venu d'offrir une autre vocation au local de couture. Le plancher de ciment, nettoyé et recouvert d'une bonne épaisseur de branches de pin, formerait une sorte de matelas assez confortable sous les sacs de couchage de ces touristes fringants auxquels Jeanine proposerait ce dortoir, moyennant une légère somme.

Dès le premier jour, une petite réunion s'imposa avec les visiteurs du Club Aventure Voyages. À Nuevo Progreso, ils désiraient vivre durant quelques jours chez les Indiens, plutôt que de se livrer aux activités touristiques habituelles ainsi qu'ils l'avaient fait dans les autres lieux qu'ils avaient visités, tels Antigua, le lac Atitlan, les ruines mayas de Tikal, l'église et le marché public de Chichicastenango…

Au cours de la soirée, Jeanine les entretint des us et coutumes des Indiens, de leurs faibles moyens de subsistance, de leurs problèmes de santé. Elle les mit en garde contre les serpents et les scorpions, leur parla des précautions à prendre au sujet de l'eau, des fruits… À la fin de la soirée, un grand barbu à lunettes déplia ses longues jambes et se leva. Sûr de lui, il débita à Jeanine : «Moi, ce que je constate et qui me choque, c'est que vous vivez comme des petits-bourgeois!»

Deux ou trois autres membres du groupe sourirent en guise d'acquiescement. D'abord surprise, Jeanine ne savait pas si elle devait éclater de rire ou se lancer dans un discours. Elle répliqua néanmoins : «Bien que notre demeure soit propre et qu'elle ne m'apparaisse pas un taudis, une maison en planches avec un toit de tôle ondulée ne me semble certainement pas une maison de petits-bourgeois.»

Le *padre*, qui avait saisi l'essentiel de l'algarade bien qu'elle se déroulât en français, souffla à l'oreille de Jeanine : «Ne t'en fais pas; demain, ils partent pour trois jours chez nos amis indiens dans leur village... Attends qu'ils reviennent!»

Les trois jours dans une *aldea* ne furent pour la plupart, y compris le grand à lunettes, qu'une journée et qu'une nuit. Ils revinrent la tête basse, exténués, ravagés par les piqûres de moustique, de puce et d'autres insectes, avec un seul désir : prendre une bonne douche! Le *padre* riait sous cape, mais Jeanine avait déjà oublié le petit discours de faux militant de la soirée précédente. Elle s'empressa, à sa façon coutumière, de leur prêter secours : elle distribua les seaux de chlore, du savon antiseptique, de la novocaïne, des onguents... Ils apprécièrent les soins de la demeure des «petits-bourgeois»...

Au fil des ans, les séjours de plusieurs groupes de touristes allaient contribuer aux recettes nécessaires au fonctionnement de l'hôpital.

❧

En 1975, un des points chauds de la situation explosive qui prévalait au Guatemala était le département de San Marcos, celui-là même où se trouvait l'*Hospital de la Familia.* Les disparitions, les tortures et les morts chez les paysans indiens, les rixes entre les guérilleros et les militaires augmentaient. En réponse à l'accroissement des forces de la guérilla, cachées dans les montagnes, les casernes militaires pullulaient maintenant dans le pays et l'armée en avait construit une à quelques kilomètres de Coatepeque, au sud de Nuevo Progreso. Jeanine, qui s'était crue en sécurité en s'installant dans ce beau petit village paisible, commençait à s'inquiéter sérieusement.

Tôt un matin, accompagnée de Rosydalia, une amie indienne travaillant à l'hôpital, elle se dirigeait vers Pajapita au volant d'*el burro del padre*, la jeep du *padre*, quand, au détour d'une courbe, dans la forêt, elle poussa un cri de stupeur tandis que

Rosydalia se raidissait sur son siège, interdite : d'énormes pierres formaient un barrage sur leur route. Comme elle roulait très vite, selon les conseils du *padre*, elle n'eut d'autre solution, pour les éviter, que de prendre le fossé. La jeep s'immobilisa en travers de la route derrière le barrage. Sur les grosses roches, les deux femmes purent lire, peintes en majuscules, les lettres « EGP », signe de la présence dans la région de l'Armée de Guérilla des Pauvres.

Les militaires connaissaient l'existence de ce drôle d'hôpital dirigé par une étrangère, aux portes de la forêt. Un jour, avec l'air de ne pas y attacher trop d'importance, des officiers de l'armée se présentèrent devant Jeanine pour « s'informer » davantage, dirent-ils, de l'aménagement hospitalier. Elle leur fournit les renseignements désirés, et cette première investigation, presque polie, s'arrêta là.

En vérité, leur visite n'avait pas été si innocente et Jeanine l'apprit quelques jours plus tard : un haut fonctionnaire du ministère de la Santé avait décidé de mettre la main sur les installations pour les convertir en hôpital militaire ! Le *padre* Bertoldo, qui désirait entretenir de bons rapports avec tout le monde et rester en dehors de toute polémique, se retrouva une nouvelle fois coincé entre l'arbre et l'écorce. Jeanine prit donc les choses en main. En tant que responsable de l'hôpital, il n'était pas question pour elle de se départir du « bien des plus pauvres ».

Elle alla rencontrer le haut fonctionnaire lui-même à son bureau du Palais national, à Ciudad Guatemala, et lui tint ce discours : « En tant que copropriétaire de l'établissement, jamais je ne permettrai que l'armée mette la main sur cet hôpital. Vous avez raconté, au début de la construction, que j'étais la *gringa* de Nuevo Progreso, la vieille folle riche qui voulait à tout prix son hôpital. Eh bien, maintenant je l'ai et je ne le lâcherai pas ! »

Après coup, son audace devant le haut fonctionnaire l'étonna elle-même et la laissa inquiète : à compter de ce jour, elle sut qu'elle ne gagnerait pas un concours de popularité auprès de certains représentants du pouvoir…

❧

La première opération qui eut lieu à l'hôpital s'avéra traumatisante pour Jeanine et le personnel médical. Quand une jeune femme enceinte arriva, inquiète parce que le bébé se présentait mal, la salle d'opération n'était pas encore terminée. On décida d'installer la femme dans un petit dortoir, après une désinfection rapide du lieu et la préparation du peu d'équipement dont on disposait. Après examen de la patiente, le docteur Mackworth, un médecin en service durant cette période, dut annoncer qu'il allait procéder à une césarienne, malgré l'absence d'anesthésiques.

Le personnel se rassembla en quelques minutes : Jeanine, son assistante, Dona Mila, l'apprenti infirmier, Mario, et l'instrumentiste, Leaticia. Le médecin avait eu l'idée, entre-temps, de donner du Valium à la jeune Indienne enceinte. Peu habituée à ce genre de tranquillisant, elle répondit rapidement au médicament et l'équipe se mit au travail. Jeanine se tenait prête, car son rôle, cette fois-là, consistait à recevoir le bébé. Tout se déroula à peu près normalement, mais, lorsque le médecin remit le bébé entre les mains de Jeanine, il lui dit qu'il était probablement trop tard. Si la mère ne semblait pas en danger, l'enfant, lui, était inerte et violacé. Jeanine le prit par les pieds, essayant désespérément de le ranimer. Elle et doña Mila se relayèrent aussitôt pour lui faire le bouche à bouche. Ensuite, Jeanine, à l'aide d'une poire, aspira les sécrétions dans sa bouche et son nez afin de libérer ses voies respiratoires. Jamais elle n'avait eu aussi peur que pendant ces quelques minutes. Finalement, le bébé survécut et se développa normalement, et la mère, après une infection due à la césarienne, fut soignée et s'en tira très bien.

Cette expérience, qui avait procuré des sueurs froides à Jeanine, l'incita à rendre la salle d'opération fonctionnelle le plus rapidement possible, ce qui prit néanmoins plusieurs mois, à cause du manque de ressources.

À quelques mois de l'inauguration officielle de l'*Hospital de la Familia*, Jeanine fut réveillée, une nuit, par des cris et des coups de feu. Elle se leva et s'approcha de la porte. Des bruits de pas s'éloignèrent et les cris cessèrent. Elle sortit de sa chambre et se dirigea vers celle du *padre*, à qui elle demanda ce qui se passait, à voix basse, le souffle court. D'une voix autoritaire et paternelle, il lui ordonna de retourner à sa chambre sans ouvrir aucune lumière et de se recoucher.

À l'aube, inquiète des événements de la nuit, Jeanine retourna vers le *padre*, qu'elle trouva dans le patio, assis sur le bout de sa chaise, nerveux, fumant sa première cigarette de la journée. Sans dire un mot, ils sortirent tous deux du patio et firent le tour de l'établissement. Le brouillard ne s'était pas encore dissipé complètement. Arrivés devant le bureau du *padre*, ils virent qu'une balle de carabine avait percé un trou sous la fenêtre, dans les planches, et était allée se loger à l'intérieur. Parmi les rayons de la petite bibliothèque, ils trouvèrent la balle. Faisant quelques pas plus loin, attirés par une tache blanche sur le plancher près de la porte de l'entrée principale, ils trouvèrent un tract de la guérilla. Le *padre*, selon son habitude, resta silencieux, mais ni lui ni Jeanine n'étaient dupes de la manigance des militaires, qui posaient ou faisaient poser de tels gestes de terreur pour ensuite blâmer les membres de la guérilla, dans le but de les discréditer, ce qui leur permettait de mener des expéditions punitives, meurtrières, en toute bonne conscience.

Le *padre*, atterré, demeurait prudent. Il pensait que la visite des militaires à l'hôpital, quelques mois auparavant, suivie de la rencontre entre Jeanine et le haut fonctionnaire dans le bureau de ce dernier, n'étaient pas étrangères à ce qui venait de se produire. Parce que Jeanine côtoyait quotidiennement des Indiens, elle devenait un personnage suspect aux yeux du pouvoir guatémaltèque.

7

Cataclysme

Huit jours avant l'inauguration officielle de l'hôpital, prévue pour le 8 février 1976, Jeanine ne savait où donner de la tête et s'affolait. Cent soixante-dix invitations avaient été remises de la main à la main, à des ministres dont ceux de la Santé et de l'Agriculture, aux autorités municipales de la région, aux représentants des médias, aux *finqueros* (propriétaires terriens) de la région… Il fallait organiser une réception pour les plus généreux donateurs – les membres du Family Club de San Francisco –, John Younger en tête; il fallait aussi aménager un dortoir pour les autres visiteurs, préparer les menus, effectuer les achats…

Durant ces journées de préparatifs, une immense activité régnait au village de Nuevo Progreso. Un comité avait été formé et tout le monde, sous la direction du *padre* et de Jeanine, poussait à la roue : de jeunes Indiennes, des gens du village, le personnel infirmier. Des médecins américains qui effectuaient un séjour de travail à l'hôpital, accompagnés de leurs épouses, participaient également aux préparatifs.

Toute cette effervescence contribua toutefois à créer un terrain propice aux petites mesquineries. Jeanine n'y voyait goutte, occupée à plusieurs fonctions à la fois, de la plus haute à la plus humble, de l'administration à des tâches pratiques comme la propreté, la cuisine, l'hygiène. Si elle savait que les autorités militaires n'appréciaient pas son zèle auprès des Indiens, elle se croyait à l'abri de la jalousie ou de l'envie de son entourage immédiat.

Or, Mme Marquis, l'épouse du médecin américain, qui voyait cette femme simple, enjouée, énergique, prendre tant de place, crut de son devoir de faire redescendre Jeanine de son piédestal. Pendant les derniers jours de la préparation de l'ouverture officielle, chaque fois qu'un nouveau venu qui semblait avoir une quelconque importance arrivait sur les lieux, elle lui présentait Jeanine ainsi : «*Violeta, the housekeeper…*», dans le but évident de minimiser son travail. Jeanine, se considérant effectivement comme la «bonne à tout faire» de l'hôpital, ne fut pas blessée par l'appellation, mais le fut par l'intention de l'autre de l'humilier.

Mme Marquis acceptait mal que Jeanine fût l'administratrice de l'établissement, fonction qui, selon elle, aurait dû incomber à son mari âgé, dont la carrière s'étirait. De plus, n'ayant pas su, en deux ans, apprendre la langue espagnole, le couple se sentait isolé. Voyant Jeanine entourée des membres de la communauté indienne, en train de partager du bon temps avec eux, les Marquis étaient piqués dans leur amour-propre. L'année précédente, lors de la visite de Lydie à Nuevo Progreso, un incident malheureux s'était produit. Alors que Lydie lavait un bébé, Mme Marquis, hystérique, s'en était prise à elle, la sommant de ne pas se mêler des affaires de l'hôpital et de retourner dans sa chambre.

Bien qu'étonnée du comportement de cette femme juste avant les fêtes d'ouverture, Jeanine ne s'y attarda pas, parce qu'elle était trop occupée.

❧

Dans la nuit du 4 février 1976, quatre jours avant les festivités, un tremblement de terre d'une extrême violence secoua le Guatemala durant 27 secondes. Jeanine et les autres membres de la maisonnée se retrouvèrent autour du *padre* Bertoldo, qui tenta de les rassurer. Tous étaient aux aguets, tendus, dans la crainte de nouveaux spasmes de la terre.

Mais c'était terminé. En attendant le jour et les nouvelles à la radio, Jeanine et les autres se serrèrent autour d'une tasse de café, se réconfortant mutuellement. Chacun savait que l'épicentre était éloigné de Nuevo Progreso, mais, à cause de la violence de la secousse, tous appréhendaient l'ampleur de la catastrophe.

Le lendemain matin, l'esprit n'était pas tellement à la fête, mais les festivités devaient avoir lieu quand même puisque tout avait été préparé. Le *padre* fit le tour des lieux et constata qu'aucun mur de l'hôpital n'était lézardé, que la maison paroissiale et l'église avaient tenu le coup. En fait, le village était loin de la zone la plus affectée et n'avait pas subi de dommages importants.

L'inauguration de l'*Hospital de la Familia* aurait donc lieu quand même, mais, au lieu des trois jours qu'annonçait le programme, le temps de la fête fut réduit à une seule journée. Plusieurs personnalités du gouvernement se désistèrent à cause de l'état de choc dans lequel se trouvait le pays, mais la plupart des autres invités se présentèrent.

À l'intérieur des locaux de l'hôpital, aménagés en salles de réception pour la circonstance, les sons des marimbas alternaient avec les discours d'un donateur de la fondation américaine, d'un notable de la région ou encore d'un fonctionnaire venu parader devant les médias. Des Indiens qui avaient participé à la construction de l'hôpital assistaient aussi à la fête. Jeanine s'affairait dans les cuisines de la maison paroissiale, à une vingtaine de mètres du lieu de la réception, dirigeant les garçons et les filles qui faisaient le service entre les deux endroits. Étrangement, personne n'avait pensé à inviter Jeanine Archimbaud aux célébrations.

Avant que la soirée ne se termine, un groupe d'Indiens quittèrent la fête pour rejoindre Jeanine à la maison paroissiale. Menés par Rosydalia, ils surgirent dans les locaux de la cuisine, furieux. « Yanina, commença Rosydalia, il y a eu de nombreux discours et des félicitations aux responsables de la réalisation de cet hôpital, et pas une fois ton nom ne fut prononcé, toi, l'administratrice!» Tous les éloges avaient été adressés principalement à John Younger, au *padre* Bertoldo et aux médecins, dont le couple Marquis.

Jeanine fut davantage émue par la réaction de ses amis que par l'injustice qu'ils dénonçaient et dont elle était victime. En effet, blessés par l'affront qu'on venait d'infliger à Yanina, ils voulaient se rendre à l'église et utiliser le microphone afin que les haut-parleurs de la tour diffusent dans le village entier ce qu'ils pensaient de cet «oubli». Ils désiraient aussi remercier Jeanine au nom de toute la population. Jeanine eut toute la misère du monde à les en dissuader.

«Non! non! les supplia-t-elle, ne faites pas ça! Les honneurs ne sont pas si importants; le principal, c'est que le résultat soit atteint, et nous l'avons : un hôpital que j'ai souhaité si longtemps.»

Elle fut si convaincante qu'ils laissèrent tomber leur projet, à son grand soulagement.

Lorsque tout fut terminé, Jeanine, en arrivant dans sa chambre, était tellement exténuée qu'elle refusa de repenser à l'incident. Elle se donnait tellement corps et âme à son œuvre qu'elle se désintéressait des honneurs et de la reconnaissance publique. Son père avait l'habitude de répéter une phrase à ce sujet, disant : «Pour vivre heureux, vivons cachés...» Ce soir-là, elle avait réussi à intégrer ses paroles à sa vie parfaitement.

Le lendemain de l'inauguration, un groupe, comprenant Jeanine et John, partit pour quelques jours de congé. Jeanine ne releva pas l'indélicatesse subie, et personne n'en fit mention.

Plusieurs années plus tard, lors d'un séjour de Jeanine à Montréal, ce serait sa fille Lydie qui, choquée à la lecture d'un article portant sur le dixième anniversaire de l'ouverture officielle de l'hôpital de Nuevo Progreso et où on ignorerait la participation de Jeanine, lui en ferait prendre conscience.

Jeanine réaliserait alors qu'au cours de cette soirée on l'avait écartée complètement de l'histoire de l'*Hospital de la Familia*, elle qui en avait été l'inspiratrice et l'organisatrice. Elle aurait alors une des plus grandes peines de sa vie, et l'impression que ces gens avaient voulu lui voler non seulement son travail, mais son rêve.

Sa sœur Colette se mettrait de la partie elle aussi, lui disant : «Toi, tu es toujours prête à prendre la défense des autres, à te fâcher pour eux, mais, en ce qui concerne tes propres intérêts, tu ressembles plutôt à un mouton!»

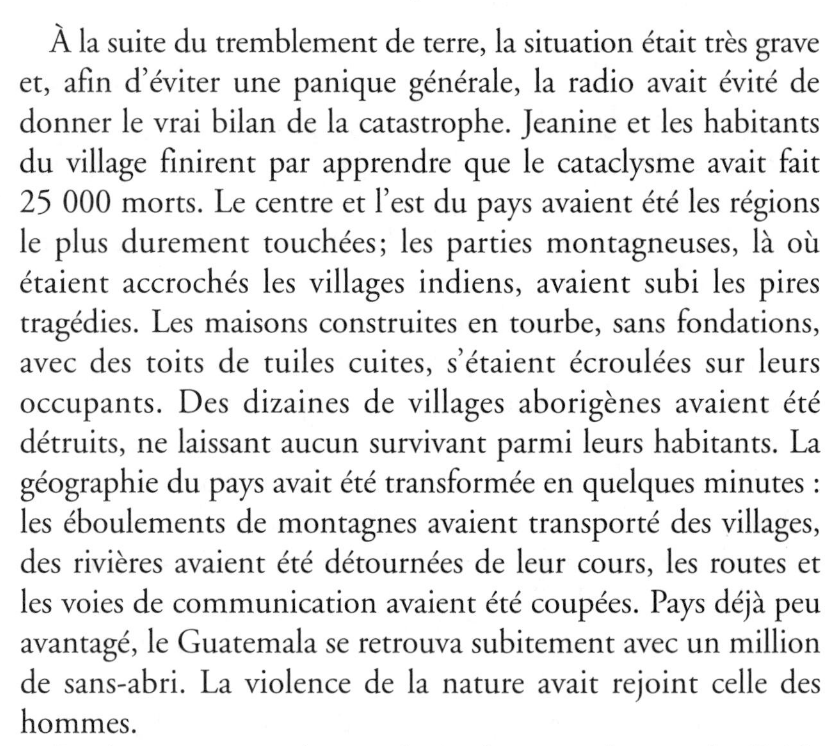

À la suite du tremblement de terre, la situation était très grave et, afin d'éviter une panique générale, la radio avait évité de donner le vrai bilan de la catastrophe. Jeanine et les habitants du village finirent par apprendre que le cataclysme avait fait 25 000 morts. Le centre et l'est du pays avaient été les régions le plus durement touchées; les parties montagneuses, là où étaient accrochés les villages indiens, avaient subi les pires tragédies. Les maisons construites en tourbe, sans fondations, avec des toits de tuiles cuites, s'étaient écroulées sur leurs occupants. Des dizaines de villages aborigènes avaient été détruits, ne laissant aucun survivant parmi leurs habitants. La géographie du pays avait été transformée en quelques minutes : les éboulements de montagnes avaient transporté des villages, des rivières avaient été détournées de leur cours, les routes et les voies de communication avaient été coupées. Pays déjà peu avantagé, le Guatemala se retrouva subitement avec un million de sans-abri. La violence de la nature avait rejoint celle des hommes.

Pendant un temps, le pays devint le centre du monde. L'aide humanitaire internationale débarquait en masse et levait le voile sur les énormes disparités sociales du pays. Même à l'intérieur, les citadins, en particulier les intellectuels, découvraient une réalité qui les révoltait, et cherchaient des moyens de développer une solidarité active avec leurs compatriotes Indiens. Le séisme favorisa aussi le rapprochement entre les différents groupes ethniques aborigènes, et les Indiens apprirent ainsi que leur voix pouvait être entendue partout dans le pays et même à l'étranger.

D'un autre côté, l'aide financière internationale, qui entrait à pleines portes, et de façon désordonnée, contribua à une inflation galopante, appauvrissant les pauvres et enrichissant les riches. Les entrepreneurs en construction firent des affaires en or durant cette période, tandis que le chargement de bateaux complets venant de l'étranger, déversé dans des convois militaires, était détourné de son objectif ultime, les sinistrés. Outrées, les ambassades réussirent à freiner les manœuvres de détournement et firent distribuer elles-mêmes les vivres et le matériel de secours dans les villages.

L'armée tenta de récupérer le drame à ses propres fins. Sous couvert civique, elle consolida sa présence dans la région par l'instauration d'un «comité de reconstruction nationale» : 400 villages indiens seraient reconstruits, occasion privilégiée d'un contrôle renforcé des populations aborigènes.

Les parents de Jeanine, sans nouvelles de leur fille à cause de l'interruption des communications, se rongeaient les sangs. Ils avaient lu dans les journaux que le village de Nuevo Progreso avait été complètement détruit, ne laissant aucun survivant, alors qu'il s'agissait en fait d'un autre village, El Progreso. Ce ne fut qu'un mois plus tard que, profitant d'une visite à Ciudad Guatemala pour aller chercher des vivres, Jeanine leur téléphona. Sa mère, au bout du fil, ne pouvait croire que sa fille était encore vivante.

Un étrange malaise avait poussé Jeanine à téléphoner à ses parents, et elle ressentait le besoin d'aller les voir le plus vite possible. Avant de racccrocher, elle demanda à parler à son père. D'une voix hésitante, d'un ton mal assuré, sa mère lui répondit : «Ce n'est pas possible pour l'instant. Il est encore sous la douche...» La réponse évasive et peu convaincante de sa mère augmenta son inquiétude. «Alors, répliqua-t-elle, dans une semaine, je viens vous voir à Montréal.»

La date du voyage fut fixée et la mère de Jeanine lui enverrait un billet d'avion.

Deux heures après avoir fait ses courses au centre-ville, Jeanine revint à l'hôtel, préoccupée. Aussitôt qu'elle y fut entrée, la gérante, doña Martita, lui apprit qu'elle avait reçu un appel urgent de Montréal. Les craintes floues qu'elle avait éprouvées au cours des derniers jours se confirmaient. Elle téléphona à Montréal et une voix à l'autre bout du fil – sa mère ou sa fille, elle ne parvenait pas à l'identifier – lui annonça la terrible nouvelle : son père était mort. Jeanine serra le combiné dans sa main et ferma les yeux, souhaitant se retrouver à l'instant à Montréal pour embrasser son père une dernière fois.

Sans argent pour se procurer un billet d'avion sur-le-champ, elle pensa à sa bonne amie Mary Nelson, la propriétaire des boutiques de vêtements. Certaine que celle-ci s'empresserait de lui prêter le montant voulu, elle se rendit tout de suite chez elle. Jeanine put ainsi acheter un billet d'avion le jour même et partit pour le Québec.

Jeanine avait toujours eu une énorme admiration pour son père. C'était une force de la nature, un homme de principes, un guide avisé, un artiste qu'elle aimait profondément. Sa mère venait de perdre, elle aussi, son grand homme, son amour, avec qui elle avait partagé les cinquante-trois dernières années. Pendant plusieurs jours, Mme Archimbaud n'eut plus le goût de vivre. Jeanine et sa sœur Colette firent de leur mieux pour la soutenir. Finalement, ce fut Jeanine qui la sortit de sa torpeur en lui proposant de la suivre au Guatemala. Cette septuagénaire qui adorait voyager viendrait dorénavant passer six mois par année à Nuevo Progreso, aux côtés de sa fille.

Ce qui contribua le plus à consoler Jeanine, lors de son court séjour à Montréal, fut le souvenir des mots que son père lui avait écrits, un jour, dans une lettre qu'elle avait reçue au Guatemala. Dans un petit coin de la lettre, en post-scriptum, avec une pointe de pudeur paternelle, il avait écrit : « N'abandonne jamais ce que tu as entrepris de ton plein gré; quoi qu'il arrive, je ne t'abandonnerai jamais, je serai toujours à tes côtés... »

8

Rencontre avec Enrique Morales

Un homme frappa à la porte du bureau de Jeanine, à l'*Hospital de la Familia*, et demanda à lui parler. Grand, jeune, beau, fraîchement sorti de l'université de Ciudad Guatemala, diplôme de chirurgien en main, il travaillait dans un centre de santé nouvellement installé à Nuevo Progreso (les nouveaux diplômés en médecine devaient pratiquer un an en milieu rural). Il y œuvrait l'après-midi, tandis que, en échange de son hébergement à la maison paroissiale, il donnait quelques heures de son temps à l'*Hospital de la Familia*, à la suite d'une entente avec les autorités universitaires. Délaissant ses occupations pour un moment, Jeanine l'invita à s'asseoir. Elle ne le connaissait que très peu, mais elle avait eu l'occasion de le voir travailler à l'hôpital. Elle avait remarqué qu'il était consciencieux, délicat, dévoué, différent par son attitude de la plupart des autres médecins de passage. Il se nommait Enrique Morales Claverie, et était d'ascendance indienne par sa grand-mère.

Le jeune homme raconta à Jeanine que son travail, au village, se révélait très insatisfaisant. Faute d'équipement médical et de médicaments, il ne pouvait qu'ausculter, diagnostiquer, rédiger des ordonnances. Emmuré dans un bureau contenant quelques chaises et deux bancs pour les patients, il souffrait de son inaction. En outre, il lui apparaissait clair que ce centre de santé, non fonctionnel, inefficace, n'avait été implanté là par le gouvernement qu'à des fins électoralistes, afin de bien paraître aux yeux de la population.

Il voulait donc proposer ses services à un établissement qui lui semblait tellement plus utile. Jeanine l'écoutait parler. Elle comprenait parfaitement ses frustrations. Coïncidence heureuse, il y avait une place de libre, car le docteur Marquis et son épouse infirmière avaient quitté Nuevo Progreso. Par leur attitude hautaine et méprisante, ils empoisonnaient l'atmosphère de l'hôpital, et Jeanine avait dû prendre une décision à leur sujet. La situation était délicate, car ils étaient des amis de John Younger. Par bonheur pour ce dernier, la durée de l'engagement du couple se terminait bientôt. Leur départ s'était fait discrètement, sans que cela ressemblât à un congédiement…

Jeanine fit donc au docteur Morales la proposition suivante : à la fin de son contrat au centre de santé, il serait hébergé et une modique rémunération lui serait versée pour ses services. Le docteur Morales tendit la main et accepta l'offre.

Le jeune médecin allait apporter un souffle nouveau à l'*Hospital de la Familia.* Il instaura d'abord des campagnes de vaccination chez les enfants, des cours d'anesthésie pour les étudiants en stage à l'hôpital, afin de rendre la salle d'opération plus efficace. Son audace professionnelle conquit le personnel de l'hôpital lorsqu'il proposa à tout le monde une sortie par semaine dans les villages indiens de la montagne ainsi que dans les plantations, là où travaillaient misérablement les aborigènes. Jeanine fut la première à se porter volontaire pour ces sorties de travail sur le terrain et elle réunit les autres intéressés : une infirmière, un dentiste, et Mario, celui-ci combinant les fonctions de chauffeur, d'infirmier, d'assistant-dentaire. Le *padre*, aux messes du dimanche à l'église, ou à l'aide des haut-parleurs accrochés au clocher, se chargerait d'annoncer aux Indiens l'heure approximative de l'arrivée du groupe dans leur communauté.

Les expéditions dans les montagnes en direction des *aldeas* (hameaux) et des villages indiens n'étaient pas des pique-niques.

La randonnée durait une douzaine d'heures et il fallait s'y préparer le mieux possible, beau temps, mauvais temps, car les Indiens avaient été prévenus.

Dans chaque village, pas moins d'une centaine d'entre eux les attendaient chaque fois, fidèles au rendez-vous. Selon la coutume instituée par le *padre* et Jeanine, afin d'éviter les effets nocifs du paternalisme et de la dépendance, une légère contribution de 25 cents était demandée pour chaque consultation.

Jeanine veillait d'abord à répartir les malades, puis s'occupait des cas bénins, les cas plus sérieux étant remis entre les mains du docteur Morales; l'infirmière prodiguait les soins d'urgence mineurs, donnait des injections, alors que Mario assistait le dentiste ou quiconque réclamait son aide. On faisait des prélèvements de sang et d'urine, et les analyses étaient effectuées plus tard à l'hôpital. Si besoin était, on retournait dans les montagnes avec les médicaments appropriés.

Parfois, lors de ces périples, on trouvait un patient qui nécessitait une intervention chirurgicale urgente. Le groupe revenait alors en trombe à l'hôpital, à bord de la jeep. Il était quelquefois trop tard, mais, en général, les soins s'avéraient salutaires. Ainsi pour cet Indien qu'ils avaient dû ramener avec eux un jour, la main en lambeaux. Ayant glissé dans la boue en travaillant, il s'était tailladé profondément toute la main droite, celle qui lui permettait de gagner sa vie, avec sa machette, tranchante comme un rasoir. Il saignait abondamment. Enrique passa une partie de la nuit à la table d'opération à tenter de sauver sa main, plaie béante de tendons et de nerfs à vif. Durant cinq longues heures, avec une infinie patience, il s'employa à recoudre les tendons et à refermer la plaie; ensuite, afin d'éviter des tensions inutiles dans la main, il lui appliqua un plâtre; finalement, il lui administra des médicaments. Fourbu, il alla dormir quelques heures. À son réveil, il alla frapper à la porte de Jeanine.

« Pourriez-vous, s'il vous plaît, aller vérifier si les bouts des doigts du patient sont chauds? » lui demanda-t-il, car il n'avait pas le courage d'aller vérifier. « Si c'est le cas, ajouta-t-il, cela signifie que l'opération a réussi. Sinon, il faut tout recommencer. »

Jeanine quitta sa chambre et se rendit à la salle d'opération, nerveuse. Elle toucha à tous les bouts des doigts de l'homme et sentit une chaleur partout. Un large sourire illumina son visage et elle apporta la bonne nouvelle au docteur Morales. Le patient recouvra l'usage parfait de sa main droite quelques mois plus tard.

⁂

Au bout de quelque temps, Jeanine reçut des félicitations de la part du docteur Morales. Un jour où ils revenaient d'une visite chez des Indiens, ils s'arrêtèrent un moment au bas d'un sentier escarpé. Avec son regard si sérieux et si tendre à la fois, le jeune médecin avoua : « Il est dommage que vous n'ayez pas étudié la médecine, car vous faites toujours de bons diagnostics. »

Au-delà du compliment professionnel qui la touchait, Jeanine discernait dans ces paroles la générosité de l'homme, sa sincérité. Ces mots si aimables du médecin causèrent un certain émoi chez elle.

La collaboration entre eux deux devint de plus en plus étroite, et, dès lors, ils passèrent beaucoup de temps ensemble. Le jeune médecin requérait souvent les services de Jeanine, surtout en pédiatrie, département qu'il privilégiait. Il avait découvert sa forte inclination pour les enfants, surtout les bébés, et sa présence semblait le rassurer. À cause de la malnutrition, la mortalité infantile atteignait un seuil critique, et le docteur Morales passait parfois des nuits à tenter de sauver des enfants souffrant d'infection grave. Quand un bébé mourait, le désespoir l'envahissait, mais encore lui fallait-il poursuivre sa lutte et tenter de soustraire d'autres enfants à la souffrance et à la mort.

Quand les Indiens se présentaient aux portes de l'hôpital en haillons, misérables, il ne les aimait que plus. Tellement soucieux d'améliorer leur état de santé, il avait appris à détecter certaines de leurs maladies grâce à l'odeur qui se dégageait d'eux et il partageait ses diagnostics avec Jeanine. Son don était total et son attitude bouleversait sa collègue, qui n'avait jamais été témoin de tant de sollicitude.

Au bout de quelques mois, ce médecin âgé d'à peine 28 ans était devenu la conscience professionnelle de l'*Hospital de la Familia.* Près de la porte d'entrée, il avait placé un écriteau où on pouvait lire : «Ici, le plus pauvre est roi.» Il avait posé ce geste après avoir pris conscience d'un phénomène inattendu : certains membres du personnel aborigène de l'hôpital avaient commencé à traiter de haut les patients indiens, *los descalzos* (les va-nu-pieds), pourtant de la même race qu'eux. Par des moqueries, des remarques désobligeantes, s'était installée une attitude de condescendance chez les Indiens ayant fait des études et portant un uniforme. Pour Jeanine, la situation était troublante. Jamais elle n'aurait cru qu'elle pourrait vivre une pareille expérience à son hôpital. Que les Ladinos adoptent un tel comportement envers les Indiens ne l'étonnait pas, même si elle s'en indignait, mais que le phénomène se produise entre les Indiens eux-mêmes la renversait. Elle et Enrique organisèrent alors une réunion avec le personnel, un dimanche, afin de remédier au problème et de faire l'examen des événements de la semaine écoulée. Ils s'aperçurent avec soulagement que le problème de «condescendance» des uns envers les autres était plutôt le résultat de taquineries échangées entre de grands enfants et la question ne se posa jamais plus.

La plus longue et la plus difficile des tâches auxquelles ils devaient se consacrer était d'inspirer confiance à la population aborigène. Pour les Indiens, un hôpital représentait beaucoup plus la mort que la guérison. Les raisons étaient d'abord culturelles, mais des expériences malheureuses vécues dans certains hôpitaux où le manque de respect était flagrant les avaient rendus encore plus méfiants. La plupart des Indiens de la région ignoraient encore que cet hôpital était vraiment différent.

Un jour, Jeanine entendit les pleurs et les lamentations d'une Indienne qui quittait l'hôpital. Inquiète, elle se précipita à une fenêtre du premier étage. Elle vit alors la mère qui emportait son enfant mort dans ses bras et elle l'entendit, à travers ses sanglots, crier à une autre jeune femme indienne qu'elle croisait : «Ne va pas à l'hôpital! La *gringa* Violeta tue les bébés et elle les mange!»

Cette fois-là, elle pensa bien ne pas s'en remettre. La fatigue, les angoisses, les soucis d'argent, les problèmes nationaux, tout cela rejaillit d'un seul coup et, pendant quelques jours, Jeanine laissa tout tomber, inconsolable. Enfermée dans sa chambre, aux prises avec ce cauchemar, elle ne cessait de se répéter : «À quoi bon?...» Elle ne parvenait pas à chasser de sa tête les paroles horribles qu'elle avait entendues prononcer par la femme en crise.

Finalement, son désespoir s'estompa et elle reprit contact avec son monde. Le *padre* Bertoldo, la croisant dans un corridor, lui lança : «Alors, toujours les grandes eaux de Versailles?»

Celui-ci croyait la ranimer avec son humour caustique, mais son procédé commençait à battre de l'aile. Si Jeanine se ressaisit, ce ne fut pas grâce aux dernières «bonnes paroles» du *padre*, mais plutôt parce qu'on avait besoin d'elle pour la bonne marche de l'hôpital, et qu'elle ne pouvait y déroger.

Le personnel augmenta. En 1977, selon une tradition établie depuis un an, Jeanine accueillit trois groupes de médecins américains. Ceux-ci payaient leur billet d'avion et les frais d'hébergement à la maison paroissiale du *padre*. Ils travaillaient à l'*Hospital de la Familia* pendant deux ou trois semaines. Parmi eux se trouvaient plusieurs spécialistes en chirurgie plastique :

les Indiens étaient souvent affligés d'un bec-de-lièvre ou d'un palais ouvert, dus aux nombreux mariages consanguins. Les prêtres, à la messe du dimanche, informaient leurs paroissiens de la présence des médecins; des listes de malades prenaient le chemin de Nuevo Progreso et des centaines de patients arrivaient à date fixe à l'hôpital.

Chaque fois, les médecins apportaient et laissaient à la disposition de l'hôpital une dizaine de boîtes contenant du matériel médical. Cela sauvait des journées de travail à Jeanine, lui évitant des démarches laborieuses auprès des laboratoires de Ciudad Guatemala.

La générosité des médecins américains fournissait à Jeanine un exemple de solidarité et de fraternité qui l'emplissait d'espoir. Pourtant, elle ne s'illusionnait pas. Elle avait appris que, pour la plupart des communautés aborigènes, l'Américain blanc représentait «l'exploiteur yankee», et qu'ils arrivaient difficilement à faire la différence entre les individus pleins de bonne volonté et leur gouvernement qui appuyait la junte militaire.

Le gouvernement américain avait renforcé, au fil des décennies, cette réputation d'étranger exploiteur. Jusque-là, par leur aide militaire et surtout financière, les États-Unis avaient encouragé les régimes dictatoriaux et appuyé la répression. Jeanine comprenait la méfiance des Indiens à l'endroit des Blancs occidentaux et elle avait l'habitude de lancer à la ronde : «Nous sommes tous des *gringos.*» Aux oreilles d'Enrique, ces paroles prenaient un sens spécial et il n'y était pas insensible. Il trouvait que cette femme au franc-parler et à l'allure si dégagée n'était vraiment pas comme les autres.

❧

La mère de Jeanine vint enfin la rejoindre au Guatemala. À 71 ans, Mme Archimbaud avait beau affirmer qu'elle aimait les voyages, elle venait avant tout retrouver sa fille, la protéger, l'appuyer. Sous la douceur de cette grand-mère, on percevait une étonnante énergie. Celle qu'on allait, à Nuevo Progreso, surnommer tendrement « mémé » fut adoptée par tout le monde.

Parfois, Jeanine surprenait le *padre*, sur le balcon, baragouinant en français avec elle. Ou alors c'était elle qui, profitant de quelques minutes de répit, s'arrêtait et recueillait les commentaires de sa mère. En effet, celle-ci regardait et observait tout ce qui se passait autour d'elle. Elle connut également Enrique et s'attacha rapidement à lui, même s'ils ne se parlaient presque pas. Sa délicatesse envers elle l'avait touchée.

Avant tout, la présence de sa mère combla chez Jeanine un vide affectif. Il lui manquait quelqu'un avec qui partager ses sentiments, ses états d'âme, quelqu'un qui puisse la soutenir et la consoler. Ce n'était pas avec John qu'elle pouvait entretenir une telle relation car leurs rencontres, de plus en plus espacées, manquaient de profondeur et ne suffisaient plus à son bonheur. Quant à sa relation avec le docteur Enrique, tout enrichissante qu'elle fût, elle ne débordait pas le cadre professionnel. Tandis qu'avec sa mère elle pouvait être elle-même en toute confiance, savourer une entente harmonieuse et favorable à son équilibre. Ensemble, elles parlaient de Jean, le père de Jeanine. Elles savaient combien il aurait aimé ce pays et ses gens si attachants, et qu'il en aurait sûrement été inspiré en tant qu'artiste.

Quand le docteur Enrique et son collègue, un ami d'adolescence, le docteur Carlos, demandaient gentiment à Jeanine de leur préparer un grand thermos de café, cela voulait dire qu'ils allaient passer une partie de la nuit à se pencher sur des problèmes d'ordre médical. Si elle les priait de ne pas abuser de leurs forces, ils lui répondaient en la remerciant de sa délicatesse. Lorsque, à cinq heures et demie, elle arrivait sur le balcon pour la séance de culture physique, elle retrouvait parmi le groupe, aux premières rangées, ses deux médecins, qui, pour rien au monde, n'auraient raté cette mise en forme matinale dirigée par Jeanine. Dans ces occasions, elle admirait la jeunesse des deux hommes et se sentait un peu «vieille», à 48 ans.

Plus elle côtoyait le docteur Enrique, plus elle se disait qu'il ferait un gendre parfait s'il épousait sa fille Lydie. En partageant son travail, elle découvrait quantité de petits signes témoignant d'une personnalité rare, valeureuse, qui enchanterait Lydie, à peu près du même âge que lui.

Un jour où elle revenait d'un village dans la forêt en compagnie du docteur Carlos, Jeanine, au volant de la jeep, plaisantait au sujet de ses prétentions d'entremetteuse. Le docteur Carlos se tourna alors vers elle et lui dit : «Si vous voulez mon avis, Jeanine, Enrique n'éprouve aucun intérêt pour les jeunes femmes. Il les trouve souvent trop frivoles.» En fixant son attention sur elle, il ajouta : «Les goûts d'Enrique pour les femmes sont différents...»

Il y eut un rapide échange de regards et la conversation s'arrêta là. Jeanine se concentra de nouveau sur la route, ne voulant pas laisser paraître le trouble qui montait en elle.

Quelques jours plus tard, le *padre* et Jeanine décidèrent d'organiser une excursion au bord de la mer, à Tilapa, au sud de Nuevo Progreso. Après qu'on eut tiré au sort ceux qui seraient de garde au service des urgences, l'autobus loué pour la journée amena la joyeuse bande en pique-nique sur les bords du Pacifique. Les jeunes Indiens employés de l'hôpital avaient invité leurs parents, et ceux-ci, en sautant de l'autocar, se précipitèrent vers la mer, les bras ouverts, à genoux, en psalmodiant : «*Nuestra Santa Mar!*», «Notre Sainte mer!» Émus, ils pleuraient de joie. Ils ne s'y baignèrent qu'avec prudence cependant, car les eaux de cette partie de l'océan avaient mauvaise réputation : fort courant, jusant dangereux, requins à l'affût. Chaque année, on comptait plusieurs noyés.

Devant le regard interrogateur de Jeanine, surprise par la réaction des Indiens, le *padre* lui expliqua que, pour eux, voir de si près la mer, une des merveilles de la création, représentait un rêve.

Jeanine découvrait que ces familles, qui ne vivaient qu'à 40 kilomètres de l'océan, n'avaient jamais eu l'occasion de s'y rendre! Voilà pour la première émotion de la journée.

Excellente nageuse, elle se précipita dans les vagues qui se jetaient sur la rive, et il lui sembla qu'il y avait des années qu'elle ne s'était laissée aller de la sorte, qu'elle n'avait ressenti un plaisir aussi simple. Elle souriait en sortant de l'eau, pour elle-même. Sur le sable gris de la plage – à cause de la présence millénaire des volcans, le sable des plages sur les bords du Pacifique s'est noirci – elle marcha pieds nus en se laissant caresser par le vent. La mer, scintillante, contrastait avec les plages sombres. Le *padre* fumait une cigarette en blaguant avec un groupe d'employés de l'hôpital; de jeunes Indiens et leurs parents s'exclamaient encore d'émerveillement en s'agitant dans les vagues qui couraient loin sur le sable.

Le docteur Enrique aperçut Jeanine qui marchait seule. Délaissant son ami Carlos, il vint tranquillement vers elle. Leurs pas s'accordèrent naturellement. La conversation s'engagea d'abord sur l'hôpital, le travail, leurs patients, puis dévia sur des sujets beaucoup plus personnels. Ils parlèrent de leur vie privée, de leurs projets, de leurs idées, de façon beaucoup plus dégagée qu'ils ne l'avaient jamais fait.

Sans s'en rendre compte, ils marchèrent longtemps dans la même direction, comme si le vent les y eût encouragés, les portant de son souffle. Ils découvrirent soudain, en se retournant, que leur groupe n'était plus qu'un petit point noir, à quelques kilomètres d'eux. Ils s'arrêtèrent tous les deux face à la mer, silencieux, avant de faire demi-tour. Le regard sérieux d'Enrique ne quittait pas Jeanine et, le silence se prolongeant, elle sentit son cœur palpiter. En un éclair, des images traversèrent son esprit. Même si, avec John, ce n'était plus comme avant, elle éprouvait encore de l'affection pour lui, malgré la situation instable et insatisfaisante. Par ailleurs, elle comprit, à la façon dont Enrique la regardait, combien ce jeune homme était épris d'elle. Tout à coup, son histoire avec John Younger lui parut lointaine, immatérielle.

Lorsque Enrique lui demanda doucement : « Voulez-vous m'épouser? », elle resta muette de stupeur.

À leur retour, dans l'autobus, Jeanine réfléchissait à la proposition extravagante d'Enrique et se posait mille questions. Pourquoi lui demandait-il ça à *elle*? Vingt ans les séparaient, tout de même! Elle serait une vieille dame alors que lui serait dans la force de l'âge… En même temps, elle se rappelait les deux derniers hommes de sa vie. Tout d'abord, son mari : des années de solitude, à ne partager que bien peu de choses; ensuite, John, l'insaisissable : une passion faite de petits bouts de vie enflammés, aussitôt éteints. Enrique semblait tout le contraire des deux autres réunis et elle se sentait si bien à ses côtés.

La vie reprit son cours à Nuevo Progreso et le lendemain, au moment d'une pause, Jeanine éprouva encore le besoin de vérifier l'élan d'Enrique. Déjà, le ton des arguments qu'elle invoquait était moins définitif. « Et les enfants? dit-elle. Avez-vous pensé qu'à mon âge… »

Enrique lui répondit qu'au cours de leur vie dédiée aux malades les enfants de son pays ne manqueraient malheureusement pas et qu'il y en aurait toujours à qui ils pourraient donner soins et amour…

« Mais je suis pauvre, sans un sou vaillant, alors que les gens me croient riche, répliqua Jeanine. Les mauvaises langues ne risquent-elles pas de nous tourner en ridicule et de vous prendre pour une espèce de gigolo?… »

Enrique n'en démordit pas. Pour lui, Jeanine était une femme possédant un idéal, et cela l'impressionnait beaucoup. Il n'hésita pas, en la regardant droit dans ses yeux bleus, à lui avouer qu'il avait besoin d'elle et que son amour était basé sur le respect.

Jeanine, subjuguée, peu habituée à de tels aveux exprimés ainsi, crut à sa sincérité. Elle se rappelait lui avoir déjà livré quelques bribes de sa relation avec John, où elle était cantonnée dans son rôle de maîtresse. Enrique l'avait devinée malheureuse dans ce rôle et elle pensa qu'il ne voulait pas lui imposer le même mode de vie. Mais, avant tout, elle comprit que cet homme ne pouvait demander à une femme qu'il aimait autre chose que de l'épouser.

Au fond, Enrique était son alter ego, son idéal de vie, et elle reconnaissait qu'elle aspirait également à une sorte d'absolu par le travail. Ils avaient vécu ensemble des moments uniques, passant des nuits à traiter, opérer, consoler les Indiens malades, pleurant quand la mort avait frappé les enfants, ressentant la même colère contre les propriétaires terriens qui refusaient de payer les frais occasionnés par des accidents subis par des travailleurs, ou devant toute autre exploitation.

Tout cela n'était pas un rêve. Enrique faisait concrètement partie de sa vie, et sa présence s'imposait autant par sa douceur que par sa force. Elle lui annonça quelques jours plus tard qu'elle disait oui à sa demande du bord de la mer.

Sa décision, finalement, n'avait pas été difficile à prendre. Son indécision initiale avait été causée par la surprise. Elle avait ensuite suivi son intuition, ses sentiments réels, s'était laissée guider par un amour grandissant. Le moins facile serait d'annoncer cette nouvelle au *padre*. Depuis la première visite de John Younger, ces deux-là s'étaient liés d'amitié. Au cours des années, la reconnaissance du *padre* envers John avait grandi et s'était maintenue. Et cela non seulement parce qu'il représentait le principal soutien financier de l'*Hospital de la Familia* par l'entremise de la fondation de San Francisco, mais aussi à cause d'une sympathie naturelle réciproque. Le *padre* ne craindrait-il pas de voir s'éloigner son ami et associé américain si généreux? Serait-il déçu de la «trahison» de Jeanine envers John?

Elle se voyait un peu comme une petite fille redoutant de subir les réprimandes et les mises en garde de son papa. Elle décida de retarder le plus possible l'annonce au *padre.* Elle se sentit un peu lâche, mais elle en voulait un peu au prêtre qui voyait les choses bien naïvement : John, malheureux avec sa femme, retrouvait avec Jeanine la joie de vivre, et, par la même occasion, contribuait financièrement à la bonne marche de l'hôpital. Le *padre* idéalisait la situation.

Jeanine ne croyait plus du tout qu'elle devait sacrifier un amour, un bonheur possible, durable, à une relation sans issue. John lui avait déjà affirmé que, même s'il devait un jour se trouver libre, il ne pourrait « imposer une belle-mère » à ses filles adorées, qui n'étaient d'ailleurs plus des enfants et se trouvaient elles-mêmes mariées.

De vivre cet amour naissant auprès d'Enrique la rendit plus lucide. Elle avait toujours su que John l'aimait, mais à *sa* façon, un peu égoïste. Il aurait pu continuer ainsi pendant vingt ans et il aurait été heureux, sans avoir à renoncer à quoi que ce soit. Elle trouvait la relation avec Enrique plus égalitaire, plus respectueuse, et le fait qu'il l'ait demandée en mariage confirmait un engagement véritable.

Elle se rappela la dernière fois qu'elle avait partagé des moments intimes avec John. C'était à Ciudad Guatemala, un week-end, quelques mois auparavant. Elle n'avait pas réussi alors à retrouver ce plaisir d'être avec lui, cet emportement, cet entrain, cette passion si souvent goûtés. Une cassure s'était produite. Elle comprenait aujourd'hui pourquoi ce malaise avait surgi, ténu, subtil, et dont elle n'arrivait pas alors à connaître l'origine : cette métamorphose coïncidait avec l'apparition d'Enrique à Nuevo Progreso. Déjà, des liens s'étaient noués entre eux deux, elle le découvrait maintenant, et n'avaient laissé dans son cœur que peu de place pour un autre homme.

Cette découverte faite, il lui semblait moins pénible d'informer John à San Francisco. Le jeudi venu, journée où elle pouvait le joindre à coup sûr à son club privé, elle lui téléphona. À l'autre bout du fil, John, ne se doutant pas que Jeanine avait quelque chose d'important à lui apprendre, lui lança tout de go qu'il s'apprêtait justement à lui téléphoner car il avait une nouvelle extraordinaire à lui annoncer!

Il débita sans interruption son projet. Il s'agissait d'une invitation qu'il avait reçue du gouvernement iranien pour un contrat lucratif d'une durée de un an, à titre d'ingénieur. Il offrait à Jeanine d'aller vivre là-bas avec lui, dans une maison luxueuse, où ils seraient entourés de domestiques et où elle pourrait faire ce qui lui chanterait.

Frémissant à l'autre bout du fil, il attendait la réaction de Jeanine.

«Tu sais, John, lui répondit-elle le plus gentiment possible, la vie oisive et moi...» Il y eut une pause et, d'un trait, elle lui déclara son amour pour Enrique et ses nouveaux projets de vie avec cet homme. Un long silence suivit au bout du fil...

John reprit la conversation en avouant qu'il avait perçu ces vibrations entre elle et Enrique à l'occasion d'une rencontre à Nuevo Progreso, mais qu'il n'avait osé y croire. Dépité, il formula quelques doutes et la mit en garde contre la différence d'âge...

Jeanine ne prit pas la peine d'argumenter et John comprit finalement qu'il était impossible de lui faire changer d'avis. Il lui souhaita bonne chance.

Quant au *padre*, car il fallait bien qu'il l'apprenne un jour ou l'autre, il s'emporta : «*Violeta ya perdio la cabeza!* Violeta a perdu la tête!» s'exclama-t-il, en levant les bras au ciel.

Jeanine estima que le jugement du *padre* n'était pas complètement faux. Il avait ajouté cependant, dans la même envolée, qu'il prévoyait pour elle «les pires calamités»... Elle ne se sentit pas vexée par cette dernière boutade, la mettant sur le compte de son humour mordant, qui lui seyait si bien. Pourtant, elle ne put s'empêcher d'espérer qu'il se trompe.

9

Départ de Nuevo Progreso

Libérée, Jeanine éprouva aux côtés d'Enrique, au cours des semaines suivantes, une plénitude jamais ressentie. La journée du mariage se déroula très simplement. En compagnie de Mario, témoin et ami, ils se rendirent à Ciudad Guatemala où, après la visite chez le notaire, ils passèrent un moment dans la cathédrale. Jeanine y eut une pensée pour son père et sa mère, qui s'étaient aussi mariés au milieu du mois d'août. Pour terminer, ils allèrent tous les trois prendre un verre de champagne dans un bistrot de la place Centrale.

Dans la soirée, en route vers Nuevo Progreso, leur voiture tomba en panne sur une route secondaire et ils durent attendre une heure avant d'obtenir du secours. Un garagiste averti de leur mésaventure par un autre automobiliste vint réparer la mécanique. Entre-temps, Jeanine avait sali dans la boue une robe magnifique que des amis de Montréal lui avaient envoyée pour cette occasion spéciale. Ils ne perdirent pas leur bonne humeur et, la voiture réparée, ils filèrent vers leur village. Jeanine et Enrique avaient célébré la journée de leur mariage, le 16 août 1977, sobrement, de façon insolite, le cœur en fête.

Enrique était l'homme le plus heureux du monde. Si son dévouement et son travail de médecin auprès des Indiens pauvres représentaient pour lui un absolu, l'amour et l'affection que lui portait Jeanine valaient tout autant. Ce témoignage précieux augmentait sa confiance en lui et en l'humanité.

Malgré cela, il ne s'était jamais départi de cette tristesse mystérieuse qu'elle avait décelée chez lui dès les premières secondes de leur première conversation et qui l'avait attendrie.

Un soir, le voyant plus soucieux que d'habitude, elle lui demanda d'où provenait cette profonde mélancolie qui semblait l'habiter quotidiennement. Il ne s'agissait pas d'un reproche, car elle l'aimait plus que jamais. Sa demande révélait plutôt un désir de rapprochement. Enrique comprit. Il lui raconta alors une partie de son histoire.

À 14 ans, Enrique Morales avait appris, par le biais d'un membre de sa famille, de façon maladroite, que son vrai père n'était pas le colonel Morales, dont il portait le nom de famille. Son père biologique, alors dans la vingtaine, avait abandonné sa mère quand il n'était qu'un bébé de deux ans. À l'annonce de cette nouvelle traumatisante, l'adolescent avait décidé de quitter la maison sur-le-champ, en compagnie d'un de ses cousins qui était insatisfait au sein de sa famille, pour divers motifs.

Tous deux s'enfuirent en direction de l'est du pays, l'*Oriente*. Ils ignoraient qu'en ces débuts des années 60, le premier foyer de la guérilla se trouvait dans cette région du Guatemala. Au bout de plusieurs jours, errants, affamés, ils croisèrent des guérilleros qui se dirigeaient vers le Nicaragua, pays possédant une longue tradition de conflits entre dictateurs et opposants. Après leur avoir servi des rasades d'eau, les guérilleros leur demandèrent s'ils voulaient les suivre dans leur marche. Le cousin Rolando, pas trop désireux de se retrouver parmi ces guerriers, refusa. Enrique, encore sous le coup de l'émotion, considérant qu'il avait été trompé par sa famille adoptive et voulant augmenter la distance qui le séparait déjà d'elle, releva le défi et partit avec ces hommes qui l'impressionnaient et dont il avait vaguement entendu parler. Sa décision de les accompagner relevait d'une bravade, non d'un engagement, et il se disait que, de toute façon, il n'avait rien à perdre.

Le voyage fut long et épuisant, car, avant d'arriver à destination, il fallait aussi traverser le Salvador. Rendus au Nicaragua, les guérilleros se firent intercepter par les militaires. Enrique, bien que n'appartenant visiblement pas au même groupe, se fit quand même arrêter et amener en détention. Les autorités guatémaltèques en furent bientôt averties, et ce fut son oncle, le frère de sa mère, président de la Banque nationale du Guatemala, qui le fit libérer. Aussitôt revenu dans son pays, il fut de nouveau incarcéré, sans qu'aucune accusation eut été portée contre lui. Il croupit en prison pendant quelques jours avant d'être relâché. Il retourna chez sa mère, qu'il n'avait pas cessé d'aimer et à qui il n'en voulait pas, retrouva son père adoptif, avec qui il s'entendait bien, et poursuivit ses études.

Plus tard, lorsqu'il complétait son internat à l'Hôpital général du Guatemala, vers la fin des années 60, il fut affecté au service des urgences, et, une nuit, des ambulanciers apportèrent le corps d'un militaire blessé, qu'ils déposèrent devant lui. Enrique eut un léger mouvement de recul : cet homme était le colonel Morales, son père adoptif, qui avait toujours été un ami pour lui et qu'il continuait de fréquenter à l'occasion. Malheureusement, il n'y avait plus d'espoir pour la vie de cet homme, qui rendit l'âme au cours des minutes suivantes. La peine d'Enrique fut grande, avivée par un sentiment d'impuissance. Il ne sut jamais si le colonel avait été tué par des guérilleros au cours d'un affrontement ou bien s'il avait été victime d'une vengeance à l'intérieur même de l'armée.

Quant à son père naturel, il avait été élu, au milieu des années 50, président de l'Association des étudiants de l'université San Carlos de Ciudad Guatemala, établissement reconnu pour son engagement politique. À cause de son militantisme, il avait été étiqueté persona non grata par ceux qui se préparaient à renverser le régime démocratique du président Jacobo Arbenz. Celui-ci, auteur de la réforme agraire et responsable de l'expulsion de la United Fruit Co., se préparait lui-même à quitter son pays pour se réfugier au Mexique, car la CIA fomentait un coup d'État avec les militaires locaux. Le régime Arbenz fut renversé en juin 1954. Cependant, il avait eu le temps d'offrir au père d'Enrique une bourse d'études à Paris, afin qu'il puisse être en sécurité lui aussi.

Maintenant, devenu écrivain, le père d'Enrique enseignait à l'université de San José, au Costa Rica. Enrique ne le connaissait toujours pas. Vingt ans d'exil l'avaient éloigné du Guatemala.

Curieusement, ce fut la mère de Jeanine qui, de retour à Montréal depuis quelques mois, et mise au courant de la situation familiale d'Enrique, suggéra l'idée à Jeanine : « Pourquoi Enrique n'irait-il pas rencontrer enfin son père, au Costa Rica? » Car elle aimait beaucoup ce jeune homme si doux et si plein d'attentions pour sa fille, et elle croyait que cela lui ferait un bien immense. Comme cadeau de mariage, elle leur offrit un billet d'avion pour le Costa Rica.

Enrique appréhendait un peu ces retrouvailles. Comment allait réagir son vrai père? Était-il animé du même sentiment que lui? Le jeune médecin savait au moins à quoi ressemblait son père car il avait gardé quelques photographies de lui, que des oncles et des tantes lui avaient envoyées au cours des ans.

Quant à Jeanine, elle entretenait une seule crainte depuis les premiers instants de ce projet. Bien qu'Enrique n'ait jamais exprimé aucun ressentiment à l'égard de son père, qu'il n'ait jamais éprouvé un sentiment d'abandon, elle se demandait s'il ne lui en voudrait tout de même pas un peu de n'avoir jamais tenté de réel contact avec lui. Au cours du voyage vers le Costa Rica, toutefois, son inquiétude se dissipa rapidement. Elle avait une grande confiance en Enrique, le savait généreux, et ne le croyait pas capable d'animosité ou d'amertume à ce sujet. Imaginant comment allait se passer la rencontre, elle ne voyait que de belles choses.

Ils arrivèrent en avance à leur rendez-vous, au centre-ville de San José, à deux pas de l'université. Sur le trottoir devant l'appartement où devait avoir lieu la rencontre, ils marchèrent tranquillement. On les aurait pris facilement pour un simple couple d'amoureux égrenant paresseusement les heures en ce dimanche après-midi ensoleillé. Tout à coup, de l'autre côté de la rue, Enrique remarqua un homme d'allure décontractée, les cheveux au vent, moins grand que lui, qui traversait la voie en se faufilant entre les autos. Il le reconnut tout de suite. Pressant ses doigts sur la main de Jeanine, il lui dit : «C'est mon père.»

Le contact entre eux fut immédiat. Jeanine regarda les deux hommes se donner la main puis s'étreindre au milieu des gens qui passaient autour d'eux et qui les contournaient. Ils montèrent tous les trois à l'appartement. Enrique présenta Jeanine à son père, raconta ce qu'était devenue sa vie maintenant, avec elle, au Guatemala. Les premières minutes passées, Jeanine comprit combien ils se ressemblaient, non pas tellement physiquement, mais par leur façon de parler, d'écouter, leur calme, leur indulgence réciproque.

Pendant les quelques jours de leurs retrouvailles, Jeanine, réjouie de les voir si à l'aise, se retirait parfois de leur intimité, de leurs secrets, permettant à Enrique de vivre avec son père une des plus grandes émotions de sa vie. Se gardant bien de poser à son père des questions qui auraient pu l'embarrasser, Enrique l'écouta plutôt lui raconter une partie de sa vie : véritable globe-trotter intellectuel, il avait étudié à Paris, à la Sorbonne, et avait enseigné en Espagne, à New York et en France. Il avait écrit des ouvrages pour la défense des droits humains. Il vivait maintenant au Costa Rica avec une nouvelle femme et le fils qu'il avait eu d'elle.

Quand Enrique quitta son père, et que Jeanine se retrouva seule avec lui, un frémissement l'envahit. Elle n'avait jamais aimé un homme avec autant de joie profonde.

Elle ne lui posa pas de questions, estimant que cette réunion avec son père lui appartenait en propre... Et lui-même en parla très peu. Mais elle vit que cette rencontre l'avait transformé. Il était maintenant un homme plus heureux.

Comme tout le monde à l'*Hospital de la Famila*, le *padre*, malgré ses boutades au sujet du mariage, avait une bonne opinion d'Enrique. Un jour, il téléphona à John Younger à San Francisco, et, de concert, les deux hommes décidèrent de le nommer directeur médical de l'hôpital. Il leur semblait avoir l'étoffe pour une telle besogne, et Jeanine n'était pas en désaccord!

Elle et lui formaient un duo solide. Lors des rencontres avec les Indiens ou les Ladinos, Enrique faisait toujours participer Jeanine à toutes les décisions, au même titre que les habitants locaux. Cette attitude contribua à atténuer beaucoup son sentiment de *gringa* de service, qui faisait encore surface de temps en temps, quoique de moins en moins souvent.

Audacieusement, Jeanine et Enrique reprirent tout à zéro en ce qui concernait les obligations et les droits de chacun. Fait sans précédent dans leur région et plutôt rare dans tout le Guatemala rural, ils décidèrent de signer un contrat de travail avec les employés de l'hôpital et ceux affectés à la construction d'un édifice adjacent. Les congés seraient payés, ainsi que les jours de maladie et les vacances. Dans le but d'instaurer une tradition de bonne forme physique, ils offraient une heure de pratique de soccer et de basket-ball par semaine, pour les hommes et les femmes. Ces initiatives parvinrent aux oreilles des propriétaires terriens, qui lancèrent alors une campagne de salissage contre le couple maudit de l'*Hospital de la Familia*.

La répression avait toujours été très forte contre les associations et les syndicats depuis le coup d'État de 1954. Des centaines de leaders de différents groupements de paysans ou de travailleurs, mobilisés au sein du CUC (Comité d'union paysanne) au cours des années 70, avaient été qualifiés de communistes et éliminés. Des membres de coopératives et des dirigeants de villages avaient subi le même sort.

Jeanine et Enrique n'échappèrent pas, eux non plus, à l'épithète de «communiste», au grand dam du *padre* Bertoldo. Que ces accusations aient été portées par de mauvaises langues, haineuses et mensongères, ne le consolait pas, et il en ressentit un vif malaise, qu'il camoufla momentanément.

Jeanine avait déjà remarqué comment Enrique, par sa gentillesse naturelle et sa droiture, attirait les gens vers lui. Elle le voyait comme une sorte de leader tranquille qui, par le respect qu'il vouait aux autres, sa façon de leur parler et de les écouter, gagnait facilement leur confiance. Il n'avait pas besoin d'user des signes extérieurs de l'autorité pour diriger les personnes qui travaillaient à l'hôpital, et toutes lui montraient une grande estime.

Par ailleurs, les changements instaurés à l'hôpital par lui et Jeanine laissaient le *padre* de plus en plus sceptique. Il finit par ne plus pouvoir dissimuler sa désapprobation quant à leur façon de voir les choses. Celle-ci se traduisit par une baisse d'enthousiasme envers les initiatives du couple, un mécontentement affiché, un embarras évident.

De le voir ainsi d'humeur maussade peinait beaucoup Jeanine, qui comprenait son désarroi. Elle se disait toutefois qu'elle et Enrique ne pouvaient modifier leur ligne de conduite, qui leur paraissait juste. Malgré une hostilité croissante de la part de certains secteurs de la population, le personnel était heureux et les soins aux malades s'amélioraient.

Si le début d'une mésentente germait entre le *padre* d'une part, et Jeanine et Enrique d'autre part, Ida Archimbaud, la mère de Jeanine, se garda bien de s'en mêler. De retour au Guatemala pour une nouvelle période de six mois, elle s'aperçut rapidement des tensions qui régnaient autour d'elle. Aussi, elle trouva un belle occasion de s'intéresser à autre chose. Il s'agissait des célébrations de la semaine sainte et de Pâques, une tradition importante dans toutes les communautés du Guatemala, surtout Indiennes, qui allait se dérouler.

Au village de Nuevo Progreso comme partout ailleurs, les manifestations religieuses abondaient et ne manquaient pas de pittoresque. Ces coutumes, instaurées et imposées par les Espagnols au XVIe siècle, avaient été « revues et corrigées » depuis par les Indiens et étaient devenues leurs rites à eux.

Mme Archimbaud se laissa envoûter par l'atmosphère débridée et solennelle de la semaine sainte chez les Indiens mayas. Elle admirait les immenses tapis de sciure de bois teinte de couleurs vives, aux motifs de fleurs, d'animaux ou de rosaces, créés dans les rues, sur le parcours de la procession du vendredi saint, et que fouleraient des centaines de fidèles indiens enveloppés dans de longues tuniques violettes et bleues.

Quittant leurs hameaux, les paysans marchaient des heures vers les villages pour se joindre aux autres et assister aux célébrations liturgiques. Au moment de la procession, des nuages de fumée d'encens enveloppaient la foule et le cortège religieux, se mélangeant à la brume ouatée des montagnes. L'effet était saisissant. L'omniprésence de l'encens lors des cérémonies correspondait au désir des Indiens de satisfaire leurs ancêtres en unissant les âmes des défunts avec celles des vivants dans une même nuée odorante. Plusieurs citadins ou touristes étrangers venaient assister à ces processions et prenaient des photographies.

La mère de Jeanine avait également assisté à un autre rituel qui rythmait la vie sociale des Indiens, descendus des montagnes : les activités de marché, occasion pour eux de se rencontrer et de fêter. Les étrangers ne cessaient de s'ébahir de cette profusion colorée de légumes, de fruits, de tissus et de produits artisanaux.

Il y avait longtemps que Mme Archimbaud ne se comportait plus en touriste traditionnelle. D'une grande ouverture d'esprit, elle découvrait progressivement la réalité d'un nouveau pays, comme elle l'avait fait lorsqu'elle avait immigré au Québec au début des années 60.

Pour le plaisir, elle offrait quelquefois une surprise à un petit groupe du personnel de l'hôpital, afin de briser la routine du labeur. C'est ainsi qu'elle invita Enrique, Jeanine, Carlos et Rolando, le cousin d'Enrique, pour un souper à Quetzaltenango. Deuxième ville du pays, située à quelques kilomètres de Nuevo Progreso, cette agglomération sans grand attrait particulier n'en est pas moins pleine de charme, surtout à cause de ses facades à colonnades, de ses monuments en pierre de lave, de ses petites maisons de briques contrastant avec des constructions cossues datant de l'âge d'or de la culture du café.

Ce soir-là, à Quetzaltenango, l'air était frais et agréable, circulant doucement à l'intérieur du restaurant feutré où la bande était confortablement installée. Un petit orchestre jouait sur une estrade, le marimba prenant le dessus parfois, et laissant tantôt le champ libre au saxophone. Toutes les personnes réunies autour de la mère de Jeanine appréciaient ces moments uniques, peu habituées qu'elles étaient à de telles sorties, aux mets raffinés et délicieux qu'on leur servait. Le repas terminé, Jeanine regarda, radieuse, Enrique esquisser quelques pas de danse avec sa mère devant l'orchestre. Elle les rejoignit avec Carlos. Ils changèrent de partenaire au bout de quelques minutes, dansèrent encore, et revinrent à leur table. Ils s'amusaient simplement, sans excès, à l'image des autres couples ou familles du restaurant.

À un moment donné, Jeanine remarqua chez Enrique un désintéressement subit et complet pour tout ce qui l'entourait. Puis elle le vit se lever de table brusquement et sortir dans la cour. La stupeur passée, elle alla le rejoindre, s'approcha tranquillement, et le trouva convulsé de pleurs. Lui prenant doucement le visage dans les mains, elle attendit qu'il parle. Enrique n'avait pu supporter plus longtemps cette abondance, ce luxe, alors qu'il savait son peuple croupissant dans la misère et la faim; il avait eu des remords, se sentait fautif de se gaver de la sorte, dans les circonstances. Il avait été incapable de profiter de ce cadeau que lui offrait Mme Archimbaud. Jeanine ne le blâma pas, elle qui l'avait vu traverser des crises de désespoir au sujet des Indiens frappés par tant de malheurs. Elle alla expliquer aux autres l'incident et la soirée se termina de cette façon. Quelques jours plus tard, Enrique regretta son geste et s'excusa de sa conduite auprès de Mme Archimbaud et des autres. Tout le monde lui pardonna. Enrique vivait tellement le drame de son pays qu'une telle réaction ne leur apparut pas incongrue.

À l'hôpital, la «mémé» de tout le monde «adopta» un garçon de quatre ans, fluet, au ventre ballonné, avec des cheveux clairsemés au-dessus d'un petit visage fripé. L'enfant venait parfois lui donner une fleur ou demandait à la cuisinière «un *refresco* pour la mémé». Mme Archimbaud fit l'erreur de trop s'y attacher, et, un jour, ses parents vinrent le chercher.

Ces situations où les familles indiennes ramenaient chez elles leurs enfants avant même qu'ils ne soient guéris bouleversaient Jeanine. Elle avait l'impression qu'on retournait les enfants à leur misère, pour ensuite les revoir à l'hôpital, créant ainsi un cercle vicieux. Jeanine savait qu'à l'hôpital on combattait la maladie, la faim et la mort, mais elle se sentait parfois bien impuissante. Elle pensait que, dans ce pays de dictature militaire, il fallait plutôt combattre les racines du mal, soit l'injustice sociale et l'exploitation éhontée dont étaient victimes les paysans.

À l'*Hospital de la Familia*, il valait mieux ne pas aborder ce sujet délicat, surtout pas avec le *padre*, que cela gênait visiblement. Jeanine resta donc prudente, sans toutefois se sentir obligée de nier sa personnalité et ses convictions.

Un jour, elle dut se rendre dans la capitale en compagnie d'Enrique pour rencontrer un haut fonctionnaire du ministère de la Santé, celui-là même qu'elle avait jadis drôlement remis à sa place alors qu'il prétendait vouloir livrer l'hôpital aux militaires de la région. La discussion devait porter sur des problèmes d'ordre administratif. Au bout d'une heure, elle bifurqua et tourna au vinaigre. Le fonctionnaire, à mots à peine couverts, «suggéra» que son fils devînt directeur de l'*Hospital de la Familia*! Jeanine et Enrique, ne pouvant se contenir, se levèrent tous les deux, prêts à sortir. Devant leur colère à peine maîtrisée, le fonctionnaire siffla à Enrique : «Toi, tu ferais mieux de te surveiller car ta carrière, j'en fais ça!» Il avait accompagné ces derniers mots de l'image convenue, pour mieux illustrer son message.

Les deux visiteurs en avaient assez entendu et franchirent la porte avant d'être reconduits.

À Nuevo Progreso, le *padre* broyait toujours du noir. Il était de plus en plus mal à l'aise de voir le couple se démener autant pour les Indiens et leur mieux-être. Non pas qu'il fût en désaccord avec eux, mais il tenait toujours à sa neutralité et ne pouvait s'allier à des gens agissant si ouvertement. Il lui fallait ménager tout le monde et ne se mettre personne à dos, surtout pas les *finqueros* (les propriétaires terriens) ni les donateurs de la fondation américaine de San Francisco. Parfaitement au courant des mouvements des Indiens, il craignait que la situation ne se dégradât. Certains, lorsqu'ils quittaient le village, arrêtaient auparavant chez lui et lui disaient : «*Padre*, nous te confions nos femmes et nos enfants; nous allons dans la montagne…» Il savait ce que cela signifiait : ces hommes rejoignaient la guérilla.

Aux yeux de Jeanine et d'Enrique, les «malentendus» qui s'accumulaient depuis quelque temps équivalaient à un signal. Tard en soirée, après l'agitation de la journée de travail, ils en parlaient ensemble, dans l'intimité. Ils avaient l'impression qu'ils vivaient sur un autre plan, avec des valeurs différentes des autres. Cela ressemblait à la fin d'un épisode de leur vie professionnelle.

Ils laissèrent mûrir leur décision pendant quelques jours, et, un bon matin, il leur apparut que le temps était venu de voler de leurs propres ailes. L'amour qui les unissait contribua également à leur volonté de se créer une vie bien à eux, en accord avec leurs rêves, leurs convictions, leurs espérances. Leur but dorénavant était de s'installer ailleurs pour travailler parmi les communautés indiennes. Enrique, à qui un médecin américain avait déjà proposé de venir travailler aux États-Unis, dans des conditions extraordinaires, au lieu de «perdre son temps» au Guatemala, avait décliné l'offre. Il refusait absolument de quitter son pays. Avant leur mariage, il avait déclaré à Jeanine : «Il y a quelque chose de plus important que nous, que notre vie personnelle; mon pays aura toujours préséance sur notre vie de couple...» Il voulait parler de son travail auprès de son peuple accablé. Jeanine était d'accord avec ces paroles. Elle ne pouvait s'identifier à ce pays exactement de la même façon qu'Enrique, mais elle ressentait la même chose, et le travail représentait pour elle une priorité. Une autre femme eût peut-être été gênée, voire blessée, par la déclaration d'Enrique. Jeanine, au contraire, ne se sentit pas moins aimée d'Enrique, n'eut pas l'impression que cela minait la force de leur union. Elle interpréta sa franchise comme une marque de confiance absolue qu'il lui témoignait.

Le moment de leur départ de Nuevo Progreso leur semblait bien choisi puisque Mme Archimbaud, de retour au Québec depuis quelques semaines, n'aurait pas à se soumettre à cette épreuve. Son séjour l'avait comblée et Jeanine s'était efforcée de le lui rendre le plus agréable possible, ne voulant pas lui imposer inutilement leurs tribulations.

Jeanine estima qu'Enrique et elle n'étaient pas irremplaçables et que l'hôpital demeurerait entre les mains de gens compétents : le *padre*, John Younger, des médecins sérieux, étrangers et locaux, et, surtout, le personnel aborigène qui avait su s'intégrer. Quand John fut mis au courant de leur décision de quitter Nuevo Progreso, il ne s'y opposa pas, comprenant leur désir de changement, leur volonté de tenter leur chance ailleurs.

Il y eut plusieurs détails techniques et administratifs à régler, dont celui de la nouvelle direction de l'hôpital. Sur l'initiative de Jeanine, des religieuses de l'hôpital de Coatepeque, situé à une centaine de kilomètres, viendraient prendre la relève. Enfin, dans un dernier geste de détachement, Jeanine, accompagnée d'Enrique, se rendit pour signer une déclaration par laquelle elle renonçait à ses titres d'administratrice et de copropriétaire de l'*Hospital de la Familia*. Elle voulait tourner la page complètement, sereinement, un peu comme elle l'avait fait lors de son divorce. Elle remit les documents à John Younger et au *padre*, désormais les seuls propriétaires de l'hôpital.

Le départ de Nuevo Progreso lui fut douloureux. Chez les Indiens, elle laissait des amitiés sincères, derrière elle, dont sa fidèle amie Rosydalia, des gens qu'elle avait appris à connaître et à aimer, et qui le lui avaient rendu au centuple. Elle s'était fait aussi quelques amis chez les Ladinos du village. Quant au *padre*, Jeanine eut l'impression qu'il poussait un soupir de soulagement... Il lui avait été très utile sous plusieurs aspects dans son apprentissage auprès des communautés indiennes, et elle lui en saurait gré toute sa vie. Elle comprit aussi que la vraie place du *padre* était à Nuevo Progreso, là où il pouvait être le plus utile, et que, s'il favorisait ouvertement un camp plutôt que l'autre, tout ce qu'il avait construit risquait de s'effondrer. Sa neutralité demeurait sa seule garantie de survie.

Dix ans plus tard, en 1988, un magazine américain consacrerait un long et élogieux article à l'*Hospital de la Familia*, intitulé «*Miracle in Guatemala*», accompagné de nombreuses photographies. En entrevue, le *padre* et John Younger ne trouveraient à dire que quelques mots timides et secs au sujet de Jeanine et de son immense contribution. Ils concluraient en expliquant qu'elle et son mari, le docteur Enrique Morales, «*a little bit leftist*», un peu trop «gauchistes», avaient simplement décidé de partir, un jour, sous d'autres cieux.

10

Le difficile recommencement

À bord d'une toute petite automobile, une Austin, qu'ils utilisaient déjà à Nuevo Progreso, ils roulèrent sur les routes du Guatemala pendant plusieurs jours, vers le nord-ouest, se rapprochant de la frontière du Mexique. Les paysages grandioses de la Sierra des Cuchumatanes, montagnes aux brouillards permanents, les menèrent jusque dans le département de Huehuetenango, dans les hautes terres, région des Mams et des Ixils. L'isolement de ces communautés indiennes y favorisait la survivance des rites et des coutumes mayas millénaires, empreints de mysticisme.

Jeanine et Enrique se rendirent chez les autorités ecclésiastiques de l'endroit, sachant que celles-ci pouvaient leur donner des renseignements précis sur les villages et leurs besoins. C'est ainsi qu'ils fixèrent leur choix sur le village de Todos Santos Cuchumatan, situé à 3 000 mètres d'altitude. Les aborigènes de ce village étaient plus grands, plus élancés que les autres, et le costume des hommes était des plus originaux, avec son pantalon rouge et blanc aux rayures verticales. L'épaisse veste de laine que portaient les villageois, ainsi que les bains de vapeur en terre qui se trouvaient près de chaque maison firent comprendre à Jeanine et à Enrique qu'il y faisait très froid.

Ils louèrent une petite maison de tourbe de deux pièces, et y installèrent un lit et deux chaises. Heureusement, il y avait l'eau courante dans la minuscule cour intérieure. Eux aussi étaient équipés, pour se réchauffer, d'un bain de vapeur rudimentaire ressemblant étrangement à un four à pain. Enrique, avec son mètre quatre-vingt-dix, devait jouer les contorsionnistes pour se faufiler à l'intérieur. Une fois l'eau froide versée sur les pierres plates chauffées à blanc, le bain dégageait une chaleur enveloppante et fort agréable.

L'inconfort de leur maison, son aspect rustique et le manque de commodités ne les embarrassaient pas. Leur entente était si grande, leur démarche et leurs objectifs tellement semblables qu'ils réussissaient à s'accommoder du minimum, avec une sérénité non déguisée. Enrique, d'un naturel affectueux, plein de douceur et de tendresse, comblait Jeanine. Spontanément, à tout moment de la journée – quand la situation s'y prêtait –, il la prenait dans ses bras, sans qu'elle s'y attende, la serrait fort, l'embrassait furtivement, ou alors, mû par une fantaisie soudaine, il la soulevait et la faisait tourner légèrement dans les airs, puis la déposait délicatement sur le sol. Jeanine riait aux larmes, feignait l'indignation, le taquinait à son tour, et ils se remettaient au travail. Leur différence d'âge ne choquait personne. Elle, à 50 ans, dégageait l'énergie et la candeur de la jeunesse, et son visage était resté celui d'une jeune femme. Enrique, dans la fin de la vingtaine, paraissait plus âgé, à cause de son sérieux au travail, de son regard impénétrable, de sa maturité et de sa stature.

Au milieu de l'année 1978, tout était en place pour repartir à zéro. Jeanine et Enrique se sentaient à l'aise dans ce village, composé presque exclusivement d'Indiens. Le taux de morbidité infantile était élevé, et leur activité médicale préventive s'adresserait surtout aux enfants et aux mères.

Désirant faire part de leurs projets à la communauté, ils organisèrent de nombreuses réunions avec les autorités du village et la population. En premier lieu, ils désiraient bâtir une clinique, qui deviendrait peut-être ensuite un hôpital. À cette fin, ils se virent offrir par la communauté deux terrains contigus ainsi que deux locaux désaffectés, et ils achetèrent un site montagneux pourvu d'une source en cascade.

Une nouvelle formule serait aussi mise de l'avant, grâce à un couple venu en touristes à Nuevo Progreso avec le Club Aventure Voyages, les Lefranc, l'année précédente. Ces deux voyageurs peu ordinaires, très au fait de la situation des pays du Tiers-Monde, avaient été impressionnés par l'hôpital et l'œuvre de Jeanine, et s'étaient liés d'amitié avec sa mère. Ils avaient vu Jeanine travailler du matin au soir et s'étaient promis qu'en revenant au Québec ils feraient autre chose que de dire : «Ah! quelle femme formidable nous avons rencontrée!»

Aussi, avant de quitter le Guatemala, avaient-ils proposé de créer une fondation qui servirait à faire des demandes d'aide auprès d'organismes non gouvernementaux pour les projets de Jeanine Archimbaud.

Dès leur retour à Montréal, Huguette Lefranc, avec l'aide de la mère de Jeanine, avait mis en marche le processus menant à la création de l'organisme. Elles constituèrent bientôt ce qui allait s'appeler la fondation Jean-Archimbaud, en souvenir du père de Jeanine, qui l'avait toujours soutenue moralement. Huguette en serait secrétaire-trésorière, la mère de Jeanine, présidente, et sa sœur Colette, vice-présidente. Leur travail serait bénévole, et tous les actifs de la fondation resteraient la propriété de la municipalité de Todos Santos Cuchumatan, quoi qu'il arrivât.

Pendant ce temps, dans le village, Jeanine et Enrique élaboraient les plans d'autres projets. En explorant la région, ils s'étaient aperçus que les paysans ne vivaient que de la production de maïs et de pommes de terre, ne connaissant pas d'autres produits de la terre. Leurs instruments rudimentaires ne leur permettaient pas d'accroître leur production, même si les enfants et les femmes collaboraient à ce travail très rude. Jeanine eut donc l'idée d'implanter une école d'agriculture. Toutefois, à cause du manque d'argent et de matériel médical, la chose était irréalisable dans l'immédiat.

Après réflexion, Jeanine et Enrique jugèrent que la meilleure façon de se rendre utiles, pour l'instant, était d'aller rejoindre leurs collaborateurs à Montréal. Là, ils pourraient unir leurs efforts pour rassembler le maximum de ressources afin de retourner au Guatemala mieux outillés.

Quand ils arrivèrent à Montréal, Colette avait déjà commencé le travail. Avec des collègues de l'hôpital de Rivière-des-Prairies, elle avait recueilli des dizaines de kilos de vêtements neufs et usagés et les avait vendus dans des bazars organisés au profit de la nouvelle fondation.

Elle présenta Jeanine et Enrique aux administrateurs de l'hôpital, et Jeanine exposa leur projet, décrivit leurs besoins, les problèmes de santé des Indiens du Guatemala. En visitant l'hôpital, elle observa l'émerveillement de son mari devant l'abondance d'équipement médical dont disposait l'établissement. Enrique fut au comble de la joie quand Jeanine lui fit part en espagnol du résultat de la rencontre avec les administrateurs. On consentait à leur donner l'équipement complet d'une salle d'opération, 24 lits orthopédiques, une unité dentaire, et des vêtements neufs pour le personnel médical. Pour Jeanine, il s'agissait vraiment d'une manne providentielle. Sa seule préoccupation : combien coûterait le transport de tout ce stock au Guatemala, et comment feraient-ils pour le payer?

Dans la maison de Mme Ida Archimbaud, Jeanine, Colette et Huguette Lefranc se livrèrent au calcul : le coût d'expédition de ce «cadeau» s'élevait, incluant les assurances, à 4 606 $. On chercha une solution, et la mère de Jeanine eut une idée plus intéressante que les autres. Certaine que son défunt mari aurait été d'accord, elle proposa de faire une exposition des tableaux de celui-ci. Le produit des ventes irait à la fondation Jean-Archimbaud. Tout le monde souscrivit à cette belle idée avec enthousiasme.

Ce soir-là, avant de s'endormir dans les bras d'Enrique, Jeanine lui chuchota à l'oreille que son père, là-haut, souriait sûrement aux détours du destin… Reconnu pour son humilité, Jean Archimbaud n'aurait jamais imaginé que ses œuvres serviraient un jour au mieux- être des habitants des montagnes du Guatemala.

⁂

Enrique et Jeanine décidèrent de ramener «mémé» avec eux à Todos Santos Cuchumatan pour une période de six mois, soit durant la saison sèche, de novembre à avril. En échange de cet hébergement semi-annuel, Mme Archimbaud acheta un minibus Volkswagen, et le voyage au Guatemala se ferait, cette fois, par voie terrestre.

Le jour de leur départ de Montréal, le 28 novembre 1978, tombait la première neige de la saison. De gros flocons se déposaient lentement sur eux pendant qu'ils fixaient solidement leurs bagages sur le toit du minibus. Mme Ida Archimbaud, à 74 ans, allait traverser quatre pays pendant les douze prochains jours. Le seul article personnel qu'elle voulait emporter était sa chaise Louis XIV, qu'elle rangea au fond du véhicule.

Celui-ci, chargé à pleine capacité, leur permit de traverser les États-Unis sans ennui majeur. Si le passage aux douanes américaines se déroula très bien, il en fut tout autrement aux douanes mexicaines. Là, les officiers reluquèrent de leurs gros yeux le contenu du minibus. Malgré les papiers en règle qui justifiaient un tel chargement, ils décidèrent de ne laisser passer les voyageurs que si ceux-ci leur permettaient *una mordida*, une «morsure au porte-monnaie». Pour Jeanine, qui tenait le volant à ce moment-là, il n'était pas question de se faire estorquer! Elle fit demi-tour et se dirigea vers un autre poste frontalier. Même manège là-bas, même chantage. Jeanine fit encore demi-tour et ils se pointèrent au troisième et dernier poste, espérant tomber sur un fonctionnaire moins corrompu. Là, l'officier, un homme d'un âge plus avancé, prenant Jeanine et sa mère pour deux religieuses parce qu'elles portaient chacune une petite croix au cou, les laissa passer. (Jeanine avait promis à son père de toujours porter cette petite croix en or qu'il lui avait offerte lors de son départ pour le Guatemala en 1970.)

À la frontière du Guatemala, ils craignirent le même stratagème, mais les douaniers, après une inspection tâtillonne de leur véhicule, les laissèrent entrer.

La mère de Jeanine, qui jusque-là avait été brave et calme, commença à montrer de l'inquiétude lorsque le minibus entama les derniers kilomètres avant d'arriver à Todos Santos Cuchumatan. Le chemin de terre tout en hauteur qu'il fallait grimper leur donna du fil à retordre : roulant sur le gravier, le véhicule avançait péniblement, reculant souvent de quelques mètres en travers de la route, à la dérive pendant quelques secondes. De chaque côté du chemin se trouvaient des ravins vertigineux. Ce fut finalement à la vitesse d'une tortue, avec mille précautions, qu'ils parvinrent au sommet de la côte. Le spectacle des montagnes boisées, verdoyantes et vierges s'étendant tout autour réconforta Mme Archimbaud, et, plus encore, la vue du village. Impatients de s'atteler à la tâche, ils se mirent aussitôt en quête d'un toit pour se loger.

Ils s'arrêtèrent sur la place publique, où se tenait justement une assemblée municipale. On les accueillit avec plaisir, et le propriétaire d'un petit commerce leur offrit l'hébergement dans sa modeste maison. Le soir tombé, Jeanine s'empressa d'y installer sa mère, car elle avait froid. Cette contruction de blocs de tourbe au toit de tuile retenait l'humidité malgré son poêle à bois en briques, et Jeanine ne réussit pas à la réchauffer. Par bonheur, elle avait apporté un radiateur électrique,qu'elle brancha près du lit de sa mère après l'avoir emmitouflée dans sa robe de chambre et un châle indien.

Enrique entourait de soins cette femme âgée qui s'adaptait à cette vie rude sans jamais se plaindre. Cela l'aidait à mieux saisir le caractère et la force de Jeanine, au-delà de son apparence de «femme du monde». À côtoyer la mère de Jeanine, il comprenait mieux maintenant le choix de vie de celle qui était devenue sa femme, cet élan vers les autres qu'il la voyait démontrer depuis cet heureux jour où il était allé frapper à la porte de son bureau de l'*Hospital de la Familia*.

⁂

Deux mois s'étaient écoulés depuis leur arrivée à Todos Santos Cuchumatan. Par l'intermédiaire de la fondation Jean-Archimbaud, ils avaient fait des demandes d'aide pour soutenir leurs projets et attendaient encore les réponses des organismes approchés : Oxfam-Québec, Club Deux-Tiers, fondation Roncalli. En outre, ils n'avaient pas pu recevoir tout le matériel qui leur avait été donné à Montréal car la construction de la clinique médicale n'était pas même amorcée.

En attendant, ils ne demeuraient pas inactifs. Le minibus avait été converti en ambulance. On avait peint une croix blanche dessus, et, sur ses côtés, en gros caractères, les mots *Hospital Todos Santos Cuchumatan.* Au moyen de ce dispensaire ambulant, ils visitaient les malades dans les montagnes. Les villages les plus isolés étant inaccessibles en voiture motorisée, ils s'y rendaient à pied, transportant les boîtes de médicaments et le matériel. Si l'ascension des monts et leur descente ne causaient pas d'ennuis à Enrique, à cause de sa jeunesse et de sa bonne forme physique, Jeanine, elle, en souffrait. Ses jambes ne suivaient pas forcément sa volonté et c'était en de tels moments qu'elle sentait la différence d'âge entre elle et Enrique. Celui-ci, toujours attentionné, ne montrait aucune impatience. Dans la forêt, parmi les branches, les trous et les moustiques, il ralentissait le pas, mine de rien, pour permettre à Jeanine d'avancer à son rythme. De son côté, Jeanine ne se lamentait pas, ayant développé depuis longtemps un mécanisme de défense très efficace contre toute adversité : l'action.

Leur présence et leur engagement furent très vite connus et appréciés, et le travail ne manquait pas. Cependant, chaque succès a son revers, et ils ne s'attendaient pas à le subir si vite. Une rumeur courait au village. Depuis quelque temps, deux volontaires du Peace Corps menaient une campagne de dénigrement contre eux, à cause de leur implication et de leur engagement auprès des Indiens. Institué en 1961 sous l'égide du président Kennedy, ce «Corps de la Paix» dépêchait depuis lors ses agents en masse en Amérique centrale et en Amérique du Sud, soit-disant à des fins humanitaires. En fait, tous savaient que sous ces dehors charitables se dissimulait un but politique. Cette aide au développement des pays du Sud devenait un instrument de la lutte anticommuniste et contrerévolutionnaire. Les États-Unis n'avaient pas oublié l'avènement, en 1959, de Fidel Castro et de son régime socialiste à Cuba, et ils se posaient en chien de garde du capitalisme du monde occidental, quitte à cautionner des régimes sanguinaires comme celui du Guatemala.

Toujours est-il que ces deux Américains habitaient dans la région depuis quelques années. L'un travaillait à titre d'agronome au village et Jeanine avait déjà eu l'occasion de le croiser. Il n'était pas difficile à distinguer des habitants du village : grand, tête blonde rasée, menton volontaire, yeux clairs. L'autre était installé dans une magnifique villa sur la crête d'une haute montagne, avec une radio à ondes courtes. Sa tâche était moins ambiguë : elle consistait à obtenir des renseignements sur les activités subversives qui avaient lieu dans le pays, particulièrement dans cette région à forte majorité aborigène.

Le propriétaire de la maison louée par Jeanine et Enrique leur apprit la teneur des bruits courant à leur sujet. Les deux Américains avaient réussi, par des faveurs et des promesses faites à une partie de la population, à les rendre «indésirables» auprès de plusieurs Indiens. La raison de ce salissage public apparaissait évidente aux yeux de Jeanine : les deux agents du Peace Corps se prévalaient d'un grand pouvoir sur une bonne partie de la population indienne du village et l'intrusion de ce médecin guatémaltèque, Enrique Morales, devenait une menace pour leur autorité.

Jeanine et Enrique prirent soin de ne pas parler de cette situation délicate à Mme Archimbaud et, après en avoir discuté entre eux, choisirent de poursuivre leurs activités médicales comme si de rien n'était. Ils réussissaient à garder un calme apparent, mais Jeanine cachait mal sa nervosité. Elle avait appris depuis longtemps qu'il ne fallait jamais sous-estimer ses ennemis.

Un jour où ils devaient aller acheter des médicaments, ils décidèrent de ne pas laisser «mémé» seule à Todos Santos et de l'amener avec eux. Ciudad Guatemala n'était qu'à environ 180 kilomètres, mais cela représentait tout de même trois heures de route, pas toujours carrossable, en minibus.

Ces courses vers la capitale leur fournissaient l'occasion d'admirer le paysage et la nature sauvage du Guatemala de façon un peu plus agréable. Mme Archimbaud adorait ces moments. Jeanine, qui commençait à en connaître long sur le pays, sa flore et sa faune, lui faisait remarquer ici un perroquet au plumage brillant (*guacamayo*) ou un toucan, là un tapir qui s'engouffrait dans la forêt à l'approche de leur véhicule, là-bas un fromager, l'arbre sacré du Guatemala, ou d'autres arbres au feuillage dense, abritant des petits singes turbulents qui faisaient se plier les branches en cadence.

Enrique était concentré sur la conduite du véhicule. Soudain, au détour d'une courbe, précédant une descente, il vit par le rétroviseur une jeep fonçant à une vitesse folle derrière eux et dont les phares clignotaient. Il décida de se ranger contre le flanc de la montagne afin de laisser passer le bolide fou. Une centaine de mètres plus bas, la jeep freina et se mit en travers de la route pour leur barrer le chemin. Jeanine reconnut tout de suite celui qui tenait le volant. Deux grands gaillards sortirent de la jeep, avec l'arrogance tranquille que leur conférait leur statut d'agents du Peace Corps. Le soi-disant agronome américain commença à pester contre Enrique, en espagnol, remettant en cause sa présence au village et le sommant de quitter les lieux le plus rapidement possible. Gardant son calme, Enrique lui répliqua : «Si l'un de nous doit quitter ce pays, ce ne sera certainement pas moi, le Guatémaltèque, mais plutôt toi, l'étranger américain...»

La discussion n'alla pas plus loin. Enrique, au volant du minibus, se fraya lentement un chemin entre la jeep et la paroi rocheuse et reprit la route. Jeanine ne se sentait pas en parfaite sécurité, sachant que les menaces des Américains ne devaient pas être prises à la légère. Elle se retournait nerveusement vers sa mère, manifestement inquiète, assise sur la banquette arrière. Cette dernière ne comprenait pas l'espagnol, mais elle avait bien saisi la nature de l'échange.

Au bout de quelques minutes, la jeep verte des Américains réapparut dans le rétroviseur. S'amenant en trombe, elle doubla le minibus une fois de plus, soulevant un nuage noir de poussière.

Une cinquantaine de kilomètres plus loin, le minibus s'arrêta à une station d'essence pour faire le plein. Ses occupants se retrouvèrent de nouveau face à face avec les deux agents américains, qui les avaient attendus. Les avertissements et les menaces reprirent de plus belle, sans que, cette fois, Enrique réplique. Il s'appliqua à remplir son réservoir pendant que Jeanine et sa mère attendaient sagement dans le véhicule. L'inertie leur semblait le meilleur moyen de défense. Les Américains décidèrent que c'était suffisant et, dans leur jeep, passèrent à quelques mètres d'Enrique en accélérant violemment, dans un dernier geste de provocation.

Dans la capitale, la course aux médicaments et aux vivres fut longue et laborieuse. Elle dura deux jours, exigeant une patience énorme, car il fallait attendre longtemps à chaque endroit. Enfin, heureux de quitter la ville bruyante, tous trois retournèrent à Todos Santos avec leur cargaison.

Leur absence n'avait duré que trois jours. Toutefois, quand Enrique immobilisa le véhicule devant leur logis, ils tressaillirent : tous leurs effets personnels étaient entassés sur le pas de la porte, et, autour, un groupe d'Indiens munis de machettes les attendaient. Enrique sortit du minibus et s'avança vers eux. Celui qui semblait être le porte-parole du groupe s'amena vers lui et, avec un flegme étonnant, lui ordonna de quitter le village. Jeanine rejoignit Enrique, et tous deux se mirent à poser des questions. Aucune réponse ne fut fournie, mais ils savaient bien que les Indiens avaient été manipulés par les agents du Peace Corps. Devant l'intransigeance des Indiens rassemblés devant leur demeure, ils se virent forcés de faire demi-tour. Même si elle connaissait les véritables auteurs de ce piège, Jeanine était bouleversée de se faire chasser ainsi par des Indiens. Elle vit des aborigènes qui étaient en faveur de leur présence au village se cacher derrière leur porte, muets, impuissants. La sagesse commandait une fois de plus de ne pas discuter. Ils reprirent tous les trois la route vers Huehuetenango, la ville la plus proche, après avoir récupéré leurs effets. Jeanine, au volant du minibus, fonçait à vive allure sur les chemins de terre battue. Elle expliqua la situation à sa mère et celle-ci, peinée, lui répondit : « Je ne puis rien faire d'autre que prier. »

Jeanine répliqua : « C'est déjà beaucoup, car moi je ne pourrais pas! Je suis trop en colère! »

En fait, Jeanine trouvait que le ciel les abandonnait bien facilement. Elle demeurait persuadée que, sans la manœuvre des deux agents américains, ils auraient pu rester dans la région et mener à bien leurs projets.

Les aborigènes, extrêmement vulnérables, constituaient des proies faciles pour les autorités. Quelques mois plus tôt, en mai 1978, l'armée guatémaltèque avait abattu en plein jour plus d'une centaine de paysans indiens sur la place publique de Panzos, un village du centre du Guatemala, situé à quelques centaines de kilomètres de Todos Santos. Chez les intellectuels et les analystes politiques du Guatemala, ce massacre fut interprété comme une véritable déclaration de guerre de l'armée contre des Indiens jugés subversifs. Cette hécatombe à ciel ouvert précéda l'élection, en juillet 1978, du pire dictateur militaire de l'histoire contemporaine du Guatemala, le général Romeo Lucas Garcia.

Jeanine et Enrique, avec Mme Archimbaud, arrivèrent à Huehuetenango, d'où ils alertèrent leurs amis de Montréal et leur demandèrent de retenir tout le matériel médical ou autre avant qu'ils aient trouvé un nid ailleurs au Guatemala. Des personnes bien intentionnées du diocèse de Huehuetenango leur proposèrent d'abord d'aller faire un tour du côté de San Mateo, un village situé plus au nord, juste en deçà de la frontière du Chiapas, un État du sud du Mexique. Ils s'y rendirent. Enrique trouva cependant l'endroit sinistre, y flairant une odeur de guérilla et d'armée. Ils reprirent donc la route vers le sud, passant la nuit dans des motels et s'informant, le jour, dans les diocèses, des villes ou des villages susceptibles de les accueillir et de profiter de leurs services. Jeanine et Enrique ne se décourageaient pas, sachant qu'ils finiraient bien par s'établir quelque part.

Des gens leur proposèrent d'aller vers un gros village appelé Patulul, dont les habitants seraient certainement heureux de voir s'implanter un centre de santé. Le trio y fut bien reçu et, dans la rue principale, ils louèrent une maison, meublée de quelques accessoires. Les démarches auprès de la mairie pour l'obtention de permis s'effectuèrent sans problème, tandis que la population locale, majoritairement indienne, les accepta tout de suite. Les gens voyaient d'un bon œil l'aménagement d'une clinique et éventuellement d'un hôpital.

Enrique, Jeanine et sa mère n'étaient installés à Patulul que depuis deux semaines quand un représentant des riches propriétaires terriens leur fit savoir, lors d'une réunion, qu'ils n'y étaient pas les bienvenus. Ils ne surent jamais exactement la raison de cette réticence, mais ils s'inclinèrent, ne jugeant pas utile de s'obstiner à rester et de lutter contre les puissants de la région.

De nouveau sur la route, nullement démoralisés mais excédés, ils trouvèrent finalement un village où s'installer, dans le sud du pays, sur la côte du Pacifique, en pleine région tropicale.

Il s'agissait de Sipacate, où la température atteint 30 degrés Celsius à l'aube, et où l'humidité est invariablement de 100 %.

⁂

Situé légèrement en dessous du niveau de la mer, ce village peuplé de 10 000 habitants appartient à une région riche en plantations, habitée surtout par des Ladinos. Cependant, lors des périodes de récolte – canne à sucre, coton, bananes –, sa population double avec l'arrivée de la main-d'œuvre indienne provenant des terres froides.

Des empoisonnements et des maladies de la peau frappaient les travailleurs de ces plantations, à cause des tonnes d'insecticide déversées par des avions, sans égard pour les individus et l'environnement en général. Des garçons de 10 ans, pieds nus dans les champs de canne à sucre, manipulaient des machettes plus longues que leurs bras. Beaucoup d'Indiens venaient travailler également dans les *salinas*, où on extrayait le sel de la mer.

Une expression que Jeanine avait maintes fois entendue de la bouche des Indiens qui allaient travailler dans les plantations sur la côte, et qui disait textuellement : « Nous descendons vers la vallée de la mort », prenait ici tout son sens. Durant la période des récoltes, ces travailleurs s'empilaient dans des baraques avec leurs familles, et plusieurs enfants et bébés n'en sortaient pas indemnes, à cause des conditions de vie insalubres.

Au village, Enrique, Jeanine et sa mère cherchèrent un coin pour installer leurs pénates. Ils furent aidés par un prêtre de la région, qui leur offrit une grande maison paroissiale de deux étages non utilisée, construite en blocs de ciment. Jeanine était ravie. Ils n'utiliseraient que l'étage inférieur, plus frais : quatre petites chambres, un réfectoire, une cuisine, deux salles de bains. Le maire de Sipacate mit à leur disposition une vieille école désaffectée, en planches et au toit de tôle ondulée. Jeanine et Enrique convinrent qu'un jour cette ancienne école abriterait leur clinique.

11

Le torride climat de la peur

Jeanine et Enrique découvrirent au fur et à mesure l'énormité de la tâche à accomplir. Le village de Sipacate, situé à cinq kilomètres d'une base navale, foisonnait de bars, îlots de désœuvrement pour les centaines de soldats en permission ainsi que pour les jeunes qui étaient oisifs. Abondaient aussi les maisons de prostitution, où «travaillaient» des jeunes filles âgées de 13 à 18 ans. Recrutées surtout au Salvador mais aussi au Guatemala, ces filles étaient embauchées prétendument comme ménagères ou cuisinières et aboutissaient dans ces maisons. Les maladies vénériennes y sévissaient. Pour une population environnante de 35 000 habitants, un seul médecin était disponible.

Bien décidés à relever le défi, Jeanine et Enrique se mirent au travail immédiatement. Ils firent d'abord une demande officielle pour la construction de l'hôpital, qu'ils voulaient nommer «*Hospital San Juan*», en mémoire du père de Jeanine. À l'acceptation de la demande, ils se répartirent les tâches. Enrique donnerait des cours de formation pour infirmiers et infirmières. Il se retrouva bientôt avec 52 étudiants, dont plusieurs pourraient, un jour, travailler au futur hôpital. Jeanine, de son côté, décida de se consacrer à toutes les demandes officielles auprès des autorités gouvernementales. Dès ses premières démarches, elle obtint des résultats. Du ministère de l'Agriculture, elle reçut l'autorisation d'utiliser un grand terrain près du village afin d'y ériger l'hôpital; le ministère lui donna aussi 2 500 cyprès, et plusieurs plants de papayers et de fleurs qui seraient plantés autour de l'édifice. Des étudiants en infirmerie acceptèrent de participer bénévolement à ces travaux et Jeanine pensait déjà au thé délicieux de pétales de rose de la Jamaïque, reconnues pour leurs vertus calmantes, qu'elle pourrait offrir aux malades. Ils semèrent aussi du sésame et des melons, afin d'avoir sous la main des aliments frais et sains pour les patients. Après avoir tracé les entrées et les sorties de l'édifice, ils plantèrent des palmiers nains, nécessaires dans ce coin de pays, une étuve où l'ombre est toujours la bienvenue.

Sous la direction d'un Indien du village, don Villatoro, un maçon qui ne savait ni lire ni écrire mais qui était doté d'une grande intelligence, un «comité de construction» fut formé, afin de trouver des fonds pour le début de la construction de l'hôpital. Des fêtes et des bals, des bingos et des tirages de prix furent organisés au village; des sollicitations eurent lieu auprès des vacanciers; on vendit des produits maison. Toutes ces activités rapportaient de petits profits et constituaient un premier fonds pour la construction de l'hôpital.

Si Enrique et Jeanine ne tiraient qu'un très maigre salaire de leurs activités médicales au dispensaire, ils demandaient des honoraires justes quand Enrique était appelé en consultation auprès de malades aisés de la région. Par ailleurs, certains propriétaires de plantations faisaient également appel à lui lorsqu'une épidémie ou des accidents de travail se produisaient. Leur bonté n'était pas motivée par un souci de la santé de la main-d'œuvre indienne mais plutôt par la crainte du mécontentement des travailleurs saisonniers ou des menaces de la guérilla.

Un de ces propriétaires fit venir Enrique, un jour, à sa plantation de coton pour une urgence. Accompagné de Jeanine, Enrique découvrit le drame en arrivant sur les lieux : on avait déjà installé de petits cercueils sur des tables, et de grandes feuilles de polythène tendues entre les arbres faisaient office de toit. Des enfants souffrant d'intoxication – quelques-uns étaient déjà morts – requéraient des soins immédiats. Ils avaient mangé des poissons de la rivière, contaminée par les fongicides et les insecticides répandus par des avions sur les plantations de coton. Jeanine et Enrique demandèrent à voir les installations sanitaires : le puits d'eau potable était à sec, et il n'y avait aucune douche ni aucunes toilettes en service. Furieux, ils demandèrent à parler au *capataz*, le contremaître. Bien qu'il fût habituellement calme et pondéré, Enrique ne mâcha pas ses mots pour lui dire sa façon de penser.

Ils n'étaient pas au bout de leurs mauvaises surprises. Quelques jours plus tard, ils eurent l'occasion de visiter un domaine d'élevage de porcs. On trouvait là une clinique et les services d'un vétérinaire à temps plein; on pratiquait sur ces mammifères omnivores des chirurgies et même des césariennes, et un spécialiste étranger venait faire son tour tous les ans pour vérifier la condition des cochons! Jeanine et Enrique étaient stupéfaits.

Sur le chemin du retour, Jeanine se défoula et cria sa furie. Elle trouvait indécent un tel déploiement de soins de luxe pour des animaux alors que des milliers de femmes guatémaltèques mouraient des complications d'un accouchement. Ils avaient dû eux-mêmes un jour voler au secours d'une jeune Indienne de 13 ans qui était en train d'accoucher sous un arbre parmi des bestioles qui rampaient autour d'elle. Par ailleurs, on distribuait des stérilets aux Indiennes, mais sans encadrement d'aucune sorte. Le résultat était affligeant : Jeanine et Enrique voyaient régulièrement arriver à leur clinique des femmes ensanglantées, aux prises avec une hémorragie grave.

Qu'il y eût dans ce pays les mouvements révolutionnaires de citoyens voulant changer les choses, Jeanine n'en était plus étonnée. Elle comprenait leur révolte, même si elle n'approuvait pas l'usage des armes.

En montrant leur mécontentement, elle et Enrique s'attiraient une fois de plus le mépris d'un grand nombre de gens, des puissants de la région de Sipacate. Leur dévouement envers les plus pauvres faisait d'eux un couple bizarre, au mode de vie très étrange, incompréhensible et même choquant pour la plupart de ces personnes. Par surcroît, ils avaient l'air d'un couple heureux!

Certains individus utilisèrent la flatterie. Des hommes tentaient parfois d'entraîner Enrique dans les bars pour quelque beuverie, car il leur apparaissait impossible que cet homme fût sans tache. Jeanine admirait la façon dont Enrique leur opposait un refus : il réussissait à décliner leur invitation de façon polie mais ferme, usant de diplomatie pour ne pas blesser leur amour-propre…

Malgré toutes les difficultés rencontrées, Jeanine poursuivait ses demandes auprès du gouvernement guatémaltèque. Un élément qui facilita sa tâche fut l'aval qu'elle avait obtenu de l'oncle d'Enrique, gouverneur du département d'Escuintla, dont ils faisaient partie. Pour la première fois de sa vie, Enrique avait usé de relations familiales. Considérant que son geste n'était pas motivé par des intérêts personnels, mais plutôt par le bien de la communauté, il ne s'était pas gêné. Il avait tant talonné le gouverneur que celui-ci avait finalement consenti à leur écrire une lettre de recommandation, à remettre au procureur général du Guatemala. Celui-ci, en accord avec leurs initiatives, leur avait remis à son tour un petit papier important. Munie de cette référence, Jeanine n'hésitait pas à frapper à certaines portes en haut lieu, dont celle du ministre des Finances, Julio Tulio Bucaro, à qui elle avait plusieurs requêtes à présenter.

À force de courir les antichambres et de répéter les mêmes boniments à ces hommes cravatés et galonnés, Jeanine avait l'impression d'être devenue une mendiante. Elle acceptait cependant de jouer le jeu, fournissant à l'autre l'occasion de se croire indispensable. Dans les circonstances, elle faisait sien le dicton affirmant qu'on ne prête qu'aux riches : elle allait toujours rencontrer ces messieurs des ministères en tenue chic, élégante mais simple, grâce à la générosité de Lydie. Celle-ci, qui poursuivait sa carrière de mannequin à Montréal, créait parfois quelques belles robes pour le plaisir et les lui faisait parvenir. Puisque les sorties mondaines ne faisaient pas partie de sa vie quotidienne, Jeanine utilisait ces vêtements à d'autres fins.

Du ministre des Finances, elle devait obtenir l'autorisation de faire entrer au pays tout l'équipement médical que leur avait offert l'hôpital de Rivière-des-Prairies, plusieurs mois auparavant, ainsi que l'exonération des frais de douane. Jeanine comprit alors que les ministres du gouvernement guatémaltèque n'étaient pas tous corrompus.

Elle réussit une autre prouesse. Des camions chargés de balles de coton devaient quitter Sipacate pour se rendre au port de Puerto Barrios, sur la mer des Caraïbes, là où accosterait justement le bateau contenant les dons de l'hôpital de Rivière-des-Prairies. Elle demanda au propriétaire de la plantation de coton si ses camions pouvaient rapporter leur matériel en revenant. Il accepta gentiment, sans exiger aucuns frais.

Jeanine, Enrique, don Villatoro et quelques membres du comité de construction de l'*Hospital San Juan* se rendirent donc à Puerto Barrios. Après que les camions remplis d'équipement médical eurent pris le chemin du retour, tous s'arrêtèrent dans un restaurant le long de la route pour manger un morceau. S'apprêtant à repartir vers Sipacate, ils n'avaient pas encore remis leur véhicule en marche qu'un groupe de soldats, l'arme au poing, les en firent descendre brutalement et les fouillèrent sans ménagement. L'objectif des soldats était, une fois de plus, de semer la terreur chez des gens qui n'étaient pas sous leur coupe. Cette pratique militaire était devenue, depuis plusieurs années, une tradition au Guatemala.

Jeanine et Enrique, à force de faire face à de telles situations, avaient développé une complicité muette, et un seul regard rapide leur permettait de s'entendre sur l'attitude à adopter. Parfois, il était préférable que Jeanine prît la parole; d'autres fois, il s'avérait plus sage que ce fût Enrique. Ce soir-là, Jeanine, en tant qu'«étrangère dévouée à la cause humanitaire», s'interposa et répondit aux questions insistantes des soldats. Elle leur expliqua la raison de leur présence au port et leur montra les papiers en règle obtenus des différents ministères. Les militaires ne parurent pas impressionnés par cette paperasse gouvernementale. Investis d'un pouvoir parallèle plus grand que les fonctionnaires, ils n'avaient que dédain pour ces pantins bureaucratiques. Ils réitérèrent les menaces de saisie et les intimidations. Enrique avait du mal à se retenir. Il savait cependant qu'un seul mot de protestation de sa part justifierait son arrestation et sa détention.

Les autres membres du groupe, incluant des jeunes femmes, demeuraient silencieux, terrorisés. Leur travail d'intimidation terminé, les soldats poursuivirent leur route. Jeanine avait réussi à les convaincre de les laisser passer.

Enrique prit le volant et le retour s'effectua en silence. Jeanine et Enrique échangeaient des regards, chacun cherchant dans l'autre un réconfort. Les filles derrière, qui s'étaient amusées à chanter des airs du pays lors de l'aller, demeuraient coites.

Arrivés à Sipacate en fin de soirée, ils firent appel, par l'entremise de la radio locale, à des volontaires pour décharger les camions du trésor qu'ils contenaient et le ranger provisoirement dans l'école désaffectée.

Un vent magique semblait s'être levé sur le village, soufflant l'épaisse chaleur tropicale, métamorphosant les hommes et les femmes. La corvée se changea graduellement en fête et dura longtemps, sous un ciel percé d'étoiles. La douceur et la joie de cette nuit ranimèrent tout le groupe. Aux petites heures, Jeanine et Enrique s'endormirent un peu plus confiants.

⁂

Jeanine ne dédaignait pas le travail manuel éreintant. Avec l'aide des étudiants infirmiers et infirmières, munis de pelles et de pioches, elle creusa les fondations de l'hôpital. Plus tard, elle et d'autres femmes s'attelèrent à un système de cordes et de poulies afin de faire monter des seaux de ciment au sommet d'une tour qui contiendrait un réservoir d'eau de plusieurs milliers de litres. Il y avait aussi deux fosses septiques et des installations sanitaires complètes à aménager, des moustiquaires à poser…

Levée à 4 heures 30 chaque matin, elle sentait diminuer ses forces à partir de 8 heures, moment où le soleil devenait d'un jaune épais et la chaleur, suffocante. Elle se dirigeait alors vers le dispensaire, ouvert aux premiers patients. Enrique aussi était débordé. Après ses heures de clinique, il donnait ses cours aux étudiants infirmiers, puis visitait les malades, au village ou dans la forêt. Heureusement, une infirmière guatémaltèque, ainsi que deux étudiants en médecine, venaient travailler tous les jours avec lui. En dehors de ces fonctions, il avait organisé des équipes de soccer, de basket-ball et de ping-pong pour les jeunes du village, et participait lui-même aux matchs.

Parmi ces jeunes se trouvait un Indien de 15 ans, Maury, qui toucha le cœur de Jeanine. Tous les matins, dès 4 heures 30, le jeune garçon travaillait dans les *salinas*, recueillant le sel de mer, afin de payer son transport d'autobus pour aller à l'école secondaire; en soirée, il venait chez Jeanine et Enrique assister aux cours d'infirmerie. Comme c'était un garçon timide et introverti, Enrique le crut d'abord peu doué pour le travail d'infirmier. À la longue toutefois, il s'avéra le plus persévérant et le meilleur des élèves. Son courage toucha Enrique, qui lui offrit de travailler à ses côtés certains soirs, comme laborantin.

Inspiré par l'expérience du *padre* Bertoldo de Nuevo Progreso, Enrique eut l'idée d'installer un système de radio locale afin de diffuser des nouvelles, des avis, et des conseils de santé et d'hygiène. Dans un cagibi de l'école désaffectée, il relia des micros à des haut-parleurs, et choisit des disques. Devenue vite populaire, la radio *La Voz del Hospital de Sipacate* trouva un moyen de faire ses frais : on louait, à des prix correspondant aux moyens des usagers, des heures d'antenne pour des annonces, des thèmes religieux, des avis de mariages et de décès, des offres d'emplois. Le petit village de Sipacate était animé d'une vie nouvelle.

Un des étudiants infirmiers, Jorge, se montra intéressé par le métier de la radio. Jeanine et Enrique l'envoyèrent prendre des cours à la ville et il en revint avec son diplôme d'annonceur. Il devint le responsable de *La Voz del Hospital de Sipacate.* Devant la quantité de travail à accomplir, il demanda un assistant. Le jeune Maury, qui s'esquintait dans les *salinas*, fut choisi, à son grand plaisir, et put délaisser sa corvée matinale.

⁂

Par un après-midi torride, une longue voiture protocolaire, silencieuse et rutilante, ralentit et stationna devant la maison paroissiale. Pour ajouter au mystère, la portière ne s'ouvrit qu'après de longues minutes. Ses occupants devaient tenir un conciliabule quelconque. La mère de Jeanine en vit enfin sortir un homme, puis deux autres. Tous les trois, avec cet air important des gens convaincus de détenir le sort du monde entier entre leurs mains, se dirigèrent vers la maison, où Jeanine les reçut. Il s'agissait d'un amiral, fort corpulent, de la base navale du Pacifique, de son aide de camp et de son chauffeur. L'amiral voulait une chambre, pour revêtir son uniforme et ses galons avant de se rendre à la base navale. Jeanine lui en indiqua une. Au bout de quelques secondes, après un regard circulaire dans la pièce principale, l'aide de camp demanda à Jeanine si elle avait une boisson à offrir à son supérieur. Jeanine lui répondit qu'elle n'avait que du jus de fruits. Visiblement déçus, les deux hommes n'insistèrent pas.

Impeccable dans son uniforme blanc immaculé sur lequel sa vilaine peau d'orange ressortait davantage, l'amiral marcha vers Jeanine et demanda à parler à Enrique. Elle alla le chercher à la clinique, lui résuma la situation, et ils revinrent tout de suite. La conversation s'engagea rapidement avec l'amiral. Celui-ci enjoignait Enrique de prendre la direction des services de santé de la base navale! La surprise passée, Enrique lui débita : «Je ne suis pas militaire et je n'ai donc pas à obtempérer à vos ordres… De plus, je préfère travailler pour les mères de famille et leurs enfants.»

Les trois militaires, peu habitués à se faire répondre de la sorte, se regardèrent du coin de l'œil, tendus, raides dans leur uniforme.

Enrique termina : «Je n'ai aucun moment de libre et je n'irai certainement pas perdre mon temps pour vos marins infectés de maladies vénériennes!»

Jeanine observait l'amiral et avait l'impression qu'il allait faire une crise d'apoplexie. Elle était fière de son mari, mais elle n'en menait pas large. «Voilà un ennemi de plus, et de taille», se disait-elle. Sa mère, dans une autre pièce, avait cessé son tricot et n'avait qu'une hâte : que les visiteurs vident les lieux. Après que tout le monde se fut calmé, l'amiral demanda à voir le matériel reçu du Canada. «Tiens, il était au courant», pensa Jeanine. Après la visite des locaux de la vieille école, il lança, en s'en allant, mine de rien, une dernière remarque qui laissa tout le monde songeur : «Tout cet équipement serait idéal pour l'hôpital militaire de la capitale… Ce à quoi Enrique rétorqua : «Malheureusement, monsieur, tout cela n'est pas notre propriété, mais celle du comité, donc du village et de ses habitants.»

L'amiral et ses deux valets remontèrent dans leur voiture, courroucés. Jeanine et Enrique restèrent dehors pendant un bon moment, silencieux, à se regarder. Parce que sa préoccupation première demeurait le bien-être des pauvres, Enrique ne pouvait accepter de se compromettre de quelque façon avec les militaires. Cela aurait constitué pour lui une contradiction flagrante avec ses principes et les buts qu'il s'était fixés depuis longtemps.

Mme Archimbaud apparut timidement à la fenêtre de sa chambre. Enrique passa son bras autour de l'épaule de Jeanine et ils firent quelques pas vers la maison paroissiale. Ils avaient refusé de courber l'échine devant les demandes abusives de l'amiral, mais ils ressentaient l'impression désagréable de s'être mis dans un sale pétrin.

Décidément, la vieille école servait à tout. Enrique, Jeanine et sa mère durent, au bout de quelque temps, quitter le logis que leur avait fourni le prêtre de Sipacate à leur arrivée. Des religieuses prenaient possession de la maison paroissiale pour y donner des cours de couture : adieu les quatre petites chambres, le réfectoire, la cuisine et les deux salles de bains! Ils déménagèrent dans l'ancienne école, déjà envahie par la radio locale et l'équipement du futur hôpital. Une grande pièce leur servirait de salle à manger et de chambre; ils bâtirent une annexe, faite en terre cuite et avec un toit de chaume (protégeant de la chaleur excessive), qui abriterait une petite cuisine et une salle de bains; à l'aide d'un rideau de fortune qui faisait office de séparation, Jeanine arrangea un petit coin plus tranquille pour sa mère.

Dans cette région tropicale du sud du Guatemala, une école en bois au toit de tôle ondulée équivalait à un vrai four. Une fois de plus, Mme Archimbaud apporta son aide en achetant un ventilateur à fixer au plafond.

Forts de l'appui de la fondation Jean-Archimbaud, Jeanine et Enrique caressaient plusieurs projets. Mis à part l'hôpital, Jeanine désirait ouvrir une garderie pour les enfants sur le terrain de l'établissement. Cela permettrait aux mères qui allaient travailler à la récolte du coton de laisser leurs enfants dans un endroit où ils n'auraient pas à respirer les vapeurs des insecticides.

Durant cette période, on leur apprit qu'un service du ministère des Transports du Guatemala pouvait leur vendre un camion Mercedes Benz. Ils se mirent à rêver : un camion de 10 tonnes, flambant neuf, leur serait utile de mille et une façons, à commencer par le transport des matériaux de construction du futur hôpital. Jeanine joignit aussitôt Huguette Lefranc à Montréal et lui fit parvenir les documents appropriés. À son tour, Huguette remplit tous les formulaires requis et achemina la demande d'aide à la fondation Roncalli. La somme demandée était importante : 25 000 $.

En 1980, Jeanine vivait et travaillait au Guatemala depuis dix ans et sa réputation de coopérante commençait à franchir les frontières. Quand même, malgré son dynamisme contagieux et son optimisme, elle ne considérait rien comme allant de soi et se croisait les doigts à chaque sollicitation. Lorsque, quelques mois plus tard, elle reçut la nouvelle que le projet était accepté, elle exulta.

Elle obtint de nouveau l'aide du ministre des Finances du Guatemala, Tulio Bucaro, soit l'exonération totale des frais de douane, à l'entrée du camion au pays, en provenance de l'Allemagne. Toutefois, le ministre ne manqua pas de lui signifier que cette aide-ci serait probablement la dernière. Intriguée, mais consciente que tôt ou tard cela devait arriver, Jeanine lui demanda pourquoi. Il lui répondit qu'il s'apprêtait à présenter un projet de loi proposant une augmentation d'impôts et de taxes aux plus riches ainsi qu'aux entreprises, qui n'en payaient d'ailleurs pas ou très peu. (Toute nouvelle entreprise ou compagnie multinationale qui s'installait au Guatemala bénéficiait d'une exemption de taxes pour une période de 99 ans). Suggérer une telle loi était, à l'époque, d'une audace extraordinaire. Le ministre Bucaro était très conscient des dangers auxquels il s'exposait en présentant ce projet de loi. L'oligarchie du pays n'avait pas l'habitude de tergiverser longtemps sur ces questions. Son action, directe, ne passait pas par des partis politiques et elle réglait les problèmes en engageant les services de groupes paramilitaires. Jeanine et Enrique apprirent plus tard, en lisant un quotidien, que le ministre Bucaro avait subi un accident d'automobile malencontreux en revenant de sa maison de campagne d'Antigua... Ils n'eurent plus jamais de nouvelles de lui.

Avec la venue de ce camion lourd s'amorça une ère de prospérité relative. Les propriétaires des *salinas* leur demandèrent de transporter le sel dans les villages montagneux de la *sierra*, au nord. Puisqu'il fallait bien redescendre chaque fois de ces régions, Jeanine pensa qu'il serait ridicule de revenir avec le camion vide et ils profitèrent donc de chaque voyage là-bas pour acheter aux petits producteurs agricoles du maïs, des haricots et d'autres vivres en grosse quantité. C'est ainsi que vit le jour la première coopérative d'alimentation de la région de Sipacate. Les profits étaient minimes, mais l'entreprise, si modeste fût-elle, suscitait une vision nouvelle, permettant à certains secteurs de la population de croire à des moyens différents pour s'approvisionner en produits de base.

L'initiative de Jeanine et Enrique ne relevait pas véritablement d'une action concertée, structurée, nourrie de quelconques visées politiques. Leurs actions auprès des communautés indiennes n'étaient motivées que par leur sens des réalités, leur amour des moins nantis, et leur désir de voir autour d'eux la situation s'améliorer. Néanmoins, ils n'étaient pas sans connaître la répression exercée contre tout mouvement d'action sociale, qu'il fût individuel ou collectif. Durant les années 70, les coopératives avaient poussé comme des champignons au Guatemala, surtout dans les régions habitées par les Indiens. L'un des premiers «nettoyages» auxquels se livra le président Romeo Lucas Garcia dès son arrivée au pouvoir en 1978, fut justement celui des coopératives. Il fit annuler des centaines de permis d'exploitation sous prétexte que ces entreprises étaient d'inspiration communiste. Il ne faisait que prolonger, d'une façon plus «civilisée», l'œuvre des militaires, qui avaient fait assassiner des dirigeants de coopératives indiennes au cours des années précédentes.

Le coin aménagé par Jeanine et Enrique, fait de planches, n'était pas élégant mais très pratique. On pouvait y entreposer les denrées proposées aux habitants de Sipacate : maïs, riz, haricots secs, huile, sucre, et bientôt des œufs. Pour qu'une famille pût bénéficier d'une carte de membre, une seule journée de travail d'un des siens suffisait. Le succès ne se fit pas attendre car les avantages, pour les familles pauvres, étaient bien réels : une douzaine d'œufs aux épiceries du village coûtait un quetzal vingt, alors qu'avec une carte de la coopérative elle ne revenait qu'à soixante *centavos*, soit la moitié. Jeanine et Enrique devinrent les ennemis des commerçants du village, qui tiraient un profit exagéré de ces denrées de base. Ceux-ci durent néanmoins s'ajuster à la concurrence et ils consentirent, non sans dépit, à baisser leurs prix.

Les Ladinos bien nantis commencèrent à leur tour à les considérer comme «*una par de locos*», une paire de fous qui préféraient les pauvres aux riches. Les menaces verbales recommençaient, comme cela s'était produit ailleurs auparavant. Cela n'empêcha pas Jeanine et Enrique d'aller de l'avant : leurs projets connaissaient des débuts prometteurs et ils en étaient stimulés.

Les nuits de Sipacate étaient lourdes et chaudes, même si elles étaient bercées par le souffle de la mer du Pacifique. Dans la vieille école, on en recevait des effluves, mais la chaleur empêchait souvent Jeanine et Enrique de dormir. Pendant ces nuits sans sommeil, ils lisaient des livres et des revues médicales, parlaient d'eux, de leurs nombreux projets en chantier. De leur peur aussi.

Depuis quelques nuits, il se passait des choses étranges. Des jeeps conduites par des espions de la police judiciaire, communément appelés «les oreilles», venaient tourner bruyamment autour de la vieille école et repartaient en trombe. Cherchaient-ils à les intimider pour les obliger à partir? La peur faisait partie intégrante de la vie quotidienne au Guatemala, à la veille de l'éclatement de la guerre civile. Des prêtres et des religieuses catholiques, considérés comme progressistes, avaient été assassinés au cours des derniers mois, ainsi que des laïcs, tandis que d'autres avaient été forcés de quitter en catastrophe la région de Quiché.

Au cours des deux dernières années, 400 étudiants et professeurs de l'université San Carlos, à Ciudad Guatemala, étaient tombés sous les balles de groupes d'extrême-droite, appelés «*mano blanco*», «la main blanche», dont le but était d'anéantir l'intelligentsia du pays. Les tireurs d'élite attendaient leurs victimes à la sortie de l'université, quand ils ne visaient pas carrément en pleine rue les autobus qui se rendaient à la faculté.

Plusieurs personnes fuyaient le pays, non seulement des Indiens mais aussi des Ladinos pauvres ou de la classe moyenne, terrorisés par le conflit entre l'armée et la guérilla. Les violations des droits de l'homme avaient atteint un tel degré en 1980 que les États-Unis, sous la présidence de Jimmy Carter, interrompirent leur aide militaire. Seuls l'Argentine et Israël poursuivirent la leur.

Le Guatemala des années 70 comptait déjà 20 000 victimes de la violence politique. Lors de l'offensive suprême de l'armée, qui aurait lieu un peu plus tard, de 1981 à 1983, ce chiffre triplerait.

Tôt un matin, un Indien de Sipacate fit irruption au dispensaire, hors d'haleine, requérant d'urgence les services d'un médecin pour un des siens qui avait été victime d'une agression à quelques kilomètres dans la forêt. Rendus là-bas, Jeanine et

Enrique ne purent que constater le décès du jeune Indien au corps désarticulé, au visage méconnaissable. Des militaires de la base navale l'avaient arrêté pour interrogatoire, le soupçonnant de complicité avec la guérilla. Après l'avoir attaché par les pieds à l'arrière de leur jeep et roulé sur cinq kilomètres, ils s'étaient aperçus, en arrivant à leur quartier général, qu'il n'était plus en mesure de parler. Ils avaient rebroussé chemin et l'avaient abandonné devant chez lui.

Enrique et Jeanine ne pouvaient que vérifier, une fois de plus, l'atrocité du massacre. Parfois, ils n'en pouvaient plus. De retour au dispensaire, ce matin-là, ils étaient passablement abattus. Ils savaient que la cruauté dont ils venaient d'être témoins se répétait partout dans le pays. Une missive de l'armée circulait dans la capitale, qui disait : « Nous liquiderons tous les professionnels, les ouvriers ou les paysans qui servent d'instruments aux groupes de la guérilla; en clair, toutes les personnes qui ont des relations privées ou publiques avec ces groupes, d'une quelconque façon... Nous continuerons jusqu'à l'épuration totale. »

Des tracts, jetés du haut des airs par des hélicoptères de l'armée, mettaient en garde les paysans indiens : « Paysans guatémaltèques, ne donnez ni pain ni tortilla aux guérilleros ennemis. Dénoncez-les. »

Certes, la guérilla tuait aussi. Elle enlevait et rançonnait des industriels ou leur famille. Le problème, c'était que l'armée avait décidé d'exterminer de façon systématique *tous* les membres de la gauche, considérés comme sympathisants de la guérilla.

Jeanine et Enrique se sentaient bien impuissants. Leurs amis du comité de construction de l'hôpital, don Villatoro, Gloria, une élève infirmière, et tous ceux et celles qui croyaient à leur action dans la communauté, leur offraient un appui moral. Ils vivaient néanmoins eux aussi dans la peur et devaient surveiller leur propre comportement, mesurer leurs paroles, afin d'éviter d'être étiquetés comme communistes. Jeanine partageait leurs préoccupations et, entre eux, ils parlaient de ces choses sans affolement, de façon lucide. Il était hors de question que don Villatoro et ses amis indiens s'engagent dans la guérilla, mais ils étaient prêts à poursuivre leur travail d'une façon constante auprès de Jeanine et d'Enrique.

Ils avaient encore tous en tête la dernière nouvelle officielle au sujet de la répression au Guatemala, qui avait fait le tour du monde : l'hécatombe de l'ambassade d'Espagne. En janvier 1980, une vingtaine de paysans indiens avaient occupé pacifiquement l'ambassade d'Espagne afin d'attirer l'attention sur les massacres des Quichés, groupe ethnique important du pays. Des étudiants et des ouvriers s'étaient joints ensuite aux Indiens, et, tandis que l'ambassadeur espagnol tentait de négocier une entente avec eux, la police, à l'extérieur, avait reçu l'ordre de la bouche même du président du Guatemala, Lucas Garcia, de mettre le feu à l'édifice! Quelques heures plus tard, on avait ressorti trente-neuf corps carbonisés, dont celui du paysan indien Vicente Menchú[1]. Le lendemain, le seul paysan qui s'en était sorti indemne s'était fait arracher à son lit d'hôpital par des membres de l'armée et emporter Dieu sait où.

Des événements comme celui-là réussissaient à convaincre facilement d'autres Indiens, hésitants jusqu'alors, à se joindre à la guérilla. L'escalade n'avait plus de fin. Au Guatemala, les gens avaient l'habitude de dire, avec une féroce ironie : «Ici, il n'y a que trois choses à faire : se taire s'il n'est pas trop tard, s'en aller, ou passer à la guérilla.»

La motivation qui poussait Jeanine et Enrique à persister et à demeurer au Guatemala était l'engagement qu'ils avaient pris. La construction de l'hôpital avançait, les cours de santé étaient populaires, la coopérative marchait rondement et, surtout, les habitants locaux s'impliquaient dans les projets. Pour Jeanine et Enrique, il apparaissait inconcevable d'abandonner au nom

1. Sa fille, Rigoberta Menchú, fut récipiendaire du prix Nobel de la paix en 1992.

de leur sécurité personnelle ces acquis et ces gens qu'ils aimaient. Jeanine croyait que la vie des membres du comité de construction de l'hôpital, qui avaient accepté de s'associer à eux, était plus menacée que la leur, et qu'elle ne tiendrait plus qu'à un fil si elle et Enrique flanchaient et fuyaient le pays.

D'une façon tout aussi pressante, Enrique s'inquiétait pour la mère de Jeanine. Ce climat de tension n'était pas facile pour une dame de 75 ans. Sans entrer dans les détails, Jeanine se sentait obligée de la tenir au courant. Elle estimait que sa mère avait le droit de savoir ce qui se passait et qu'il était ridicule de lui faire des cachotteries. Elle ne lui disait pas tout, mais elle n'était pas certaine qu'elle pouvait vraiment la tromper. Par ailleurs, Mme Archimbaud avait vu, une fois, Enrique charger un revolver et le placer sous son oreiller, en cas de danger. Elle n'avait pas dit un seul mot. Elle comprenait. Elle souffrait de la situation mais, ne voulant pas ajouter au fardeau de sa fille, elle ne laissait pas percer son angoisse.

Sur certains détails moins importants, Jeanine s'efforçait toujours d'adoucir la réalité pour sa mère. La coopérative d'alimentation étant située de l'autre côté des chambres, il y avait dans celles-ci un défilé fréquent de rats et d'iguanes. Quand sa mère lui disait, un peu inquiète : «Jeanine, hier soir, je crois avoir vu des rats courir sur les poutres», celle-ci répliquait toujours, afin de minimiser ses craintes : «Mais non, maman. Ce ne sont que des iguanes…» Encore là, Jeanine n'était pas sûre que sa mère la croyait. Celle-ci suppportait tout stoïquement, sans jamais se plaindre. Elle dormait beaucoup, et cela tracassait Jeanine. Enrique la rassura en lui disant qu'à son âge, sous cette chaleur torride, sa réaction était normale.

Jeanine elle-même, écrasée par l'humidité s'ajoutant au soleil brûlant, devait s'offrir une sieste à midi. Elle s'endormait au son des voix des élèves infirmières conversant tout près.

Pour se rendre utile, Mme Archimbaud enseignait le français aux élèves infirmières, après le lunch. Là comme à Nuevo

Progreso, elle se laissait appeler « mémé ». Elle avait donné aussi des cours à Enrique, lors des repas, seul moment propice. Et voilà que cinq mois plus tard, il commençait à se débrouiller très bien en français, se permettant de courtes conversations amusantes dans cette langue avec Jeanine ou plus souvent avec Mme Archimbaud, le soir au souper. C'étaient les seuls moments où Jeanine le voyait volubile. En soirée, ils ne sortaient pas ou très peu, Jeanine se penchant sur ses rapports financiers, Enrique préparant ses cours.

Les travaux de construction de l'hôpital allaient bon train. Jeanine avait fait une demande d'aide au Club 2/3[1] de Montréal pour obtenir un toit préfabriqué en monolithe et le projet fut accepté. Cette nouvelle fut la bienvenue. Ils n'étaient pas encore autosuffisants, malgré les recettes produites par les activités incessantes du comité : quêtes dans les foyers, vente de fruits, de graines de sésame, de roses de la Jamaïque, tombolas, bals, et par la coopérative d'alimentation et la radio. Ils devaient, avec ces petits revenus, payer le coût des matériaux de construction, le salaire de deux maçons, d'un chauffeur de camion, d'employés de la coopérative et de la pharmacie. Sans l'apport des fondations et des membres bénévoles du comité local, il aurait été impossible de continuer.

Au début de l'année 1981, le Club 2/3 de Montréal invita Jeanine à participer à la campagne de la « marche du Tiers-Monde », prévue pour le mois de mai. Jeanine accepta. Son rôle consistait à se rendre dans des écoles du Québec pendant le mois d'avril pour y parler de son expérience et de l'importance de la coopération avec les pays en voie de développement.

Ce court voyage se révélait une heureuse coïncidence. Jeanine, de plus en plus inquiète de la situation qui régnait au Guatemala, avait décidé qu'il était temps que sa mère rentre au Québec. Elles repartiraient donc ensemble, Jeanine pour

---

1. Organisme de coopération internationale qui réunit des milliers de jeunes.

ses activités professionnelles, sa mère pour retrouver son autre fille, Colette.

Soupçonnés de visées communistes par les autorités militaires, Jeanine et Enrique vivaient dorénavant continuellement sur le qui-vive. Une nuit, les jeeps reprirent leur ronde provocante dans la cour de la vieille école, sous leurs fenêtres. Le lendemain, ne se voyant plus capables de faire subir cette terreur à leur chère mémé, ils décidèrent d'accélérer son départ. Elle fut peinée de devoir les quitter si vite. Depuis trois ans, vivre avec eux était devenu pour elle une véritable renaissance. Elle avait partagé leurs joies, leurs peines et leurs peurs, et avait véritablement participé à leur idéal. Elle voulait rester avec eux et alla jusqu'à leur dire : « S'il faut mourir, nous mourrons ensemble... » Jeanine et Enrique se regardèrent, silencieux. Mme Archimbaud avait connu plusieurs expériences de guerre durant sa vie, tout comme ses parents et ses grands-parents. Elle avait été travailleuse bénévole durant la Deuxième Guerre mondiale. Elle croyait toujours à la force de la solidarité dans le danger. Bien humblement, elle pensait que sa présence tranquille favorisait la sérénité dans la maison, et que Jeanine et Enrique se sentiraient un peu moins menacés si elle restait près d'eux. Son raisonnement était valable, mais Jeanine et Enrique demeurèrent fermes. Il fut convenu que Mme Archimbaud prendrait l'avion tout de suite et que Colette l'accueillerait à son arrivée, à Dorval. Jeanine ne fut apaisée que lorsqu'elle sut sa mère en sécurité chez sa sœur.

Il ne restait maintenant que deux semaines avant son propre départ pour Montréal. Les jours qui le précédèrent furent remplis de tension. C'est à peine si elle et Enrique réussissaient à s'acquitter de leur besogne, préoccupés par les provocations dont ils étaient victimes toutes les nuits. Ils en étaient rendus à se relayer pour faire le guet, surveillant discrètement par les minces ouvertures entre les planches des murs de la vieille école les mouvements des jeeps militaires, plus nombreuses, qui rôdaient devant leur porte.

La veille du départ de Jeanine pour Montréal, ils se rendirent chez la mère d'Enrique, à Ciudad Guatemala, pour y passer la nuit. La mère d'Enrique habitait une petite maison modeste mais confortable, aux limites de la ville, dans un quartier agréable, près de l'université San Carlos. La visite de son fils était toujours une fête pour elle, et cette soirée dans la capitale, chez Mme Morales, les réjouit et leur fit oublier momentanément leurs soucis quotidiens.

Aux petites heures du matin, dans la pénombre, Jeanine se réveilla aux côtés d'Enrique. Elle le regarda dormir, attendrie, et voulut se laisser imprégner le plus possible par ce calme et cette sérénité dont il semblait habité.

Elle se mit à réfléchir. Leur séparation prochaine serait la première depuis les quatre dernières années. Elle ne le quittait que pour quelques jours, mais cela la perturbait.

À l'aéroport, à travers les formalités d'usage, ils se tinrent constamment par la main. L'attente était longue et ils ne se parlèrent pas, préférant rester unis par le geste. Ce contact physique si simple prenait pour eux, ce jour-là, un sens vital, au-delà de tous les mots. Chacun craignait secrètement de ne plus jamais revoir l'autre.

12

Retour au Québec

Quand Jeanine arriva à l'aéroport de Dorval, sa fille Lydie et sa sœur Colette l'y attendaient. Elles durent toutefois patienter plus longtemps que prévu, car on fit faire un détour à Jeanine, qui se retrouva dans un bureau, face à deux officiers de la Gendarmerie royale du Canada. Ceux-ci lui déclarèrent que ses bagages étaient confisqués et qu'on désirait les fouiller minutieusement. Elle leur demanda poliment d'avertir sa famille, qui s'inquiéterait sûrement de son absence. « Qu'ils attendent! », se fit-elle répondre.

S'efforçant de garder son calme, Jeanine se demanda si cette fouille n'était qu'une coïncidence ou si, au contraire, les autorités guatémaltèques avaient prévenu les autorités canadiennes de son arrivée. Mais pourquoi l'auraient-elles fait? Elle l'ignorait. Sa seule crainte tenait au malentendu qui pourrait résulter d'une audace suscitée par un bon sentiment : à l'époque existait à Montréal le Comité de Solidarité Québec-Guatemala, organisme dénonçant la violation des droits de la personne au Guatemala. Jeanine avait déjà eu quelques rencontres avec ses responsables et elle rapportait des brochures décrivant la répression qui sévissait dans ce pays. Ces documents n'étaient nullement secrets ni subversifs, mais, afin d'éviter des complications inutiles à l'aéroport de la capitale du Guatemala, elle les avait dissimulés autour de sa taille, sous ses vêtements. Le manège avait réussi. Elle-même trouvait ridicule de cacher ces imprimés sous sa robe, mais la peur la tenaillait tellement qu'elle croyait devoir agir de la sorte.

L'énorme volume de ses bagages avait certainement intrigué les agents. Ils manipulaient gauchement de magnifiques panneaux en bois sculpté représentant des dieux mayas, une statue indigène en sapotillier, ainsi que des diplômes de reconnaissance remis par le comité de construction de l'hôpital San Juan de Sipacate pour les fondations et les donateurs de Montréal. N'ayant trouvé à ces objets aucun intérêt particulier, ils s'apprêtaient à libérer Jeanine lorsque le plus jeune des officiers se laissa attirer par des cassettes audio dépassant d'une pochette. Ils les confisquèrent aussitôt car des mots suspects étaient écrits en rouge sur les emballages : *Nicaragua – Chansons de la révolution*. La victoire des sandinistes en 1979 au Nicaragua avait fait les manchettes et la vue de ces objets dans les bagages de Jeanine confirma leurs doutes. De son côté, Jeanine s'étonnait de l'intérêt porté par les agents à ces cassettes, qu'elle s'était procurées dans une boutique de disques à Ciudad Guatemala et que tous les magasins vendaient ouvertement!

Pendant qu'ils inspectaient en silence ses papiers et son passeport et examinaient ridiculement les cassettes audio, elle pensait que, si jamais l'idée leur prenait d'écouter les chansons, elle serait cuite. Une de celles-ci expliquait, sur un ton ironique, comment fabriquer une bombe... Jeanine commençait à se sentir mal à l'aise, enfermée dans ce bureau telle une indésirable qu'on tente de piéger. L'espace d'un moment, elle eut l'étrange impression d'être, au Canada comme au Guatemala, une espèce de mouton noir.

Pour l'interrogatoire, les deux agents jouèrent les imbéciles. Ils lui demandèrent la nature de ses occupations là-bas, en lui avouant qu'ils étaient complètement ignorants de la situation qui régnait au Guatemala. Jeanine, pensant que c'était là une façon de la faire parler davantage, décida de ne pas les décevoir. Volubile, elle leur raconta son travail et ne cacha pas ses sentiments et ses convictions. Elle ne se sentait pas fautive de l'affection qu'elle portait aux habitants du Guatemala et elle le leur dit. On la laissa finalement partir. Juste avant de refermer la porte, elle leur lança : « J'espère, messieurs, que je n'aurai pas à subir le sort de Mata Hari... » Les deux hommes se regardèrent, perplexes, ne comprenant manifestement pas l'allusion à la célèbre danseuse néerlandaise accusée d'espionnage au profit de l'Allemagne et fusillée en 1917.

❧

Venue à Montréal pour aider le Club 2/3 dans sa campagne de financement, Jeanine s'acquitta de sa tâche avec brio. Cet organisme, qui recrutait les jeunes des écoles, demanda plusieurs fois à Jeanine, au cours des années, d'aller les rencontrer afin de les sensibiliser à la solidarité internationale. Elle rencontra donc des milliers d'étudiants, leur apportant parfois des dessins d'enfants guatémaltèques qui ne trouvaient à noircir ou à colorier que des tanks, des bombardiers, des mitraillettes menaçantes, des enfants morts couchés dans des ravins. Ces images illustraient bien le slogan scandé par les paysans guatémaltèques lors de manifestations pacifiques : « Un peuple qui a faim est un peuple sans paix. » Elle leur expliquait aussi que les façons de s'engager au service de telles causes étaient multiples, que cela pouvait se faire sans nécessairement tout abandonner et partir à l'autre bout du monde comme elle l'avait fait. Lors de ce voyage de mai 1981, les rencontres publiques où elle livra une partie de sa vie l'émurent plus particulièrement. Elle parla de son expérience de travail au Guatemala, de ses projets, de la situation sociale et politique du pays, et, par conséquent, de sa vie avec Enrique. Puisqu'ils faisaient tout ensemble, tout ce qu'elle racontait aux étudiants la ramenait à lui. Elle sentit son absence plus qu'à l'accoutumée lors de voyages similaires.

Elle sentit d'autant plus cruellement cette absence que, pendant ces deux semaines au Québec, elle ne reçut aucune nouvelle de lui. Ni téléphone ni télégramme. Pendant ses derniers jours à Montréal, l'inquiétude la minait littéralement, gâchant ses journées auprès de sa famille. La seule chose qui lui importait était de retourner le plus vite possible rejoindre Enrique.

Lydie détestait toujours voir repartir sa mère pour ce pays qui faisait les manchettes à la télévision, soit à cause des tremblements de terre ou de la guerre civile et des massacres commis par l'armée. Elle ne s'opposait évidemment pas au choix de vie de sa mère, à ses convictions ou à son action humanitaire. Mais son mode de vie commençait sérieusement à l'angoisser.

Quand Jeanine descendit de l'avion à l'aéroport de la capitale du Guatemala, son seul souhait était de retrouver Enrique à l'accueil des voyageurs. Après avoir récupéré ses bagages, elle franchit les portes et se mit à le chercher à travers la foule. Il ne semblait pas y être. Pourtant, il connaissait la date et l'heure de son retour. Tout à coup, elle pressentit le pire. Sentant une douleur lui monter aux tempes, elle chercha un siège pour reprendre ses esprits. Elle finit par se dire qu'il avait dû subir un contretemps, ou qu'il était trop pris par son travail. Tout de même, elle voulait en avoir le cœur net le plus vite possible. Elle pensa alors à sa belle-mère. Elle courut dehors, sauta dans le premier taxi venu et débarqua chez Mme Morales. Elle fut soulagée de voir leur minibus devant la porte. Enrique était donc là. Elle se précipita à l'intérieur, fiévreuse mais souriant d'avance à Mme Morales dont elle apercevait la silhouette au bout du couloir.

Dans la pénombre de la maison, elle trouva la vieille femme triste, défaite. La mère d'Enrique ne lui parla qu'à demi-mots, d'une voix à peine audible. Elle hésitait à dire à Jeanine ce qui s'était passé et elle tournait autour du pot, ce qui ne faisait qu'accroître l'anxiété de sa bru.

Entre Jeanine et Enrique, il avait été convenu d'une stratégie. Après le départ de Jeanine pour Montréal, Enrique devait s'en retourner à Sipacate en autobus, laissant leur véhicule chez sa mère. Il reviendrait le lendemain pour faire des achats pharmaceutiques, dormirait chez sa mère et repartirait avec le minibus vers Sipacate. Le but était de brouiller les pistes pour la police militaire, qui s'acharnait sur eux. Jeanine et Enrique savaient qu'ils étaient facilement identifiables à bord du minibus, qui portait des plaques d'immatriculation du Québec, et l'inscription «*Hospital de Todos Santos Cuchumatan*», relique de leur passage dans cette localité. Or, depuis le départ d'Enrique pour Sipacate en autobus, Mme Morales se retrouvait sans nouvelles de son fils. Don Villatoro, du comité de construction de l'hôpital, lui avait téléphoné, inquiet lui aussi de l'absence d'Enrique.

Jeanine sentit une charge de plomb l'écraser sur sa chaise. Les deux femmes cessèrent de parler. Le désarroi de sa belle-mère paraissait si grand que Jeanine ne voulut pas ajouter à son malheur. Mais elle avait envie de hurler. Elle n'était pas sans ignorer qu'une personne portée disparue au Guatemala était considérée comme morte.

Tous les espoirs cependant n'étaient pas perdus. La seule pensée de peut-être retrouver Enrique à Sipacate ou aux alentours, occupé à telle tâche, lui fournit l'énergie de prendre le volant du minibus et de s'en retourner là-bas.

Durant les deux heures de route, elle ressassa des pensées contradictoires. Même si elle espérait le retrouver dès qu'elle poserait le pied à la vieille école de Sipacate, Jeanine appréhendait le pire au sujet de son mari. Connaissant les dangers qu'ils couraient, ils avaient évité de prendre à la légère les menaces qui fusaient ici et là, mais ils avaient toujours cru qu'ils s'en sortiraient indemnes. Le doute s'installait maintenant en elle.

En fin de soirée, alors qu'elle était de retour à Sipacate depuis quelques heures, le supplice perdura. Les gens ne cessaient de lui demander : «*¿Cuando va venir el Doctor?*» Jeanine ne leur dit pas la vérité et leur raconta qu'il avait obtenu une bourse d'études pour aller se perfectionner en France... Avec des membres de sa belle-famille et ses amis du comité de construction de l'hôpital, il fut entendu qu'on ne devait pas ébruiter la disparition d'Enrique. Cela pouvait créer inutilement des ennuis à tous. Certains auraient eu peur d'être impliqués dans l'histoire, d'autres auraient vu d'un très mauvais œil la présence de Jeanine, et, enfin, les ennemis du couple, les riches propriétaires, en auraient profité, la croyant plus vulnérable sans l'appui de son mari médecin.

Elle se trouvait effectivement plus vulnérable, à cause du tourment qu'elle vivait et parce qu'elle se sentait extrêmement seule. En même temps, pour que tout fonctionne encore, elle devait simuler l'aplomb, paraître solide, malgré toute la peur qui l'habitait.

Au cours d'une de leurs dernières conversations, Enrique avait dit : «Si quelque chose arrivait à l'un de nous, l'autre devra continuer les tâches entreprises...» Jeanine avait alors acquiescé sans hésitation. Aujourd'hui, elle ne croyait pas encore en posséder la force ni le courage.

Dans le refuge étourdissant du travail, elle réussissait à jouer son rôle, à tenir sa promesse envers Enrique et à cacher son désespoir. Elle s'accrochait. Elle avait plutôt l'air d'une automate. Elle ne voulait pas tenter de recherches tout de suite, et, de toute façon, elle n'en avait pas les ressources. La nuit, à l'abri du regard des autres, elle s'effondrait. La présence d'Enrique, son soutien, ses encouragements lui manquaient, mais encore plus son immense tendresse.

Dans les bars de Sipacate, les mauvaises langues étaient à l'œuvre. Des gens prétendaient que *la doctora gringa* cachait des armes dans sa maison. Or, un jour, elle reçut la visite de la police judiciaire, flanquée de *finqueros* menaçants. Ces personnages venaient vérifier le contenu des caisses provenant du Canada. Ne voulant pas leur offrir le plaisir de voir une femme démolie,

Jeanine revêtit son masque de circonstance. Se montrant sûre d'elle, elle leur désigna le contenu de toutes les boîtes, et les visiteurs repartirent, frustrés de n'avoir trouvé que du matériel médical et des blouses d'hôpital.

Don Villatoro ne croyait pas Jeanine en sécurité la nuit, seule dans l'ancienne école, et lui proposa Gloria, qui resterait à dormir chez elle. Jeanine refusa d'abord de faire courir des risques à cette jeune femme mais se laissa finalement convaincre. À dire vrai, elle était contente de ne plus se retrouver tout à fait seule la nuit, à jongler avec ses cauchemars. Quand elle était sur le point de perdre courage, elle se disait que son sort ressemblait à celui de milliers d'autres femmes du Guatemala. Depuis une dizaine d'années, le nombre des «disparus» avait atteint 30 000, ce qui laissait autant de femmes affligées. Elles aussi espéraient le retour de leur mari disparu. L'attente, l'incertitude, le doute les rongeaient plus cruellement que la mort annoncée, admise, connue, de leur mari.

Jeanine n'avait plus le cœur à s'occuper des activités de financement : soirées dansantes, *fogatas*, compétitions sportives. De toute façon, les permissions des autorités pour ces rassemblements ne se donnaient plus qu'au compte-gouttes. Rompue de fatigue, elle se concentra sur l'essentiel, selon la promesse faite à Enrique. Ce serment demeurait sa seule sauvegarde pour ne pas abdiquer, et ainsi garder presque intact son lien avec l'homme de sa vie. Durant cette période, elle s'adressa en pensée à son père plus que jamais, lui qui lui avait promis un jour de ne jamais l'abandonner.

La construction de l'hôpital avançait lentement. Toutes les deux semaines, Jeanine partait pour la capitale à bord de son minibus afin de s'approvisionner en médicaments auprès des laboratoires. Paolo, le cousin et bon ami d'Enrique, la précédait dans son propre véhicule, se rendant au marché central pour effectuer des achats pour la coopérative d'alimentation. De ne pas partir seule sur la route et de voir Paolo devant elle la rassurait.

Une fois les courses terminées, elle allait dîner chez sa belle-mère. C'était une occasion pour elles deux de parler d'Enrique et de tenter de s'arracher à une souffrance jusque-là insurmontable. Si la disparition d'Enrique était un martyr pour Jeanine, Mme Morales en était détruite physiquement et moralement. Enrique avait toujours aimé sa mère de la même façon. À aucun moment, il ne lui avait reproché la perte de son père naturel, si ce n'est lors de sa courte fugue d'adolescent au Nicaragua. Quant à Mme Morales, son fils était tout pour elle, et Enrique, lors de l'obtention de son diplôme de chirurgien, lui avait rendu hommage devant tout le monde. Après les remerciements d'usage adressés à tous, et particulièrement à l'une de ses tantes qui avait défrayé le coût de ses études universitaires, il s'était retourné vers sa mère et avait poursuivi : «Deux sources sont à l'origine du succès de mes études : ma mère et mon peuple. Ma mère, dans les pleurs et la pauvreté, a engendré la semence qu'elle a par la suite enfouie en terre pour qu'elle germe; mon peuple l'a fertilisée avec ses larmes, sa misère et sa douleur… Et c'est pourquoi je crois qu'un fils honnête et sincère avec sa mère est la semence de celle-ci, son ciment. Chère mère, Maria Hermelinda Claveria, veuve de Morales, que cette cérémonie soit le fruit de ton effort… Cher peuple, que cette étude soit le fruit de ton travail, parce que, tous deux, vous êtes l'alpha et l'oméga de mon existence.»

Mme Morales avait imploré Jeanine de ne pas parler publiquement de la disparition d'Enrique et de ne pas faire de recherches officielles, de peur de représailles contre les autres membres de la famille. Car c'était là le but de la terreur érigée en système au Guatemala. Un parent ou un ami qui ébruitait la disparition d'un de ses proches devenait menaçant pour la dictature militaire, qui n'hésitait pas à l'éliminer à son tour.

Jeanine avait donc promis à sa belle-mère d'être discrète mais une telle ligne de conduite de leur part ne contribuait pas à les libérer de la douleur, et leur secret était lourd à porter. (Aux bureaux de Montréal d'Amnesty International, on avait offert à Jeanine d'effectuer des recherches au sujet de la disparition d'Enrique, mais Jeanine avait refusé, toujours pour les mêmes raisons.)

Après s'être allongée quelques minutes, Jeanine faisait ses adieux à sa belle-mère. Elles se souhaitaient mutuellement bon courage jusqu'à la prochaine visite. Ensuite, Jeanine se dirigeait vers la demeure de Paolo, située à quelques kilomètres. Là, elle prenait une bonne tasse de café avec Maria, l'épouse de Paolo, faisait les comptes avec celui-ci, puis tous les deux repartaient pour Sipacate avec leur chargement respectif, l'un derrière l'autre, toujours dans un souci de protection réciproque.

Un beau jour, arrivant ainsi de chez Mme Morales, Jeanine rangea son minibus devant l'entrée de Paolo et Maria. Elle vit soudain dans la rue des hommes en civil, cagoule sur la tête, armés jusqu'aux dents, en train d'installer des trépieds et d'y visser des mitraillettes ceinturées de balles. Terrifiée, elle descendit du véhicule en vitesse, se croyant plus en sécurité en se sauvant à pied qu'en restant là dans le minibus, masse inerte et cible facile. Se retournant vers les cagoulards, elle les vit, impatients et agressifs, lui faire signe de s'éloigner des lieux. Elle comprit alors qu'elle n'était pas visée. Au même moment, les deux petits garçons de Paolo et Maria sortirent de la maison et coururent vers elle, inconscients du danger qui les menaçait. Jeanine les attrapa aussitôt par la main et les colla contre elle, puis elle aperçut Maria qui la suivait, terrorisée. Ils étaient maintenant quatre dans le champ de tir des cagoulards, qui, en colère, redoublaient leurs signes. Jeanine, Maria et les deux enfants s'élancèrent de façon désordonnée et s'engouffrèrent dans une maisonnette en planches où habitait la belle-mère de Maria.

Dès qu'ils furent à l'abri, ils entendirent une rafale de mitraillette. Dans la maisonnette, un adolescent les reçut. Instinctivement, comme si ses années d'enfance durant la guerre la rejoignaient, Jeanine sut tout de suite quoi faire et lança des ordres : ramasser les tables et les matelas, et s'en servir comme boucliers devant les portes et les fenêtres.

Les murs de bois de la maison laissaient filtrer tous les bruits et ils entendirent l'arrivée de véhicules lourds. À travers les planches disjointes, Jeanine vit apparaître des blindés. La mère tenta de calmer les enfants, qui vomissaient de peur. « Mais qui visent-ils? » se demandait Jeanine. Par la mince ouverture, elle vit un mortier perdu défoncer un mur de la maison de Maria. Le toit de fortune qui leur servait d'abri lui sembla alors tellement ridicule qu'elle crut qu'ils allaient tous périr. Elle vit le visage blafard de Maria et se dit que le sien ne devait guère paraître mieux.

Bien que croyante, Jeanine, dans sa vie quotidienne, ne priait pas selon les rites habituels. Là, spontanément, sans même s'être consultées, elle et Maria se mirent à prier. Jeanine était convaincue que seul un miracle pourrait les sauver tous d'une fin tragique.

Parmi les bruits étourdissants de l'attaque, des voix d'hommes crispés, agacés, leur parvinrent, provenant de l'arrière de leur abri. Jeanine entendit distinctement : « *Ahora le vamos a enviar algunas Claymore!* » (« Maintenant, nous allons leur envoyer quelques Claymore [obus]! ») Il y eut un moment d'accalmie, dont elle profita pour jeter un coup d'œil par la fente. Le mitraillage reprit aussitôt et, cette fois-ci, c'était son minibus qu'on visait. Les vitres éclatèrent en mille morceaux. Jeanine se souvint qu'elle n'avait pas les clés du véhicule sur elle et qu'elle avait laissé son porte-documents sur le siège du passager. Depuis quelque temps, anxieuse, elle traînait toujours avec elle cette petite valise au cas où elle devrait effectuer un départ précipité. Elle y avait rangé des papiers personnels, des chèques de voyage, des documents importants concernant son travail, et le dernier cadeau de sa mère, sa montre en or. Elle se rappela aussi que sur la banquette arrière se trouvait un livre de l'auteur de *Cent ans de solitude*, Gabriel Garcia Marquez. Le titre du bouquin était peu compromettant mais pouvait le devenir pour les esprits tordus : *El Coronel no tiene nadie con quien hablar*, « Le Colonel n'a personne avec qui parler ».

À travers la mince ouverture, Jeanine découvrit enfin la véritable cible des tireurs. Il s'agissait d'une villa voisine de la maison de Maria. Celle-ci avoua à Jeanine qu'elle ne connaissait pas ses voisins mais que d'après elle, ils étaient des étudiants de l'université San Carlos de Ciudad Guatemala.

En juin, juillet et août 1981, les forces armées guatémaltèques portèrent le coup de grâce à la guérilla urbaine, constituée de survivants de la guérilla des années 60, d'ouvriers et d'étudiants. Les repaires des deux principaux groupes, l'ORPA et l'EGP, établis dans la capitale, tombèrent les uns après les autres en quelques jours. C'était l'un de ces repaires de guérilleros, à deux pas de chez Paolo et Maria, que Jeanine voyait assiégé par l'armée.

Quatre heures après le début de l'attaque, les mitraillettes se faisaient encore entendre. À l'intérieur de la petite maison, Jeanine, Maria et les enfants n'en pouvaient plus, mais il leur était impossible de sortir. Le soir tombait sur la ville. De son poste d'observation, Jeanine vit des militaires, lampe de poche à la main, s'approcher de son minibus. L'un d'eux s'empara du porte-documents et en examina le contenu. Un autre se mit au volant et démarra.

Quelques heures s'écoulèrent. C'était l'accalmie. Jeanine n'arrivait pas à distinguer ce qui se passait vraiment à l'extérieur. À 22 heures, des coups frappés à la porte les tirèrent tous les quatre de leur torpeur. Jeanine et Maria reconnurent la voix de Byron, un cousin d'Enrique, et elles dégagèrent aussitôt la porte. Byron pénétra à l'intérieur, lança un manteau à Jeanine, un foulard avec lequel il lui dit de se cacher le visage, et des lunettes noires. Au moment de sortir, il lui demanda de marcher comme une vieille dame.

Jeanine ne posait pas de questions et obéissait à la voix de son guide. En marchant, il lui déclara que la police judiciaire la recherchait. Traversant la cohue, elle tremblait involontairement comme une vieille dame fragile et s'accrochait à son guide. Ils s'engouffrèrent enfin dans une voiture garée au coin de la rue suivante et filèrent. Byron lui expliqua finalement pourquoi on la pourchassait. Un des guérilleros de la villa bombardée reposait à l'hôpital depuis quelque temps déjà, blessé lors d'une escarmouche avec les militaires dans les montagnes. Or, deux jours auparavant, des guérilleros étaient entrés dans l'hôpital et avaient kidnappé leur *compañero*. Les militaires croyaient que la propriétaire du minibus, Jeanine Archimbaud, dont ils avaient maintenant tous les papiers, avait été chargée de soigner le guérillero blessé. Toutes les apparences étaient contre elle : un minibus converti en ambulance, garé devant la maison des guérilleros, et portant des plaques d'immatriculation étrangères.

Pendant trois jours, du vendredi au dimanche, dans la capitale, Jeanine passa de refuge en refuge, chez des amis de la famille de Paolo et Maria. Elle savait que sa seule faute était de s'être trouvée au mauvais endroit au mauvais moment. Elle acceptait docilement de se laisser diriger et conseiller par ces personnes. Atterrée par toute cette affaire, elle s'en remettait entièrement à eux. Elle n'ignorait pas que, si jamais elle était prise, sa vie serait en danger. Les apparences seules suffisaient à la discréditer auprès des militaires. Elle savait que des milliers d'innocents avaient payé par la torture ou la mort une faute ou un crime qu'ils n'avaient pas commis.

Le lundi matin, on lui apporta une robe, une veste noire en laine de sa belle-mère et un billet de 20 quetzals. Un membre de la famille d'Enrique avait averti l'ambassade de France[1] de

1. Bien que possédant au Canada le statut d'immigrée reçue depuis fort longtemps, Jeanine, par habitude, utilisait son passeport français lorsqu'elle voyageait.

l'arrivée imminente de Jeanine. Il fut convenu que la voiture au fond de laquelle elle serait couchée sous une couverture entrerait directement au garage de l'édifice de l'ambassade, où des gendarmes français l'attendraient. Tout se passa bien et Jeanine se retrouva dans l'ascenseur menant au dixième étage, là où était située l'ambassade. Pendant la montée, un des deux gendarmes la prévint : «À la porte de l'ambassade, il y a un policier militaire de faction; n'ayez surtout pas l'air affolée...» Jeanine, fatiguée et abrutie, trouva que le conseil du gendarme était superflu.

C'est seulement quand elle fut à l'abri derrière les portes blindées de l'ambassade qu'elle éprouva un sentiment de sécurité. Après qu'elle eut raconté son histoire à l'ambassadeur français Louis Deblé et à son secrétaire, M. Petit, ces messieurs décidèrent d'agir immédiatement. Un rendez-vous urgent fut pris avec le directeur des services de l'immigration, le colonel Betleton, dans le but d'obtenir un visa de sortie, tel qu'on l'exigeait dans ce pays.

Constatant l'état lamentable dans lequel se trouvait Jeanine, qui, depuis trois jours, était incapable de manger ou de boire, M. Petit l'accompagna au bureau du haut fonctionnaire guatémaltèque. Pour la première fois de sa vie, elle n'avait pas le moindre souci de son apparence physique. Elle n'avait qu'un seul désir alors qu'elle marchait dans les couloirs de l'édifice gouvernemental : dormir longtemps, pour oublier sa peur.

Face au colonel Betleton, Jeanine redoubla d'efforts pour exprimer une sorte de détachement, afin de ne pas éveiller de soupçons inutiles. La conversation se déroula sur le ton diplomatique, et, au bout de quelques minutes, on lui remit son visa de sortie. Une fois la chose réglée, le colonel se leva, croisa les mains derrière son dos et adressa poliment une demande à M. Petit. En le regardant à la dérobée, il lui fit comprendre que des bourses d'études pour ses deux enfants, en France, une pour son fils en odontologie à Lyon et une pour sa fille en décoration à Paris, seraient «très, très appréciées...».

M. Petit fit semblant de réfléchir pendant quelques secondes, pour l'honneur et pour la forme. Jeanine, tassée dans son coin, assistait à son propre marchandage. L'affaire fut finalement conclue. Les deux hommes se serrèrent la main et promirent de se revoir le lendemain, le 14 juillet, aux célébrations de la Révolution française, afin de clore l'heureuse entente.

Jeanine trouvait que son «évasion» coûtait cher à sa mère patrie et elle en eut des scrupules. Elle apprit toutefois plus tard qu'elle n'avait pas été la seule à faire l'objet d'un tel négoce et qu'une soixante de ressortissants français avaient eu recours à leur ambassade pour quitter sains et saufs ce pays.

Après maintenant quatre jours sans manger ni dormir, elle était toujours en proie à la frayeur et elle remarqua qu'elle claquait des dents. Elle se croyait surveillée, épiée. Elle avait l'impression que sa tête allait exploser à force de penser et de s'interroger sur son sort futur. Ce soir-là, à la résidence de l'ambassade, Jeanine refusa poliment l'excellent repas qu'on lui offrait et demanda plutôt une chambre où elle pourrait se retirer.

La nuit venue, elle se détendit mais fut incapable de dormir. Elle profita de son insomnie pour écrire un rapport qu'elle remettrait à l'ambassade. Aux petites heures du matin, des voix lui parvinrent par un vasistas. Elle fut rassurée d'entendre des sons familiers et elle se sentit libérée de sa solitude.

Encore quelques heures et elle serait au-dessus de Ciudad Guatemala, dans un avion la transportant à Montréal. Alors qu'elle faisait route vers l'aéroport de la capitale, en compagnie du secrétaire de l'ambassade et de deux gendarmes français, la peur la reprit de nouveau. Elle n'aimait pas se voir si fragile et s'en voulait de ses angoisses et de ses pensées pessimistes. Elle se trouvait vieille et se demandait si c'était là la cause de sa lâcheté.

À cause des événements des derniers jours, il avait été exclu qu'elle retourne une dernière fois à Sipacate. Elle y avait laissé des choses personnelles, des souvenirs d'enfance, dont un exemplaire unique d'un magnifique livre illustré par son père, ainsi que quelques tableaux de celui-ci, qu'elle avait gardés près d'elle durant toutes ces années, comme pour se protéger. Elle se demandait si elle les retrouverait jamais.

Elle s'inquiétait aussi de ce qu'il adviendrait de son petit dieu maya qu'elle avait trouvé dans le sable, un jour, près de la mer, et se rappelait les paroles de l'Indienne qui lui avait dit de ne jamais s'en séparer, sous peine de malheur. Elle ne croyait pas encore qu'elle en était séparée à tout jamais.

Dans la file d'attente, elle était certaine qu'elle passait ses dernières minutes au Guatemala, un pays qu'elle avait aimé malgré tout, surtout ses habitants, pauvres et généreux, et sa nature si belle. Quant à son élite et à la dictature militaire, responsable de milliers de morts, de tortures et de massacres, elle en était toujours horrifiée.

Quelques minutes après le décollage, son cœur cessa de battre fort et son angoisse disparut. Elle poussa un grand soupir. En même temps, plus lucide que jamais, elle eut l'impression d'avoir atteint les profondeurs du désespoir : elle avait perdu son mari, son bonheur, sa raison de vivre. Elle se demanda si un jour quelqu'un pourrait poursuivre leur travail chez les Indiens du Guatemala. Puis, lasse, elle se laissa aller à sa peine, incapable de retenir ses pleurs. Elle était à bout.

En arrivant à Dorval, elle ne se rappelait plus les heures passées dans l'avion. Son passage aux douanes fut rapide et pour cause, car elle n'avait pour bagage, cette fois-ci, qu'un petit sac de plastique décoloré.

Sa sœur Colette et sa fille Lydie l'attendaient derrière les tourniquets, dans le vaste couloir de l'aérogare. Quand elle marcha vers la sortie, les deux femmes eurent l'impression de voir venir vers elles un zombi. Dans sa «poche de patate», comme disait Lydie, Jeanine semblait avoir vieilli de vingt ans. Les trois se regardèrent sans bouger. Devant la consternation de sa fille et de sa sœur, Jeanine eut un sursaut d'énergie et s'exclama : «Mais oui, c'est bien moi, et non un fantôme!...»

Elles se serrèrent dans leurs bras pendant un long moment. Jeanine s'abandonnait enfin.

DEUXIÈME PARTIE

13

Premier séjour au Chiapas

Hébergée par sa sœur Colette, Jeanine se laissa soigner et dorloter par elle. Colette lui était totalement dévouée.

Une semaine après son arrivée au Québec, le 21 juillet 1981, elle apprenait la mort de l'Acadien Raoul Léger, tué par des militaires au Guatemala. Elle l'avait rencontré à Montréal quelques années auparavant, en compagnie d'Enrique, et tous deux s'étaient liés d'amitié avec lui. Raoul Léger était un laïc, un volontaire engagé chez les pères des Missions étrangères, et son but était de faire de l'animation pastorale auprès des communautés indiennes. Devant son intention de partir au Guatemala, Enrique lui avait conseillé de choisir un autre pays, le prévenant des dangers qu'il courrait là-bas. L'Acadien n'avait pas cru qu'il pouvait lui arriver malheur. Rendu au Guatemala, bien que n'entretenant aucune relation avec la guérilla, il ne refusait pas son aide aux paysans membres du CUC (Comité d'union paysanne), leur offrant un local pour leurs réunions et son support moral pour le respect de leurs droits. Il s'était cru à l'abri et pourtant il avait été tué, lors d'une réunion pacifique avec des paysans indiens. Des employés de l'ambassade canadienne avaient demandé aux autorités guatémaltèques de leur fournir un rapport sur les circonstances entourant la mort de Raoul Léger. Pour toute réponse, les fonctionnaires de l'ambassade reçurent des menaces de mort.

La nuit, Jeanine gémissait et pleurait dans son sommeil, en proie à des cauchemars. Sa sœur dormait à ses côtés, toujours prête à la rassurer. Jeanine avait toujours eu tendance à cacher ses peines et à enfouir ses peurs devant ses proches, afin de ne pas les importuner. À force de patience et d'amour, Colette réussit le tour de force de lui faire exprimer toute la douleur ensevelie en elle.

Pourtant, Colette gardait elle-même un terrible secret qu'elle n'avait pas encore dévoilé à Jeanine. Le moment était venu de le faire.

Quelques jours seulement après que Jeanine lui eut appris par lettre la nouvelle de la disparition d'Enrique, Colette avait reçu un appel téléphonique pour le moins étrange. À l'autre bout du fil, une voix dotée d'un très léger accent qu'elle n'arrivait pas à reconnaître avait prononcé en français : «Ne recherchez pas Enrique. Il a la langue coupée. Vous ne le reverrez jamais…»

La première réaction de Jeanine, après le choc créé par le contenu du message, fut l'incrédulité. Personne, hormis sa belle-mère et quelques amis au Guatemala, n'était au courant de la disparition d'Enrique. Qui donc à Montréal avait pu téléphoner chez sa sœur pour lui transmettre un tel message? Elle conclut, sans pouvoir jamais le prouver, que les seuls individus qui avaient pu être mis au courant de ces événements restaient les officiers de la Gendarmerie royale du Canada. Le jour de la disparition d'Enrique, Jeanine était descendue à Dorval et s'était ensuite trouvée dans un bureau de la GRC pour y subir un interrogatoire. Peut-être, se disait-elle, tout cela n'était-il que coïncidence, mais elle ne se l'expliquait pas autrement.

La révélation de Colette provoqua chez elle une vive appréhension : elle avait toujours tremblé à la pensée des sévices que son mari avait pu essuyer à la suite de son enlèvement. Elle savait trop bien que les gens capturés par l'armée guatémaltèque subissaient un sort terrible. Tuer leurs prisonniers ne suffisait pas aux militaires. Il leur fallait aussi torturer, massacrer, souvent de façon sophistiquée : arracher les yeux, taillader les membres, pendre les corps ou les clouer au mur avec des machettes. Les tortures infligées par les militaires, au Guatemala, n'étaient plus l'exception mais la norme. Enrique avait-il enduré de tels supplices?

Grâce à l'affection de sa mère, qui habitait avec Colette, Jeanine se rétablit doucement au fil des semaines. Quant à Lydie, elle venait la visiter et l'embrasser, mais de la voir dans un tel état la bouleversait. Elle ne pouvait souffrir de voir sa mère ainsi diminuée.

Au cours du mois de septembre, Jeanine reçut une lettre de l'ambassade de France au Guatemala. On lui disait que ses effets personnels laissés à Sipacate, dans l'ancienne école, avaient été mis sous la surveillance du président du comité de construction de l'hôpital, don Villatoro, un homme en qui Jeanine avait entièrement confiance. On poursuivait en lui apprenant que, le 11 août 1981, ce même don Villatoro avait été enlevé par les forces armées et qu'on l'avait retrouvé décapité. On ajoutait que les autres membres du comité, ainsi que des amis, Jorge, Maury et Manuel, avaient alors pris la fuite dans la montagne, laissant ses biens à l'abandon. On mentionnait enfin que Gloria, la jeune femme qui l'avait aidée au cours des dernières semaines à Sipacate et qui avait partagé son logis, avait été violée par des militaires.

Ces dernières nouvelles la terrassèrent. Le sort subi par ses amis lui posa un sérieux problème de conscience. Elle se sentit subitement responsable du destin tragique de ces gens qui s'étaient impliqués avec elle dans son travail quotidien. Elle se demanda alors si elle avait eu raison d'agir comme elle l'avait fait durant toutes ces années au Guatemala. Tourmentée, elle pensait : «Si je n'avais pas été là, si je n'avais pas mis en chantier ces projets, ces gens n'auraient pas été ennuyés par l'armée. Ils auraient continué leur vie normale...»

Mais quelle vie *normale*? se demanda-t-elle ensuite. Car ces Indiens qui l'appuyaient dans ses projets étaient conscients des conditions humiliantes dans lesquelles ils vivaient, de la répression militaire et de l'injustice sociale institutionnalisée. Ce n'était donc pas elle qui les avait exhortés à quelque action illicite ou qui les avait vraiment conscientisés. Ces gens, qui étaient devenus des amis, ne voulaient qu'améliorer leur sort, et ils avaient vu en elle un moyen parmi d'autres pour y parvenir.

Ce raisonnement constituait son unique planche de salut moral, et elle s'y cramponnait, pour ne pas être atterrée davantage.

Des visites chez des amis et aux fondations contribuèrent, avec le temps, à la réconcilier avec la vie. Elle éprouvait de plus en plus le besoin de sortir de son cocon et de rencontrer des gens. Elle fit même les démarches nécessaires pour se procurer de nouveaux papiers. Ceux-ci pourraient s'avérer utiles...

Finalement, ce qui la guérit complètement fut sa décision de repartir... Tout le monde dans sa famille s'était bien douté que cela se produirait, mais personne n'avait osé en parler. Jeanine opta encore pour l'Amérique centrale. Lors d'une récente visite à Oxfam-Québec, elle avait rencontré une personne travaillant au Nicaragua. Il y avait énormément de besogne à accomplir dans ce pays qui venait à peine de se libérer de plus de quarante ans de domination par la famille Somoza. Les membres de cette famille avaient gouverné le pays comme s'il eût été une propriété privée; ils avaient des intérêts personnels dans presque tous les domaines de l'économie, en plus de commander la garde nationale. En 1979, les sandinistes avaient pris le pouvoir, installant un gouvernement de reconstruction nationale.

Mise au courant des nouveaux projets de sa mère, Lydie fut secouée. Elle en avait assez de ces perpétuels départs et retours qui la mettaient en pleurs durant quinze jours, de l'angoisse occasionnée par ces longs séjours dans des pays dangereux, de l'absence de nouvelles pendant des mois; elle en avait assez de ces coups de téléphone à l'improviste, en pleine nuit, qui les angoissaient à chaque fois, elle et son ami Pierre, leur faisant toujours craindre le pire.

Si Lydie, lorsqu'elle avait 20 ans, ressentait une certaine fierté d'avoir une mère si peu banale, elle en avait éprouvé aussi un malaise. Ses copines, curieuses, lui posaient des questions sur cette mère «si spéciale», «en mission» quelque part en Amérique centrale. Comme elle aurait voulu alors avoir une mère ordinaire! À cet âge, elle n'était plus une petite fille, mais certaines choses lui manquaient, des choses simples et qui allaient de soi pour toutes ses amies. Par exemple, elle eût aimé avoir le plaisir de passer à la maison n'importe quand pour lui dire bonjour, se confier à elle, lui parler d'un problème ou d'une joie toute neuve, l'embrasser sur les joues et retourner à sa vie de jeune femme indépendante. Seulement savoir que cela fût possible, sans même le faire, aurait épongé sa frustration.

Maintenant, quand ces pensées s'emparaient de Lydie et qu'elle se rendait compte qu'elle en voulait encore à sa mère, cela jetait un voile sur leur relation. D'un autre côté, voyant sa mère tourner en rond à Montréal comme une lionne en cage, tiraillée entre le désir irrésistible de partir et la crainte de peiner ses proches, Lydie comprenait que son pays n'était pas le même que le sien, que sa mère en avait choisi d'autres et qu'elle allait là où elle se croyait utile, là où elle trouvait une raison de vivre.

Au début d'octobre 1981, radieuse, les yeux brillants comme aux plus beaux jours, Jeanine, à 53 ans, faisait ses adieux à sa famille de Montréal. Ses bagages se composaient de seulement deux sacs et d'une machine à coudre portative, son arme préférée en cas de coup dur. Si jamais elle se trouvait en difficulté financière, cet outil pourrait la sortir d'embarras.

Plus important encore, elle emportait avec elle un espoir secret qui ajoutait une flamme à son regard. Peut-être que là-bas, au Nicaragua, elle réussirait à retrouver la trace d'Enrique; peut-être avait-il réussi à échapper à ses ennemis et à obtenir asile dans ce pays; peut-être que leur route ensemble n'était pas achevée. Peut-être...

❧

À Managua, capitale du Nicaragua, les choses ne se passèrent pas comme prévu. Aussitôt arrivée, Jeanine sauta dans un taxi, dont le conducteur, à sa demande, lui indiqua une pension modeste et sympathique. Elle fut chanceuse car il n'y restait plus qu'une chambre, petite mais propre. La propriétaire y vivait avec sa fille et sa petite-fille, et Jeanine s'y trouva tout de suite à l'aise. Elle se félicita d'avoir apporté sa machine à coudre car elle put défrayer une partie de sa pension en faisant des travaux de couture.

Dès les premiers jours, elle se renseigna. Elle apprit que, si elle voulait obtenir l'autorisation de travailler bénévolement au pays, elle devait se rendre à la Maison des Peuples, au centre-ville de Managua. Elle se retrouva parmi des gens d'une dizaine de nationalités différentes et se sentit d'abord un peu perdue dans cette tour de Babel. Après avoir posé des questions à plusieurs personnes courant ici et là, elle fut finalement dirigée vers le secrétaire de Doris Maria Tijerena, la vice-présidente du Nicaragua.

En attendant la réponse concernant son permis de travail, elle approfondit ses connaissances sur le Nicaragua et en découvrit les besoins immenses. Tous les jours, à la radio, elle entendait le slogan : «*Nicaragua gano, El Salvador ganara y Guatemala seguira!*» («Le Nicaragua a gagné, le Salvador gagnera et le Guatelama suivra!») Elle était perplexe quant à ce dernier pays...

Au Nicaragua, Jeanine remarquait partout une jeunesse remplie d'espoir, constatait l'appui de plusieurs pays européens, mais tout était encore à faire dans ce petit État de 2 800 000 habitants. La révolution avait donné lieu à de graves dissensions, à une instabilité politique et économique, et les contre-révolutionnaires, les *contras*, en profitaient pour raffermir leur opposition.

Après cinq semaines d'attente, Jeanine n'avait toujours pas reçu de réponse. Ennuyée, elle s'interrogeait, se demandant pourquoi on hésitait tant. Avait-elle commis une erreur quelque part? Ou bien s'agissait-il d'un malentendu sur son apparence? «Peut-être mon allure petite-bourgeoise détonne-t-elle dans le nouveau paysage du pays», songea-t-elle. Car elle n'avait jamais eu l'habitude de s'habiller en pauvresse pour mieux correspondre au stéréotype du «coopérant volontaire». Elle n'avait pourtant rien dissimulé de son passé au Guatemala, de ses actions, des résultats obtenus, et de l'implication des habitants du pays dans ses projets. Finalement, après une énième rencontre aux bureaux de la Casa del Pueblos, Jeanine, exaspérée de cette inactivité forcée, et lasse de tourner en rond, décida de changer de cap. Mais pour aller où? Et pour faire quoi?

Si elle ne considérait pas son court passage au Nicaragua comme un revers, elle traversa néanmoins un moment de découragement et éprouva un sentiment de solitude qui la paralysait. «Suis-je condamnée à vivre un exil perpétuel?» se demandait-elle.

Pendant ce temps, dans les journaux et aux actualités, on parlait de plus en plus du Guatemala. Le général de l'armée guatémaltèque, Benedicto Lucas Garcia, frère du président Romeo Lucas Garcia, avait lancé en octobre 1981 l'attaque décisive contre la guérilla, regroupée principalement sur les hauts plateaux de l'ouest du pays. Sous prétexte de lutte contre les guérilleros, l'armée avait massacré des milliers d'innocents, appliquant la théorie selon laquelle la suppression des guérilleros réclamait la destruction de leur base sociale, c'est-à-dire les paysans indiens. Des centaines de milliers de survivants avaient fui vers la capitale ou vers la côte sud du pays, ou s'étaient cachés dans les montagnes ou les forêts, errant dans leur propre pays. D'autres avaient choisi l'exil, traversant les frontières et allant se réfugier dans la pointe sud du Mexique, la province du Chiapas, à majorité indienne.

Jeanine décréta que le Nicaragua saurait bien se passer d'elle. Puisqu'elle ne pouvait pas retourner au Guatemala, pour des raisons de sécurité personnelle, elle devint de plus en plus persuadée que c'était auprès des réfugiés guatémaltèques qu'elle serait le plus utile. Heureuse à l'idée de retrouver ceux qu'elle aimait, les Indiens du Guatemala, elle partit pour la capitale du Mexique.

❦

À peine débarquée en plein cœur de Mexico, elle se promit de ne pas séjourner longtemps dans cette mégalopole polluée. Si elle détestait les grandes villes, celle-ci, avec ses rues et avenues sortant de nulle part, tentacules d'un monstre de béton rongées par le bruit incessant des automobiles et imprégnées d'une odeur prenant à la gorge, lui donnait la nausée.

Un chauffeur de taxi lui indiqua une adresse pour se loger. Dans une petite pension du centre-ville, elle mit quelques jours à se ressaisir et à chasser une peine dont elle seule connaissait l'origine : ses recherches avortées au sujet d'Enrique. N'ayant pu s'installer à Managua et y travailler, comme elle l'avait prévu, elle avait été dans l'impossibilité d'effectuer de véritables démarches. Elle commença à se résigner à sa perte certaine, considérant finalement que ses espoirs de le retrouver n'étaient qu'illusions. Elle devait accepter une fois pour toutes qu'il était disparu de sa vie, et cesser de s'apitoyer sur son sort. « Plus facile à dire qu'à faire », pensait-elle.

Elle ne connaissait du Mexique que ses airs enchanteurs, découverts avec Lydie, au temps de Puerto Vallarta, et avec John Younger lors de leurs rendez-vous amoureux et de leurs balades sur le bord de la mer, sous le ciel bleu chatoyant. Son projet désormais était de découvrir l'autre face de ce pays, sa face cachée, souffrante, laissée à l'abandon. Malgré les prétentions de richesse du gouvernement mexicain, en raison de son pétrole,

Jeanine estimait qu'une partie de ce pays ne se différenciait pas des autres pays du Tiers-Monde.

Certaine qu'Enrique aurait appuyé son élan, elle prépara sans tarder son départ pour le Chiapas.

Son premier contact fut l'ambassade de France. Elle y rencontra la première secrétaire, Édith Ravaux, lui relata ses années passées au Guatemala et lui fit part de son nouveau projet. Mme Ravaux lui obtint bientôt une entrevue avec le haut commissaire des Nations unies pour les réfugiés, M. Alfredo. Cet homme lui conseilla fortement d'aller rejoindre des franciscaines qui accomplissaient, selon lui, un travail formidable. Il n'avait que de l'admiration pour ces religieuses, qui prodiguaient accueil, hébergement, soins et services de santé aux réfugiés guatémaltèques, avec des moyens de fortune, et ce au cœur de dangers réels : elles étaient installées à Motozintla, dans le sud du Chiapas, à 10 kilomètres seulement du Guatemala, zone de guerre civile.

Jeanine consentit à la suggestion du haut commissaire. Si on voulait bien d'elle là-bas, elle était mûre pour plonger dans une nouvelle aventure humanitaire.

Juste avant qu'elle quitte Mexico, en janvier 1982, les gens de l'ambassade de France lui suggérèrent d'écrire une lettre à Mme Danielle Mitterrand, l'épouse de François Mitterrand, alors président de la France, et de lui faire part de ses observations sur la situation existant au Guatemala. Jeanine trouva l'idée bonne et, deux jours avant son départ, elle expédia une missive à la première dame de France, par valise diplomatique. Le but de Jeanine, par cette lettre, n'était pas de rappeler à Mme Miterrand la situation tragique des peuples d'Amérique centrale, qu'elle connaissait parfaitement elle-même, mais de lui demander de sensibiliser les Français au sort des habitants du Guatemala et du Chiapas, et de former un mouvement national de solidarité.

Moins de deux mois plus tard, à son grand étonnement, elle recevrait une réponse de Danielle Mitterrand. Dans sa courte et touchante lettre, cette dernière ne manquerait pas de souligner les grands mérites des femmes comme Jeanine, tout en l'informant des grandes campagnes d'information menées en France, auxquelles elle apportait son soutien, «*afin que tous les esprits se mobilisent*».

Mme Mitterrand ignorait probablement, à ce moment-là, qu'elle se rendrait un jour au Chiapas, en avril 1996, à l'invitation du sous-commandant Marcos, le porte-parole des Zapatistes, «ces guerriers pacifiques qui haïssent les armes». Cet homme anticonventionnel, à l'allure romantique, masqué, pipe à la bouche, poète à la cartouchière en bandoulière, est devenu au fil des années un personnage médiatique fort prisé.

Le Chiapas, malgré des richesses naturelles telles que le pétrole et le bois d'acajou, possède le taux de pauvreté le plus élevé du Mexique. Dans cette province, les problèmes agraires, l'exploitation des Indiens par une poignée de grands propriétaires qui détiennent la moitié du territoire, et le déboisement intensif créent de graves affrontements. Les Zapatistes, depuis 1982, luttent en faveur des Indiens opprimés – et souvent exterminés – par le gouvernement mexicain. Le massacre de 45 enfants, hommes et femmes indiens à Acteal, au Chiapas, en décembre 1997, en a fourni un autre exemple brutal.

Lors de leur rencontre officielle dans la jungle Lacandone, la nuit, autour de chandelles, le *sub* Marcos dira à Mme Mitterrand : «Parlez... Ces démarches isolées sur la terre, la parole va aider à les lier. Notre parole, votre parole, une parole qui engage à l'action. Et bientôt tous ces fils noués formeront un réseau de contre-pouvoir créatif. Alors, il sera possible d'espérer vivre autrement...»

❧

Après trente heures de route sous une chaleur et une humidité épouvantables, Jeanine fit escale à Tapachula, dans le sud du Chiapas, une ville située sous le niveau de la mer. Il lui fallut parcourir encore une centaine de kilomètres à travers une végétation dense qui lui rappelait le Guatemala, pour ensuite grimper dans les montagnes et atteindre les hauts plateaux désertiques. Un autre détail lui rappela le Guatemala : le volcan Tacana, à cheval sur la frontière, à 4 000 mètres d'altitude, qu'elle aperçut au loin par la fenêtre de l'autobus.

Enfin, le but de son voyage lui apparut du sommet d'une crête, au tournant d'un virage : Motozintla. La petite ville de 10 000 habitants était recroquevillée dans le creux de la Sierra, emmaillotée des larges bras des montagnes pelées et défrichées, piquées de cactus. Jeanine espéra que la descente s'effectuerait en douce et que les freins tiendraient le coup, car, dans ces longues côtes, les chauffeurs de ces autobus bariolés de couleurs vives avaient l'habitude d'éteindre le moteur et de rouler en roue libre…

Rompue de fatigue et un peu étourdie à l'arrivée, elle débarqua dans la petite ville en liesse, en pleine fête patronale. La voyageuse assise à ses côtés durant le voyage l'avait prévenue qu'il n'y aurait plus aucune chambre disponible. Voyant son désarroi, elle lui avait offert le gîte pour cette première nuit à la pension où elle habitait, en lui permettant d'occuper le deuxième lit de sa chambre. Jeanine remercia le ciel de sa chance.

Le lendemain, elle décida d'élire domicile à la même pension et se lia d'amitié avec la famille propriétaire. Sa petite chambre comportait un lit étroit, une table minuscule et une chaise; le sol était en ciment gris et les murs peints d'un vert délavé. La pièce ne comportait pas de fenêtre et était éclairée par une ampoule fixée au plafond. Une planche, fixée au mur et munie de clous, servait de penderie. Jeanine ne se formalisa pas de ce décor fruste et se dit qu'après tout elle n'y passerait que les nuits. Le plus difficile demeurait la nécessité de partager les installations sanitaires rudimentaires, plantées au milieu du patio, avec les nombreux autres pensionnaires, hommes et femmes.

Ce qu'elle appréciait beaucoup, par contre, était l'affection que lui témoignaient la propriétaire de la maison, Sofia Gordillo, et sa famille. Une belle amitié prit naissance. Les longues conversations avec elle les premiers jours lui en apprirent beaucoup sur les réfugiés guatémaltèques à Motozintla. Ces renseignements s'avérèrent précieux et la préparèrent pour sa nouvelle aventure.

Après avoir payé sa chambre pour un mois, au coût de 60 dollars, elle se rendit compte que son pécule avait fondu car les voyages avaient coûté plus cher que prévu. Elle ne pouvait plus s'offrir qu'un seul vrai repas par jour, et elle devrait se contenter de café instantané, de biscottes et de petits pains le reste de la journée. Peu lui importait. Elle se rendrait bientôt chez les religieuses franciscaines dont on lui avait tant parlé.

Rendue au couvent des *madres*, elle débita une fois de plus son histoire des douze dernières années et offrit ses services, résolue et déterminée.

Chaleureusement accueillie dans ces lieux à l'allure rustique, Jeanine se sentit la bienvenue. Elle trouva chez les religieuses un état d'esprit semblable au sien et cela la réconforta. Elles aussi étaient révoltées par la répression que subissaient les réfugiés guatémaltèques, persécutés par un régime de terreur, victimes d'un véritable génocide. Depuis 1978, le nombre des morts atteignait 25 000.

Les hordes de réfugiés – 600 à 700 – qui échouaient chaque mois à Motozintla bouleversaient le travail quotidien de cette communauté religieuse, qui ne disposait que d'un dispensaire modeste, sous la responsabilité d'une infirmière, aidée de quelques laïcs. À quelques mètres du dispensaire s'élevait un édifice abritant un immense dortoir, une grande salle de lavage et de services sanitaires, un local de couture et une classe pour des cours de soins de santé. Désormais, tous ces espaces allaient servir à accueillir les réfugiés.

Des hommes, des femmes et des enfants, après avoir erré dans les montagnes du Guatemala, arrivaient à Motozintla dans un état lamentable, souffrant de sous-alimentation, de dépression, de paludisme et d'infections diverses. Ils avaient marché durant des semaines, surtout la nuit, se nourissant de racines, d'herbes et de la sève des papayers. Des familles entières avaient péri en traversant des rivières. Des mères devaient couvrir la bouche de leurs bébés qui criaient, au risque de les voir suffoquer, pour ne pas alerter de leur présence les patrouilles de soldats, déterminés à tirer sur tout ce qui bougeait.

Le nombre des enfants se trouvant parmi les réfugiés indiens était considérable, parfois douze par famille. Des femmes enfantaient dans la boue pendant la saison des pluies, entourées de moustiques; d'autres arrivaient enceintes, prêtes à accoucher. La vue de ces jeunes garçons et filles hébétés, sortant de la forêt et se dirigeant vers elle et le personnel d'accueil, ne manquait pas d'émouvoir Jeanine au plus haut point.

Après un contrôle médical, les cas sérieux étaient dirigés vers le docteur Eloy, le seul médecin de Motozintla. Quant à ceux qui nécessitaient une aide plus urgente, Jeanine les emmenait en camionnette vers un hôpital de Comitan, une ville située un peu plus au nord, où un médecin, le docteur Rodriguez, accueillait généreusement les malades. Enfin, certains réfugiés, n'ayant pu supporter leur périple, souffraient de graves dérèglements mentaux et étaient dirigés vers des établissements spécialisés, où ils étaient internés, autant pour leur propre sécurité que pour celle de leurs proches.

Afin de constituer des témoignages pour alerter les organisations d'aide et de solidarité internationales, Jeanine voyait une religieuse, la sœur Luz Maria, enregistrer les déclarations de réfugiés qui acceptaient de raconter publiquement les atrocités qu'ils avaient vécues. Parmi eux, plusieurs disaient que lorsque les militaires se contentaient de tirer, «ce n'était rien»...

Au bout de quelques semaines, quelque chose craqua en elle. Elle vécut alors une période de rébellion intérieure, de révolte spirituelle. Devant le déploiement de tant d'horreurs, sa foi en la religion fut ébranlée et elle rompit avec tous les dogmes catholiques dont elle avait hérité dans son enfance. «Qu'on ne vienne plus me parler du bon Dieu!» se disait-elle. Il lui semblait impossible que la bonté divine permît de telles injustices.

Cette insurrection silencieuse se prolongea durant quelques jours. Le soir, lorsqu'elle se retirait dans sa chambre, elle pleurait de rage et remettait en question sa foi. Elle ne jugeait cependant pas les religieuses avec qui elle œuvrait. Au contraire, elle admirait l'abnégation, le courage et l'énergie de ces femmes qui ne ménageaient pas leurs efforts auprès des réfugiés. Au bout de quelque temps, l'orage se calma et il ne resta plus trace d'amertume en elle. La vie devait continuer et, comme les autres, il lui fallait agir. Elle replongea dans le travail, à corps perdu.

Le Chiapas constituait pour les paysans guatémaltèques un terrain familier où se réfugier car ils avaient l'habitude de passer d'un pays à l'autre lors des travaux saisonniers. La frontière commune entre le Mexique et le Guatemala mesurait un millier de kilomètres et il était impossible de la surveiller efficacement. Des liens, souvent même familiaux, s'étaient créés entre les communautés indiennes, et les réfugiés furent accueillis comme des frères en détresse.

Par ailleurs, ces milliers de gens étaient entrés illégalement au Mexique et n'avaient pas encore obtenu leur statut officiel de réfugiés; le gouvernement mexicain les qualifiait d'«immigrants de frontières». Il fallait que Jeanine et les autres les aident à légaliser leur statut le plus tôt possible, une procédure compliquée et laborieuse qui ajoutait soucis et angoisse à ces personnes déjà gravement malmenées. Bien qu'ils fussent en lieu sûr chez les religieuses, plusieurs d'entre eux hésitaient à révéler leur identité. La méfiance s'était incrustée en eux, à cause de tous les sévices et les tourments endurés.

À peu près à la même période, soit en mars 1982, Jeanine et ses compagnes de Motozintla apprirent qu'un coup d'État s'était produit au Guatemala. Le dictateur militaire Roméo Lucas Garcia était expulsé par un autre dictateur, Rios Montt. Les Guatémaltèques se souvenaient de lui car en 1972 Montt avait été nommé chef d'état-major des forces armées et s'était impliqué personnellement dans des atrocités menées contre des civils. La violence contre les paysans indiens ou toute autre opposition à son régime s'annonçait pire, si cela était possible, que sous le régime de Lucas. Les escadrons de la mort cédaient la place aux désormais célèbres patrouilles d'autodéfense civile, les PAC, tout aussi sanguinaires. Celles-ci recrutaient de force leur «personnel» chez les paysans ou citadins indiens pour les obliger ensuite à massacrer d'autres familles indiennes, parfois même la leur, semant ainsi la terreur parmi la population, dans le but de la décourager de toute alliance avec la guérilla. L'embrigadement forcé des paysans aborigènes et des jeunes citadins dans les PAC atteignit, dans les deux ans du régime de Rios Montt, le chiffre effarant de 600 000. Les Indiens étaient amenés à torturer, violer ou tuer d'autres Indiens, sous peine d'être eux-mêmes exterminés. (Même en obéissant, les exécutants étaient souvent éliminés peu après.) La stratégie de division réussit et sema la zizanie parmi les communautés aborigènes. Les autorités militaires s'en lavaient les mains et se défendaient ainsi des accusations de génocide.

Une «technique» du régime Montt était celle dite de la «terre rase». Plusieurs villages en bordure de la frontière mexicaine avaient été abandonnés par leurs habitants en fuite. L'armée porta le coup fatal en les incendiant tous, soit près de 500, pour, plus tard, les «reconstruire» en villages modèles et mieux les contrôler.

Devant une telle stratégie guerrière, le nombre de Guatémaltèques se réfugiant au Mexique augmenta. Si les Indiens mayas partaient pour ne pas mourir, ils ne savaient pas comment ils pourraient vivre là-bas. Ils seraient bientôt 100 000 réfugiés à la grandeur du Chiapas, en état de survie permanente. Dans certains villages, le nombre de réfugiés dépassait celui des habitants. Ailleurs au Mexique, on trouvait des camps de réfugiés en pleine forêt vierge ou dans des champs. Les gens s'y entassaient comme des animaux effrayés, sous des feuilles de polythène accrochées aux arbres. Par contre, à Motozintla, tous logeaient dans des maisons abandonnées ou louées, certaines en piteux état. Pendant la saison des pluies, un toit était essentiel. Mais, au-delà de ces considérations pratiques, la volonté de ne pas construire d'abris pour les réfugiés était motivée par le fait que les camps de réfugiés étaient facilement repérables et constituaient des cibles idéales pour les militaires guatémaltèques survolant en hélicoptère les territoires limitrophes du Mexique. Plusieurs réfugiés avaient été enlevés ou tués en territoire mexicain, avec la complicité des autorités mexicaines. Celles-ci fermaient d'abord les yeux sur la violation du territoire par les militaires guatémaltèques, puis sur leurs crimes contre les paysans indiens. Cela donnait à réfléchir et Jeanine était perplexe. Quand il s'agissait d'Indiens, les autorités mexicaines ne faisaient pas de différence.

Très vite, Jeanine et les religieuses s'aperçurent qu'elles devaient prévoir des installations à long terme pour ces réfugiés, dont un retour trop hâtif au pays signifiait la mort à coup sûr. Alors fut mise en branle toute une organisation basée sur le dévouement et l'entraide. Jeanine était émerveillée par la générosité des paysans mexicains envers les réfugiés. Ils offraient des morceaux de terre aux familles guatémaltèques afin qu'elles puissent les cultiver elles-mêmes. Un accord fut conclu entre le comité des réfugiés et les directeurs d'école de Motozintla, selon lequel ceux-ci acceptaient d'accueillir les enfants des réfugiés. Jeanine se vit confier la confection des jupes des écolières. Chaque matin, les enfants guatémaltèques devaient toutefois saluer le drapeau mexicain et chanter l'hymne national de leur pays d'accueil.

Pour Jeanine, le mot «urgence» prit, à cette époque, tout son sens. *Toute* aide était urgente : alimentaire, vestimentaire, médicale. Dès son arrivée à Motozintla, elle avait écrit une lettre à son amie Huguette Lefranc, à Montréal. Sa façon de procéder était la suivante, qu'elle répétera souvent au cours des prochaines années : elle rédigeait à la main un brouillon d'un projet, ensuite un devis, et les expédiait à Huguette, qui les mettait au propre et les faisait parvenir en bonne et due forme aux organismes et aux fondations. Sa première demande concernait une somme de 2 000 $ destinée à acheter des médicaments.

D'une certaine façon, Jeanine se sentait à l'aise dans cette hyperactivité forcée, à soigner les gens, à les consoler, à leur redonner espoir et autonomie. Elle en avait besoin. Ce don de soi, à toute heure du jour ou de la nuit, compensait sa solitude affective. Les milliers de Guatémaltèques qu'elle côtoyait quotidiennement n'étaient pas sans lui rappeler son passé dans ce pays, le travail qu'elle y avait effectué et, naturellement, sa vie avec Enrique. Elle comprit une fois de plus que, devant tant de désolation et de douleur, le seul remède consistait à s'immerger dans un travail intensif et exigeant, qui ne lui laissait pas le temps de s'épancher inutilement.

Un peu plus tard, la sachant logée dans une étroite chambre au cœur de Motozintla, la sœur Luz Maria, supérieure de l'établissement, lui loua une petite maison en tourbe, au sol de terre battue. Elle serait ainsi plus proche de son travail, et pourrait y établir un autre dispensaire, dont elle serait entièrement responsable. Cette marque d'attention et de confiance la toucha beaucoup.

L'installation, rudimentaire comme d'habitude, comportait un lit pliant pour la nuit. Le jour, couvert de planches et d'une feuille de polythène, le lit se transformait en table d'examen! Sur une étagère en fer, à portée de la main, se trouvait un vademecum, un condensé scientifique et médical dont Jeanine ne se séparait jamais. La sœur Luz Maria lui avait prêté aussi *Diagnostico et tratamiento*, un excellent ouvrage de la faculté de médecine de Mexico. Dotée de ses outils, elle était prête à faire face à la musique, et elle obtint en outre une multitude de conseils et d'informations utiles du docteur Eloy. Le seul inconvénient était de transporter quotidiennement des boîtes de médicaments entre les deux dispensaires, situés à une bonne distance l'un de l'autre. Elle adopta la manière indienne et porta ces caisses sur sa tête.

Un jour, elle fit la connaissance d'un prêtre des Missions étrangères de Montréal, accompagné d'une responsable du comité de Solidarité Québec-Guatemala. Ces gens venaient observer sur place les besoins des réfugiés. Jeanine leur fit un résumé complet de la situation. Vers la fin de la rencontre, elle leur demanda leur appui pour un projet qu'elle avait déjà elle-même envoyé à Oxfam. Le montant de l'aide demandée se chiffrait à 10 000 $ et elle s'inquiétait de l'absence de réponse à son appel d'*urgence*. À leur retour à Montréal, ses deux visiteurs se rendirent à Oxfam et recommandèrent fortement son projet. Ils avaient pu vérifier, à Motozintla, les besoins immenses des réfugiés et le travail auquel tout le monde se consacrait, avec des moyens extrêmement réduits. Le projet fut accepté et le montant fut envoyé rapidement.

Les franciscaines n'étaient pas peu fières de leur nouvelle bénévole, si convaincante, animée d'un si vif sentiment d'urgence. Emballées, elles redoublèrent d'ardeur et mirent sur pied plusieurs projets : des ateliers de menuiserie, d'artisanat, de cordonnerie, de couture, et une coopérative alimentaire. Le *padre* de la paroisse fit aménager un grand potager et commencer l'élevage de poulets. Ces projets, outre le soutien qu'ils apportaient, allaient fournir aux réfugiés l'élément primordial qui leur manquait le plus, soit la possibilité de travailler, et de retrouver leur dignité perdue.

Cette attitude correspondait à celle de Mgr Samuel Ruiz, l'évêque de San Cristobal de Las Casas, au Chiapas, qui fut le premier personnage officiel à s'occuper des réfugiés guatémaltèques. Celui que tout le monde surnommait «don Samuel», à cause de sa bonhomie et de sa générosité naturelle, avait tenu une conférence de presse en 1982, où il avait déclaré : «Il ne suffit pas de les aider, de les assister. Il faut qu'ils puissent retrouver leur dignité dans le travail...»

Véritable défenseur des réfugiés, il s'était rendu personnellement dans leurs camps pour leur apporter un soutien moral, recueillir leurs témoignages et les rassurer de son mieux. Avec d'autres évêques, il travaillait à un document dénonçant le sort réservé aux réfugiés guatémaltèques, document qu'ils voulaient remettre aux autorités au nom de l'Église.

Déjà à cette époque, les riches propriétaires du Mexique et la presse de droite commençaient à voir d'un bien mauvais œil cet homme blanc qui penchait du côté des Indiens et qui avait même appris les langues *tzotzil* et *tzelzal*. À cause de ses prises de position, ils le surnommèrent «l'évêque rouge», l'accusant lui aussi de communisme. Jeanine allait bientôt connaître ce personnage hors de l'ordinaire, pourvu d'un grand courage, et il deviendrait pour elle une source d'inspiration continuelle.

Il arrivait souvent à Jeanine et à la sœur Luz Maria de partir sur la route au lever du jour pour aller chercher des vivres. Elles évitaient de rouler la nuit car elles avaient une peur bleue de traverser les montagnes sur des chemins isolés et dangereux. Curieusement, dans ce pays tout comme au Guatemala, ce n'étaient pas les voleurs de grand chemin qu'elles craignaient mais bien plutôt les militaires : ceux-ci pouvaient, au hasard d'une rencontre sur la route, retenir et harceler quiconque leur semblait s'ingérer dans leurs affaires, en particulier les coopérants étrangers ou les membres du clergé catholique.

Normalement, Jeanine et la sœur Luz Maria auraient dû se rendre à Tapachula, un peu plus au sud. Mais les services aux réfugiés y étaient très mal organisés, et les secours offerts, parcimonieux. Personne n'ignorait que l'évêque du diocèse, ultraconservateur, dépréciait le travail des communautés religieuses et des laïcs établis à Motozintla. Sa priorité, malgré le drame qui se déroulait dans sa propre ville, demeurait d'entretenir ses liens avec les autorités civiles et les riches propriétaires.

Même si cela exigeait cinq heures de route supplémentaires, Jeanine et sa compagne conduisaient plutôt leur véhicule vers San Cristobal de Las Casas, cité coloniale située au cœur du Chiapas, dans une vallée tempérée, entourée de villages indiens. Cette ville magnifique, une des premières construites par les Espagnols lors de la conquête au XVIe siècle, mêlait les populations mexicaine et indienne. À l'arrivée, on avait une vue d'ensemble de la ville, auréolée de coupoles, de toits ronds, de voûtes aux tons pastel. Jeanine s'estimait chanceuse chaque fois qu'elle pouvait s'y rendre, mais elle était loin d'y faire du tourisme. Elle repartait toujours avec la camionnette chargée de victuailles, de médicaments, de vêtements et de couvertures. Ces secours provenaient d'Europe ou d'ailleurs, grâce à la sollicitation de Mgr Ruiz, qui jouissait d'une grande crédibilité à l'étranger.

À sa première rencontre avec lui, Jeanine avait été impressionnée par sa chaleur, son sourire et sa simplicité. Alors qu'elle s'apprêtait à lui faire un salut plutôt protocolaire, il s'était empressé de la mettre à l'aise en lui demandant de l'appeler, comme les autres, don Samuel. Leur amitié sincère se prolongea au cours des années et, chaque fois que Jeanine réclama son appui pour une raison ou une autre, il n'hésita pas à le lui offrir, malgré son horaire chargé et ses lourdes responsabilités.

⁂

À Motozintla, il ne se passait pas un jour sans que Jeanine n'entende parler de tueries au Guatemala. Les années 1981 à 1983 furent les pires en ce qui concerne la répression dans ce pays. Les massacres se poursuivaient partout et les aborigènes mayas en étaient les principales victimes. Le nombre de réfugiés quittant le Guatemala augmentait et la rivière Usumacinta, séparant le Mexique et le Guatemala, devint le cimetière des plus faibles, emportés par le courant.

À cause de la gravité des événements, Jeanine choisit de délaisser ses activités à Motozintla pour un certain temps. Croyant qu'elle serait plus utile en s'occupant de faire connaître la situation des réfugiés guatémaltèques, elle s'envola pour le Québec, où elle rencontra les représentants d'organisations non-gouvernementales. Voulant convaincre ceux-ci de participer davantage au secours des réfugiés échouant au Chiapas, elle donna des entrevues à des journalistes, décrivant la situation qui régnait là-bas, et participa une fois de plus au lancement de la campagne pour la Marche du Tiers-Monde, sous l'égide du Club 2/3. Devant des centaines d'étudiants, elle expliqua en profondeur le drame qui se déroulait au Guatemala, sans fournir les détails sordides des massacres commis par l'armée. Elle avait l'habitude de conclure ces rencontres en disant aux jeunes : « Les Guatémaltèques n'ont pas besoin d'aller au cinéma pour voir des films d'horreur; ils la vivent dans leur quotidien… »

Quand elle marchait dans les rues de Montréal et qu'elle voyait l'abondance qui s'y étalait, elle constatait soudain qu'elle-même n'était pas exclue complètement de cette société de consommation. En se faufilant à travers la foule et la circulation, elle se disait ironiquement que si elle « faisait » toutes les poubelles qu'elle croisait aux coins des rues, elle trouverait de quoi nourrir un peuple entier!

Avant de repartir, elle voulut alerter le gouvernement canadien sur les événements qui se produisaient au Guatemala, afin qu'il prît position publiquement et dénonçât la dictature du gouvernement de ce pays. La dernière étape de son séjour au Canada consistait donc en une rencontre avec un député libéral de l'époque, Maurice Dupras, conseiller pour les affaires d'Amérique latine auprès du Premier ministre Pierre Elliott Trudeau. L'entretien se déroula dans les normes, et le député lui demanda, à la fin, si elle voulait bien «leur faire parvenir un rapport sur les événements passés et présents au Guatemala et au Chiapas».

Jeanine quitta le Québec avec dans ses bagages une grande quantité de vêtements pour les enfants et les bébés des réfugiés guatémaltèques, dons d'amis et de sa famille. De retour au Chiapas, elle s'attela à la rédaction du rapport qu'elle avait promis au député libéral. Celui-ci lui répondit, cinq mois plus tard : «Je trouve héroïque que vous puissiez poursuivre votre mission dans des conditions aussi pénibles et je tiens à vous assurer de mon entier appui dans vos efforts pour adoucir la situation de ces malheureux.»

L'«entier appui» du député de la Chambre des communes se révéla, en fin de compte, un peu décevant. Nulle dénonciation publique du régime de terreur du gouvernement guatémaltèque n'eut lieu, nulle sortie en Chambre ni énoncé politique de réprobation envers le Guatemala. Par contre, le gouvernement canadien fit envoyer au Mexique un bateau rempli à ras bord de victuailles. Parmi celles-ci, d'énormes quantités de lait dont il fallut se débarrasser là-bas : les enfants indiens, peu habitués à ce produit, ne le supportaient pas et le régurgitaient…

Durant cette période, Jeanine et les religieuses de Motozintla faisaient figure de «rebelles», car elles œuvraient quasiment de façon illégale, les réfugiés n'ayant toujours pas leur statut de réfugiés officiels. Elles s'activaient afin que les fonds envoyés par les O.N.G. étrangères à l'intention des réfugiés ne fussent détournés à d'autres fins. Or, l'évêché de Tapachula, dont elles étaient tributaires, exerçait des pressions très fortes pour que cet argent lui fût remis. Cela aurait signifié la perte totale du contrôle de ces fonds. Jeanine avait une confiance absolue en la sœur Luz Maria, administratrice, et savait que l'argent reçu allait entièrement à ses destinataires, les réfugiés. Elle pouvait le vérifier sur place. En plus de cela, les comptes bancaires contenant l'argent des fondations canadiennes étaient enregistrés non seulement au nom de Luz Maria mais aussi à celui de Jeanine Archimbaud.

Comme d'habitude, le Club 2/3 avait bien travaillé et il expédia au Chiapas, aux soins de Jeanine, près de 5 000 $. Cette aide tomba à point nommé car, peu de temps auparavant, faute de moyens suffisants, Jeanine avait vécu une expérience qu'elle ne tenait pas à renouveler. Une nuit, elle avait dû assister trois futures mères parmi les réfugiés, qui avaient accouché de trois bébés en quatre heures! Elle s'était livrée à un véritable marathon, passant de l'une à l'autre dans les conditions les plus difficiles. Les mères avaient accepté de se coucher sur des nattes posées à même le sol, recouvertes de polythène. Mais lorsque le bébé se présentait, la mère ne pouvait s'empêcher de s'accroupir, selon une coutume indienne, ce qui compliquait la tâche de Jeanine. Bien que le père ou une amie de la mère tînt celle-ci par les aisselles, Jeanine devait recevoir le bébé naissant dans une position inconfortable. Près d'elle, une gentille infirmière allemande l'assistait, mais Jeanine s'était rendu compte rapidement que la jeune fille n'avait aucune expérience dans ce domaine. Alors qu'elle était occupée avec une mère en pleine délivrance, Jeanine lui avait demandé de séparer un des enfants d'une autre mère. Heureusement, elle avait pu revenir à temps pour surveiller le travail de l'infirmière, celle-ci n'ayant attaché qu'un seul bout du cordon ombilical, celui de l'enfant. La mère saignait abondamment. Jeanine s'était empressée de secourir la pauvre femme. Malgré le manque d'équipement, elle avait réussi à la sauver, mais elle avait eu une frousse épouvantable.

Lors de moments pareils, elle admirait le monde médical et prenait conscience de l'immense responsabilité qui était la sienne. Elle, qui n'était pas médecin, «qui n'était pas grand-chose», comme elle disait, chaque fois elle repensait à Enrique. Toute sa reconnaissance allait à celui qui lui avait tant montré en si peu d'années; non seulement à effectuer le travail vital, élémentaire, mais aussi à l'accomplir avec amour.

Le lendemain, elle avait revu les trois bébés de cette nuit mémorable, et avait remarqué que l'un d'eux portait des marques bleu foncé au poignet et à la base de la colonne vertébrale, signe symbolique de la race maya. Jeanine l'avait baptisé, pour elle, du nom de Tecum Uman, le grand guerrier des Quichés, qui, en 1523, mourut courageusement en combattant le terrible conquistadore Pedro de Alvarado.

❧

La relation de Jeanine avec les réfugiés guatémaltèques mûrissait, nourrie de confiance, de loyauté et de sincérité. Elle s'aperçut bientôt qu'un besoin était à l'origine de tous ces contacts, de ces liens qu'elle formait avec les familles indiennes : retrouver un peu, parmi eux, le Guatemala qu'elle avait tant affectionné. Et ce Guatemala si tendre à sa mémoire, c'était en grande partie Enrique.

Depuis son retour en Amérique centrale, elle portait constamment sur elle une photographie de lui, dans une pochette. Si au Nicaragua, à cause des circonstances, elle n'avait pu rien faire, elle se dit qu'ici le temps était venu. Alors elle partait à la fin de la journée avec la petite photo froissée dans ses mains. Elle avait eu le temps de discerner les responsables indiens, ceux qui encadraient les groupes de réfugiés guatémaltèques, et c'était vers eux qu'elle se dirigeait. Elle leur montrait la photographie d'Enrique, leur disait en quelques mots qui il était, et leur demandait s'ils l'avaient connu, vu ou croisé quelque part dans leur pays :

«*¿Hermano, por favor, podria decirme si por casualidad habia visto o encuentrando esta persona…?*»

Les Guatémaltèques posaient les yeux sur la photographie, examinaient le visage d'Enrique, semblaient fouiller dans leurs souvenirs. Toujours ils répondaient à Jeanine d'un mouvement de tête négatif, avec quelques mots de regrets, et retournaient à leurs préoccupations personnelles.

Bien que la démarche ne comportât pas beaucoup de chances de succès, il avait été impossible à Jeanine de ne pas l'entreprendre. Elle entretenait toujours au fond d'elle-même un mince espoir de rencontrer quelqu'un qui sût ce qu'il était advenu à Enrique.

Les réfugiés retrouvaient peu à peu une bonne mine. Le jardin du *padre* Juan se développait et le marché central de Motozintla regorgea bientôt de légumes d'une grande variété. Les contrôles prénataux et postnataux s'effectuaient régulièrement, et les mères recevaient une ration supplémentaire de lait et de vitamines. Les plus pauvres des Indiens mexicains qui accueillaient les réfugiés bénéficiaient également de ces soins et de ces égards.

En revanche, leur état psychologique laissait à désirer. À la tombée du jour, Jeanine les voyait tristes, mélancoliques, et leurs conversations portaient souvent sur leur famille brisée, la maison qu'ils avaient dû quitter, leurs animaux domestiques, les semailles et les récoltes, et les rassemblements joyeux des femmes de la communauté lorsqu'elles se réunissaient pour faire le pain. Leurs regards se portaient vers les montagnes, à l'est, derrière lesquelles, à une dizaine de kilomètres, se trouvait leur pays, le Guatemala.

Le gouvernement du Mexique finit par reconnaître le statut de réfugiés à tous ces Guatémaltèques, au nombre de 100 000, disséminés sur le territoire mexicain. Cette décision n'était pas étrangère au fait que l'aide internationale devenait de plus en plus généreuse. À cause de cela, les autorités mexicaines avaient la désagréable impression de se «faire voler» leurs pauvres par des étrangers et qu'à la longue cela risquait de les faire mal paraître. Le gouvernement forma donc le COMAR, le Comité mexicain d'aide aux réfugiés. Autre avantage : dorénavant, lui seul avait le droit de contrôler et répartir l'aide aux réfugiés. Ce qui signifiait qu'aucun groupe laïc ou religieux, aucune O.N.G. étrangère n'avait droit de regard sur la distribution de cette aide. Curieusement, plusieurs membres du COMAR se mirent à profiter d'un train de vie fastueux. La corruption était monnaie courante au Mexique. Cela rappelait à Jeanine ce qui s'était passé au Guatemala lors du tremblement de terre de 1976, alors que les fonds étrangers, mal distribués, avaient permis à des riches de le devenir davantage.

Déjà l'évêque de Tapachula, qui décidément ne lâchait pas prise, «remerciait» la communauté religieuse où Jeanine travaillait, suggérant poliment mais clairement aux franciscaines de ne plus intervenir auprès des réfugiés et de s'occuper d'autre chose.

Les ennuis se succédaient. Un soir, Jeanine se retrouva aux prises d'une façon singulière avec un officier de la douane. Dans une papeterie du parc central de Motozintla, elle venait d'acheter un journal lorsqu'un gaillard fit irruption près d'elle, la saisit par le bras et lui ordonna de montrer ses papiers, qu'elle n'avait pas. À la ville, tout le monde connaissait Jeanine et elle ne se croyait pas obligée de porter ses papiers d'identification sur elle.

L'officier s'emporta et l'inonda d'insultes, tout en obligeant le propriétaire de la boutique à fermer la porte à clé. «L'entretien» se déroula ainsi à huis clos, et Jeanine appréhendait le pire. Cependant, un attroupement se forma devant les vitrines. Jeanine supplia l'énergumène de l'accompagner jusqu'au couvent des religieuses, où elle pourrait lui montrer ses papiers, mais l'autre la menaça de la déporter à la frontière du Guatemala. Elle commençait vraiment à désespérer lorsqu'un des spectateurs revint sur les lieux avec la famille du forcené. À la vue de ses parents, le pauvre type, qui était sous l'effet de la drogue, «libéra» Jeanine. Abasourdie, elle se promit bien de ne plus sortir seule le soir.

⁂

L'année 1983 se termina pour Jeanine dans des sentiments contradictoires. À l'automne, Lydie lui annonça au téléphone qu'elle se marierait le 31 décembre. Jeanine fut envahie par une grande émotion. Depuis longtemps, elle rêvait du jour où sa «doudou» unirait sa vie à un homme qu'elle aimerait.

Elle aurait pu aller assister au mariage de sa fille à Montréal, mais elle considéra qu'elle avait mieux à faire à Motozintla. Lydie ne fut pas blessée par cette absence inusitée. À 35 ans, elle avait depuis longtemps accepté le choix de vie de sa mère, et se conduisait elle-même en femme indépendante.

Une triste nouvelle vint pourtant assombrir la Noël. Jeanine apprit que sa mère était gravement malade. Atteinte d'une broncho-pneumonie, elle avait été hospitalisée et on avait découvert chez elle un cancer rénal. Les médecins ne lui donnaient plus que six mois à vivre et lui recommandaient un séjour au bord de la mer. À Montréal, Colette Archimbaud était désespérée. Jeanine leur suggéra d'aller se reposer sur les bords du golfe du Mexique, où elle irait les rejoindre pour quelque temps.

Elle quitta donc temporairement son travail à Motozintla et passa trois semaines en leur compagnie. Cette réunion de famille eut un effet bénéfique sur les trois femmes. Mme Archimbaud était très faible, mais Jeanine et Colette réussirent à créer un climat décontracté, serein presque, entourant leur mère de douceurs et étirant ces instants de bonheur.

⁂

À Motozintla, ce que Jeanine avait pressenti depuis longtemps se révéla un jour inévitable : le gouvernement mexicain les obligeait à partir tous – Jeanine, les religieuses, les laïcs et le *padre* de la paroisse. Dans toutes les régions du Chiapas, on éloignait systématiquement les étrangers des réfugiés.

Ceux-ci, d'abord désemparés, se rendirent compte ensuite qu'ils n'étaient pas abandonnés. Des gens sérieux et compétents les entouraient, et l'esprit de communauté et de partage des paysans mexicains locaux demeurait exemplaire.

Les franciscaines, qui étaient mexicaines, quittèrent Motozintla et s'établirent dans un autre village de la région, El Honduras, pour y travailler auprès de Mexicains. Quant à Jeanine, elle plia bagages une fois de plus, laissant des êtres chers derrière elle, comme si tel eût été son destin.

Au printemps 1984, elle retourna au Québec, pour y séjourner au chalet de Lydie et de son mari Pierre, dans les Laurentides. Elle y retrouva sa mère, de plus en plus malade, faible et en manque d'appétit. Malgré tout, Mme Archimbaud trouvait encore le moyen de se faire du souci pour Jeanine.

Souffrante, étendue dans son lit ou sur une chaise longue, elle voyait sa fille «inoccupée», loin de ceux et celles qu'elle avait adoptés, en Amérique centrale, et elle s'inquiétait à son sujet. Elle disait aux autres qui l'entouraient : «Que fera-t-elle maintenant?» Et, lorsqu'elle était seule avec Jeanine, elle lui murmurait : «Quand je disparaîtrai, comment vas-tu survivre?»

Ces mots étaient empreints de douceur, d'amour et d'une réelle compassion. Mme Archimbaud avait aidé Jeanine financièrement durant toutes ces années, davantage qu'elle n'avait aidé Colette, et celle-ci n'en avait d'ailleurs jamais pris ombrage.

Auprès de sa mère, Jeanine essayait de cacher ses angoisses et son inquiétude de la voir souffrir. Durant ces quelques mois, elles se livrèrent au jeu de cache-cache des personnes qui s'aiment et qui ne veulent pas se peiner mutuellement.

Le temps s'écoulant, l'échéance fatidique des six mois de sursis avancée par les médecins finit par appartenir au passé. Colette et Jeanine ne s'en réjouissaient pas pour autant, car l'état de santé de leur mère ne s'améliorait pas.

L'inactivité aidant, Jeanine commençait à avoir des fourmis dans les jambes, signe d'un besoin profond, impérieux, qu'elle ne pourrait bientôt plus combattre.

Une force bien ancrée en elle la poussait constamment vers l'inconnu, les difficultés, la lutte pour la survie.

14

À Altamirano

Longtemps Lydie n'avait pas compris pourquoi sa mère retournait toujours là où il y avait des problèmes, des risques et des difficultés. Elle avait souvent mis son envie de partir sur le compte d'une insatisfaction permanente, liée au fait qu'elle ne se sentait bien nulle part. Avec le temps, son opinion s'était radoucie. Elle avait alors mieux saisi cet élan chez sa mère qui consistait à sauver les autres, non d'eux-mêmes, mais plutôt des dangers qui les entouraient. Elle en était aussi venue à accepter plus facilement que sa mère puisse mieux réagir dans l'action, là où il y a un défi à surmonter, là où on a besoin d'elle. À l'intérieur de ces zones, Jeanine était à l'aise, car c'était ce qu'elle avait toujours connu.

Dès sa petite enfance, Jeanine avait combattu la maladie et s'en était tirée saine et sauve grâce aux soins et à l'amour de sa famille, mais aussi à cause de l'instinct de survie qui l'habitait et de son goût de vivre qui dépassait tout. Déjà, elle n'avait pas peur de ses propres souffrances.

Très jeune elle révéla également l'aspect impulsif, de son tempérament. Si ses parents la grondaient pour quelque bêtise, elle filait et allait se percher sur les branches d'un arbre pendant des heures. Ou encore elle prenait une petite valise dans ses bras, franchissait la porte et «partait», elle ne savait où mais elle partait. Elle avait toujours ce ressort en elle qui la rendait différente des autres et qui la faisait réagir autrement.

Au début de la Deuxième Guerre mondiale, en France, Jeanine avait 11 ans. Lorsque les bombardements avaient commencé, la famille de Jeanine et la population de Moyeuvre-Grande, en Lorraine, avaient alors reçu l'ordre d'aller «vivre» dans les mines, en bordure de la ville, pour se réfugier. Chaque famille avait droit à un matelas, à un petit réchaud à alcool, à quelques ustensiles de cuisine. Les denrées se raréfiaient car l'armée française réquisitionnait la majorité des arrivages.

Jeanine découvrit tout à coup que l'âge des jeux était révolu. Elle venait de perdre son innocence. Ce grave chambardement dans sa vie quotidienne développa davantage son amour pour tout ce qui vit et fit d'elle une enfant pleine d'initiative, d'audace et de courage.

Au fond de cette cache humide et terreuse, elle voyait tous ces gens angoissés et ces enfants effarouchés. Sa petite sœur Colette et son frère Jean-Louis, d'un an plus âgé, étaient cachés au fond de la mine et tremblaient de peur. La vue de ce gîte souterrain rempli d'êtres humains inquiets et affamés insuffla à la jeune fille une énergie de désespoir. Dans sa petite tête d'enfant, il fallait faire quelque chose pour soulager cette détresse. Elle décida donc de sortir de ce trou et d'aller chercher des vivres dans leur demeure, abandonnée quelques jours plus tôt.

Elle ne pouvait pas s'y rendre par la forêt car l'armée française, sur un pied d'alerte, s'y était camouflée. La seule façon d'y parvenir était de traverser un parc complètement à découvert, cible idéale pour les rafales de mitraillettes et les bombardements des avions allemands.

Tantôt en rampant, tantôt au pas de course de ses jambes maigres et musclées – les longues promenades en forêt avec son père l'avaient bien servie –, Jeanine réussit à atteindre la maison et à rapporter des aliments que sa mère avait mis en réserve, au cas où… Les jours suivants, elle répéta le dangereux stratagème, ces fois-là accompagnée de son grand frère, Jean-Louis. La petite Colette, silencieuse, recroquevillée dans son coin, saluait toujours le retour de sa grande sœur avec un large sourire, et ses yeux exprimaient de l'admiration.

Aujourd'hui, l'une comme l'autre savait bien que, tout aussi ancienne qu'inépuisable, la combativité de Jeanine réclamait, encore une fois, qu'elle quittât son nid pour s'exposer au monde.

⁂

Aussi, quand elle décida de reprendre la route, ni Lydie ni Colette ne s'y opposèrent, bien que Mme Archimbaud fût très malade. Pour ne pas que Jeanine se sente coupable, Colette lui déclara : « Ta présence ne changera rien à la situation de maman; nous sommes là pour nous en occuper, tandis que toi, tu as encore des choses à faire… Si sa condition se détériore, je communiquerai avec toi. »

Ce qui cependant convainquit le plus Jeanine qu'elle pouvait repartir fut le message qu'elle lut dans les yeux souriants de sa vieille mère. Ses parents avaient toujours tenu à ce qu'elle n'abandonnât jamais ses projets d'aide humanitaire et l'avaient toujours assurée de leur soutien. Encore maintenant, sa mère l'encourageait à partir, sachant qu'elle serait plus heureuse « là-bas »…

Ce départ, en septembre 1984, n'avait pas été improvisé et ne s'était pas décidé sur un coup de tête. Jeanine avait obtenu un contrat du Centre d'enseignement et de coopération internationale, un organisme établi à Montréal, pour aller travailler au Mexique durant deux ans. Pour la première fois en quatorze ans de travail humanitaire, Jeanine recevrait une rémunération normale, soit le salaire minimum, en plus du billet d'avion et d'une assurance maladie. Cela rassura sa mère, toujours inquiète des moyens de subsistance de sa fille, car jusque-là, Jeanine ne s'était jamais trop souciée de cet aspect de la vie. Elle avait vécu un peu comme une idéaliste, sans sécurité de revenu ni fonds de pension en prévision d'une « retraite ». Ce mot d'ailleurs lui avait toujours été étranger : elle ne voyait pas pourquoi elle devrait s'arrêter un jour. Toutefois, maintenant qu'on lui offrait, à 57 ans, ce contrat en bonne et due forme, elle appréciait les avantages qui s'y rattachaient.

Le jour du départ, le regard de Mme Archimbaud, allongée sur son lit, chercha et trouva celui de sa fille, et les deux femmes surent qu'elles pensaient la même chose. À moins d'un miracle, elles ne se reverraient plus.

⁂

Lorsqu'elle vivait au Guatemala, Jeanine avait entendu parler d'un village du Chiapas, nommé Altamirano, à majorité indigène, situé à l'orée de la vaste forêt vierge de la plaine de Lacandonie, dont les habitants, les Lacandons, sont considérés par certains historiens comme les descendants directs des Mayas. Le village était pourvu d'un hôpital, l'*Hospital San Carlos*, équipé de 70 lits et dirigé par les sœurs de la Charité de Saint-Vincent-de-Paul. L'hôpital était un des seuls à recevoir les Indiens de la jungle et les réfugiés guatémaltèques. C'est là qu'elle travaillerait. On lui avait conseillé fermement de prendre un grand soin de ses papiers et, surtout, de se déclarer comme une touriste en visite au pays, évitant de mentionner le travail social auquel elle se livrerait. Les étrangers avaient toujours été considérés comme indésirables au Chiapas par les autorités mexicaines, et cela allait perdurer.

Jeanine savait qu'elle n'avait pas choisi le meilleur moment de l'année pour revenir au Mexique. En mai, la saison des pluies était bien entamée. Les rivières jaune et brun charriaient de la terre et des troncs d'arbres, résultat d'éboulis et d'affaissements de terrain. Les routes des montagnes, boueuses et accidentées, étaient loin d'être accueillantes pour les véhicules. Par la fenêtre de l'autobus, Jeanine apercevait en contrebas des camions et des remorques immobilisés dans les ravins. Les pluies persistaient et le conducteur de l'autobus faisait avancer son véhicule prudemment.

Au bout d'une trentaine de kilomètres, le conducteur indiqua à Jeanine, au loin, les premières maisons d'Altamirano, masquées par une épaisse brume. Après être entré dans le village, il immobilisa le véhicule dans la cour intérieure de l'hôpital San Carlos, déposant Jeanine sous le toit du corridor extérieur, à l'abri de la pluie.

Il faisait froid. On était à l'heure du repas de midi et le conducteur de l'autobus alla aviser les religieuses de l'hôpital de la venue de Jeanine. Il retourna ensuite à son autocar et quitta la ville.

Sous un plafond de ciel très bas, devant un paysage impénétrable, Jeanine demeura assise sur le bout d'un banc de pierres et attendit qu'on vînt la chercher.

Que se passait-il? Le temps avançait et personne ne s'occupait d'elle. Elle était certaine qu'on l'avait oubliée mais elle n'osait pas aller déranger les sœurs pendant l'heure du repas. Gelée, affamée, elle eut une envie irrésistible de pleurer.

Elle faisait penser à une âme en peine et, si un ami l'avait aperçue dans cet état, à ce moment précis, il ne l'aurait pas reconnue. En réalité, depuis quelques années, elle ressentait cette langueur lors des premiers instants où elle arrivait dans un endroit nouveau. Ensuite, au contact des gens, l'effet désagréable de solitude et du sentiment d'être une étrangère disparaissait.

Lorsque finalement on s'intéressa à elle, on lui exposa la raison du malentendu. La sœur Adela, la directrice médicale-administratrice-chirurgienne était occupée en salle d'opération et aucune autre religieuse n'avait osé prendre l'initiative d'aller l'accueillir! Jeanine en resta estomaquée, mais elle mit cette maladresse sur le compte d'un concours de circonstances et passa l'éponge.

Une autre religieuse l'escorta jusqu'au réfectoire des médecins. L'heure des repas étant terminée, il n'y avait plus personne dans la salle et on lui offrit des plats froids. Seule, transie, Jeanine n'avait qu'un souhait : celui d'oublier au plus vite ces dernières heures grises et décevantes.

À peu près à l'époque de l'arrivée de Jeanine à Altamirano, en 1984, le gouvernement mexicain avait décidé de déloger les réfugiés guatémaltèques du Chiapas et de les déporter vers le nord. Les autorités mexicaines ne voulaient surtout pas voir se développer des activités révolutionnaires dans une région aussi «à risque» que le Chiapas.

Au milieu de la forêt lacandone, les réfugiés avaient réussi à recréer un semblant de vie communautaire. Munis de machettes, ils avaient utilisé les matériaux que leur offrait la jungle pour se construire des habitations sur des terres non défrichées, près des ruisseaux et des rivières. Ils avaient bâti une petite chapelle, une coopérative, un dispensaire, et un *rancho* pour chaque famille.

Lorsque l'armée mexicaine avait envahi la forêt, sans avertissement, c'est à coups de crosse de fusil qu'elle avait chassé les réfugiés guatémaltèques de leurs masures. Les soldats avaient mis le feu à celles-ci, détruit les chaloupes et les barques, puis cordé les réfugiés comme du bétail dans des camions, sans eau, sous une chaleur tropicale, pour les mener vers Campeche ou Quintana Roo, dans le Yucatan, régions arides et désertiques. Ces «voyages» vers le nord laissèrent des centaines de morts. La tragédie que ces gens avaient vécue au Guatemala se répétait au Mexique.

À l'hôpital San Carlos, les religieuses n'accueillaient donc plus de réfugiés, mais seulement des Mexicains de la région et des Indiens de la forêt lacandone, soit environ 5 000 par année, atteints principalement de la tuberculose.

L'hôpital employait 75 personnes, dont une douzaine de médecins, hommes et femmes, des étudiantes infirmières, deux étudiants médecins ainsi que des auxiliaires de santé en apprentissage, toutes indiennes, enfin des menuisiers, des électriciens et des hommes à tout faire.

Dès le lendemain de son arrivée, Jeanine commença son travail auprès des religieuses. Au fil des semaines, elle les aida à rénover les cuisines, à abattre des murs. Elle s'occupait de la buanderie, du nettoyage des toilettes, du ménage. Nouvelle venue à cet endroit où tout un système était déjà mis en place, elle s'était offerte elle-même à ces menues tâches qui, à ses yeux, demeuraient importantes. Entraînée depuis l'enfance aux travaux manuels et domestiques, elle s'en accommodait toujours avec plaisir. Jamais, durant cette période, elle ne se plaignit de n'être qu'une employée parmi d'autres, et les religieuses, qui connaissaient son passé remarquable, apprirent à l'apprécier doublement.

⁂

Le 4 mars 1985, neuf ans jour pour jour après le décès de son mari, Mme Archimbaud succomba à la maladie. Jeanine apprit la mort de sa mère deux semaines plus tard, à cause de l'absence de téléphone et de service télégraphique à Altamirano. Dès qu'elle sut la nouvelle, transmise par Colette, elle se retira dans sa chambre, où elle passa la soirée à faire sa valise et à pleurer. En quelques années seulement, elle avait perdu son père, puis Enrique, et maintenant sa mère. Coïncidence étrange, elle avait perdu ces trois êtres chers alors qu'elle se trouvait loin d'eux.

Toute la soirée, elle espéra que quelqu'un vînt la consoler de la mort de sa mère. Elle entendait des pas et des chuchotements près de sa chambre, mais aucune religieuse ne frappa à sa porte. Elle comprit que la mort frappait aussi les familles de ces femmes et que souvent, à cause de leur travail à l'hôpital et de leur engagement, elles ne pouvaient elles-mêmes se rendre au chevet d'un parent décédé. L'attitude de ces religieuses était de se retirer dans un silence protecteur et bienfaiteur, lorsque l'une d'elles était ainsi affligée, lui témoignant leur respect en observant une grande discrétion à son endroit.

Après quelques heures d'un sommeil où de belles images de sa mère l'accompagnèrent et s'imprimèrent en elle, Jeanine s'éveilla à l'aube. Convaincue que sa mère lui laissait le plus bel héritage, soit le courage de continuer, elle quitta l'hôpital San Carlos en paix.

Dans l'avion entre Mexico et Montréal, Jeanine pensa beaucoup à Colette, se disant que si sa sœur avait eu la chance de vivre plus de moments heureux qu'elle avec leur père et leur mère, lors des fêtes d'anniversaire et au fil des petites joies quotidiennes, elle avait dû par contre affronter leur maladie et leur mort à leurs côtés.

Elle se souvint aussi que, lorsque Lydie avait été hospitalisée pour une grave opération chirurgicale, en 1983, Colette l'avait remplacée courageusement auprès de sa fille. Elle réfléchit à cette solidarité dont elle avait été témoin toute sa vie dans sa propre famille, et y découvrit la source profonde de son engagement humanitaire.

Au cimetière, sa mère et son père reposaient côte à côte, ensemble comme ils l'avaient été toute leur vie. Colette lui raconta que leur mère avait quitté ce monde le sourire aux lèvres, sachant qu'elle s'en allait rejoindre son mari qui l'attendait.

⁂

Jeanine n'osait pas y croire : Huguette Lefranc, sa précieuse collaboratrice depuis cinq ans auprès des organismes de coopération internationale, annonçait sa venue à Altamirano. Huguette connaissait bien le Guatemala, mais son lien avec le Chiapas se limitait à sa correspondance avec Jeanine. Quand, quelques semaines plus tard, elle et son mari débarquèrent chez Jeanine, ils étaient chargés d'articles utiles. Après les embrassades et les accolades, Jeanine trouva dans une valise que Lucien parvenait à peine à soulever une soixantaine de livres! Des ouvrages en espagnol sur la médecine et la santé, qui seraient d'une grande utilité pour les cours offerts aux promoteurs de santé du village et des environs. Ils avaient été donnés, ainsi qu'un appareil permettant l'examen du fœtus, un stéthoscope fœtal, par l'Assistance médicale internationale.

Les Lefranc ne paressèrent pas durant leur séjour. En faisant le tour de l'hôpital, ils virent que les eaux usées de l'établissement se déversaient à ciel ouvert. Lucien dressa le plan d'un système d'égout et de draînage pour l'hôpital, les résidences et la *quinta* (maison d'accueil). Puis, tous ensemble, autour d'un ingénieur local qu'ils avaient engagé, ils posèrent des drains sur plus d'un kilomètre, pour que les eaux usées puissent se déverser loin de l'hôpital.

Un dimanche, Huguette voulut aller voir l'église et assister à la messe en compagnie de Jeanine. Les Ladinos et les Indiens ne participaient pas en même temps à l'office religieux, les Indiens ayant leur messe à la suite de celle des Ladinos, vestige d'une ségrégation centenaire. Durant la cérémonie, parmi les paysans indiens qui chantaient en une sorte de murmure, Jeanine vit Huguette pleurer sans pudeur, incapable de se retenir devant tant de pauvreté. Se retrouvant au milieu de ce rassemblement d'aborigènes, où la faim, la tristesse et l'humiliation se révélaient sur des visages vieillis prématurément, Huguette découvrait une réalité à laquelle elle ne pouvait croire qu'en la côtoyant. Elle en fut malade pendant quelques jours. Sa réaction si vive n'étonna pas Jeanine, car elle-même ne s'était jamais accoutumée complètement à cette misère.

Au service de pédiatrie, on requérait de plus en plus la participation de Jeanine, à cause de son expérience dans ce domaine. De son côté, Huguette, voulant se rendre utile et refusant l'oisiveté, offrait à Jeanine son aide en tout temps, l'accompagnant souvent dans ses activités à l'hôpital. C'est ainsi qu'un jour elle vit Jeanine et un médecin accueillir une femme de 35 ans qui arrivait des montagnes, mal en point, prête à accoucher. Quand l'Indienne, qui perdait déjà beaucoup de sang, passa près d'Huguette alors qu'on l'emmenait dans la salle d'accouchement, elle lui sourit. Huguette lui rendit son sourire, et ce bref échange suffit à établir un lien entre les deux femmes. Huguette pénétra alors dans la salle d'accouchement à la suite de Jeanine, se posta non loin de la patiente et l'assura de sa présence. L'accouchement s'avéra difficile et, la vie de la mère étant en danger, on demanda à Huguette si elle voulait lui donner de son sang. Elle y consentit spontanément. Devant l'urgence de la situation, personne ne s'interrogea sur la compatibilité des groupes sanguins. (Huguette apprit plus tard qu'elle appartenait au groupe O, donneurs universels.) On emmena vite Huguette dans une autre pièce, on la fit s'étendre sur un lit et on procéda à la prise de sang. Pendant que le contenant de verre s'emplissait du précieux liquide rouge, elle espéra de tout son cœur que son don pourrait sauver cette femme et son enfant. Elle demeura ensuite allongée un moment, puis se leva et sortit dans le corridor.

Son don n'avait malheureusement pas été suffisant. Jeanine lui fit un léger signe et la prit à part pour lui annoncer la mort de la mère et du bébé. Huguette s'effondra en sanglots.

Leur séjour terminé, les Lefranc firent une dernière visite à San Cristobal de Las Casas, puis prirent congé de Jeanine. En les regardant s'éloigner dans l'autobus qui les emmenait à l'aéroport de Tuxtla Gutierrez, la capitale du Chiapas, cette dernière eut un pincement au cœur. Même si, depuis quinze ans, elle avait choisi en toute lucidité de vivre loin du Québec, la visite d'amis ou de parents la rassérénait toujours et leur départ la peinait.

Laissée à elle-même, elle s'acquitta de ses courses à San Cristobal et rentra à Altamirano.

Tout semblait fonctionner parfaitement à l'hôpital San Carlos. Un jour, pourtant, la sœur Adela fit des confidences à Jeanine : la situation financière de l'hôpital était catastrophique, et elle ne voyait pas comment on pourrait continuer l'enseignement et les cours de santé aux Indiennes de la forêt lacandone. Cela signifiait qu'une cinquantaine de femmes et de filles aborigènes ne bénéficieraient plus de ces services. Cela voulait dire aussi qu'elles ne pourraient pas transmettre à leur tour leurs connaissances à leurs propres communautés, disséminées dans la forêt. L'enjeu était important et la sœur Adela réclama l'aide de Jeanine : aurait-elle une idée pour les sortir du pétrin? Elle savait Jeanine habituée à traiter avec des fondations et des organismes d'aide internationale. Déjà elle avait obtenu aux religieuses des dons pour quelques projets mineurs. Cette fois-ci cependant, le besoin était immense et urgent. Jeanine réfléchit et, au bout d'un moment, avança le nom d'une fondation du cardinal Léger, Fame Pereo, s'adressant plus spécialement aux femmes.

Le défi n'était pas mince et cela enchanta Jeanine. Elle se mit au travail pour préparer la demande d'aide, qui devait expliquer en détail comment les fonds octroyés seraient utilisés. Elle communiqua avec son ami don Samuel Ruiz, à San Cristobal, et reçut une lettre de recommandation qu'elle ajouta au dossier. Le tout fut envoyé à Huguette Lefranc, à Montréal, qui alla elle-même remettre la demande au bureau de la fondation.

Le montant demandé était énorme : 56 000 $. Pour tromper leur attente, les religieuses entreprirent des neuvaines, tandis que Jeanine se croisa les doigts!

Elle apprit à connaître un peu mieux ces sœurs de Saint-Vincent-de-Paul, qui lui semblaient hors de l'ordinaire. Leur travail était fortement ancré dans la réalité des Indiens et elles consacraient peu de temps, voire pas du tout, à l'«évangélisation» au sens strict du terme. Leurs préoccupations étaient avant tout d'ordre médical et pédagogique.

Parmi ces religieuses se trouvait la sœur Cristina, un personnage peu banal pour qui Jeanine se prit d'affection. Cette femme était à la fois anesthésiste, dentiste, responsable du laboratoire et de la salle d'opération, spécialiste des soins aux brûlés, professeur de guitare et animatrice des réunions des A.A. ! Les tenanciers des bars de la région lui en voulurent longtemps pour ses campagnes antialcooliques et la diffamèrent allègrement plus tard par l'entremise de journaux sans scrupules.

Jeanine aurait donné gros pour pouvoir serrer dans ses bras son amie Huguette lorsqu'elle reçut la réponse de la fondation du cardinal Léger : la demande avait été acceptée! Après le choc, car personne n'arrivait à y croire, la joie se répandit entre les murs de l'hôpital San Carlos.

L'euphorie passée, les religieuses décidèrent de n'utiliser dans un premier temps qu'une partie de l'argent et de déposer le reste dans un compte bancaire. À cette époque, le taux d'intérêt était de 36 %! Elles profitèrent de cet avantage pendant un maximum de temps, ce qui leur permit d'accepter encore plus d'étudiantes aux cours de santé, et, au lieu des deux années prévues, le programme se poursuivit une dizaine d'années supplémentaires.

❧

Lorsque Jeanine faisait des courses au village pour l'hôpital, elle rencontrait dans la rue des Ladinos qui avaient pour elle des regards haineux et des paroles blessantes, tout comme ils en avaient pour les religieuses. Elle en connaissait le motif : leur travail auprès des Indiens. Habituée à ces manifestations d'animosité, elle s'en souciait peu. Par contre, elle était incapable d'accepter l'arrogance dont faisaient preuve certains Ladinos lorsqu'ils se présentaient à l'hôpital. Maugréant contre le fait qu'ils devaient faire la queue en compagnie des Indiens, ils réclamaient un traitement de faveur. Ni Jeanine ni les religieuses ne se soumirent à cette demande odieuse. Certains riches propriétaires blancs ou métis n'oublieraient pas de sitôt cette attitude qu'ils considéraient comme un affront.

Jeanine sentait une hargne parmi la population, une tension très grande entre Indiens et Ladinos. Si bien des choses avaient changé depuis la conquête hispanique, le mépris du Ladino envers l'Indien n'avait jamais disparu entièrement. Il se manifestait clairement par un complexe de supériorité et, curieusement, se combinait avec une crainte des Indiens due à leur richesse historique, au mystère qui les entoure, à leurs rites et à leurs coutumes, à leur vie spirituelle, enfin à leur nombre, égal ou parfois supérieur selon les régions. Étrangement, beaucoup de Ladinos avaient du sang indien dans les veines, mais, pour eux, le Maya demeurait étranger, mystérieux, menaçant.

Depuis quelques années les populations aborigènes des Amériques commençaient à revendiquer leurs droits et le respect qui s'y rattachait. Que ce fût au Chiapas ou au Guatemala, l'émancipation indienne était intolérable à un pouvoir érigé sur la discrimination raciale.

En 1986, autour d'Altamirano, se produisirent des incidents graves impliquant l'armée fédérale mexicaine et des paysans indiens, au cours desquels neuf de ceux-ci furent tués. Tout de suite après, le gouvernement fit en sorte que les villages et les hameaux indiens ne soient plus isolés, en aménageant des routes de terre y conduisant. L'armée pourrait ainsi intervenir plus rapidement. Ensuite, on érigea des casernes dans le giron d'Altamirano, où 3 000 soldats résideraient, pour parer à toute manifestation d'Indiens revendiquant de meilleures terres cultivables.

⁂

Un des rêves de Jeanine était de mettre sur pied un centre communautaire à El Arenal, un hameau situé tout près d'Altamirano. L'établissement logerait différents services : celui de l'éducation, celui de l'eau, et surtout celui des femmes, appelé le Centre de promotion de la femme indigène. Le centre communautaire deviendrait le cœur du village. Les jeunes pourraient s'y réunir et, s'ils le désiraient, travailler à leur mieux-être en compagnie de coopérants et participer à des sports. Son rêve prit quelque temps à se concrétiser, à cause de son ampleur, mais elle réussit à en amorcer la réalisation grâce aux dons des O.N.G. Elle se sentait enfin de plain-pied avec son environnement.

Elle avait pensé aussi aux femmes qui devaient marcher des kilomètres, dans des sandales trouées ou pieds nus, pour aller faire moudre le maïs, base alimentaire des Indiens. Avec l'aide d'Oxfam, elle put faire installer deux moulins à maïs au centre communautaire, ainsi que des douches publiques. Le projet commençait à prendre forme, mais les travaux furent ralentis quand la plupart des hommes du village d'El Arenal se virent monopolisés pour les semailles du maïs. Par ailleurs, des contretemps dus à la pluie, à des démarches incessantes et à des réunions interminables mais pourtant nécessaires avec les communautés indiennes du village où se réalisait le projet de Jeanine mirent sa persévérance à rude épreuve.

Momentanément, elle tomba dans le piège qui consistait à imposer son rythme à l'occidentale, dans le but d'accélérer les choses. Elle distribua les encouragements et les directives, expliqua son sentiment d'urgence, sa hâte de terminer les travaux afin de passer aux prochaines étapes. Au bout d'un moment, elle s'aperçut, à son grand bonheur, qu'elle ne parvenait pas à «contaminer» ces gens par son agitation et que c'était beaucoup mieux ainsi.

Jeanine était tellement engagée dans son travail avec les personnes qui l'entouraient à El Arenal et les enfants qui, à l'hôpital San Carlos, lui donnaient leur amour qu'elle se croyait à l'abri des coups de cafard. Pourtant, elle n'y échappa pas. Chaque fois, elle en était toujours attristée. Cette mélancolie s'appelait toujours *Guatemala* et soufflait le nom d'Enrique.

Car son souvenir continuait à la hanter. Quand, à certaines occasions, elle devait prendre des décisions de travail et que des doutes l'effleuraient, elle se demandait : «Est-ce qu'Enrique serait d'accord avec ma façon de faire? Approuverait-il ma conduite avec les Indiens?» Elle concluait en pensant que oui.

Au cours des trois dernières années, de 1984 à 1987, elle avait appris à s'adapter au climat et aux gens de cette région du Chiapas et elle s'y plaisait à merveille. Ses projets d'avenir, qu'elle gardait pour elle dans un coin de son cœur, étaient de s'installer un jour au hameau d'El Arenal, à demeure, pour s'occuper activement du Centre de promotion de la femme indigène. Elle aurait une petite maison, un jardinet. Elle avait même décidé de l'endroit où elle voulait être enterrée, quand tout serait terminé pour elle : derrière la chapelle, à la pointe triangulaire du terrain. Elle avait livré son souhait aux Indiens et ceux-ci, en guise d'amitié, lui avaient promis d'honorer sa demande.

Une lettre de Montréal vint rapidement mettre un terme à cette vision trop parfaite. Le Centre d'enseignement et de coopération internationale lui signifiait que son contrat, dont la fin était imminente, ne serait pas renouvelé. Une gifle lui aurait fait le même effet. Le motif invoqué : l'absence de directeur de projets pour le Mexique. Pourtant, peu après, elle apprendrait qu'une éducatrice se dirigeait vers le Mexique alors qu'il n'y avait toujours pas de directeur de projets pour ce pays.

Jeanine découvrait que le monde des O.N.G., malgré de bonnes intentions et des actions louables, recelait des contradictions et des anomalies, voire un certain favoritisme. Ou n'était-ce pas plutôt elle qui avait commis une «faute»? Les organismes non gouvernementaux, administrateurs de subventions, se montraient parfois chatouilleux. Une certaine rivalité existait entre eux et il était très mal vu de s'adresser en même temps à plus d'un organisme pour le même projet. Peut-être que le problème résidait là. Jeanine ne le sut jamais.

De toute façon, elle devait renoncer à ses beaux rêves. Sur son bureau, divers projets s'empilaient, dont celui d'un aménagement d'eau potable à El Arenal, qu'elle ne pourrait réaliser. Elle détestait ne pas pouvoir aller jusqu'au bout de ses engagements et cela lui brisait le cœur de laisser en plan ce qu'elle venait d'amorcer. Que diraient les habitants du village d'El Arenal? Les religieuses de l'hôpital San Carlos expliquèrent aux chefs indiens que Jeanine n'y pouvait rien et que la décision ne lui appartenait pas. Ils furent très peinés de la nouvelle. D'un commun accord, ils ajoutèrent leur signature à une pétition adressée aux responsables du CECI, leur demandant de revoir leur directive au sujet de Jeanine. Mgr Samuel Ruiz, de San Cristobal de Las Casas, prit le temps lui aussi d'écrire une lettre en ce sens aux directeurs de l'organisme. Ce fut peine perdue. Peu de temps après, Jeanine reçut une réponse négative. «Eh bien, tant pis, se dit-elle, je resterai encore quelques mois, à mes frais.» Ce n'était pas la première fois qu'elle se retrouvait sans salaire. Elle y était entraînée. Elle ne voulait pas abandonner ses projets aussi bêtement.

Au cours des deux dernières semaines de son séjour, tous les soirs, petit à petit, elle préparait ses bagages. Elle écrivit des lettres de remerciements et d'adieux à ses bonnes amies de l'hôpital, sans oublier un mot pour personne, ajoutant même une pensée pour les enfants de la pédiatrie de San Carlos.

Connaissant les coutumes des religieuses d'Altamirano, elle se doutait qu'elles préparaient en douce «*una despedida*», une fête d'adieux, pour la remercier de sa contribution, de son travail, de ce qu'elle avait été pour elles.

Jeanine savait qu'elle ne pourrait pas supporter ces célébrations, fussent-elles simples et bien intentionnées. L'émotion serait trop forte. Il n'y avait qu'une solution pour y échapper : partir à la sauvette. Rien que d'y penser, elle en était gênée et ne se trouvait guère «bien élevée».

Cela ne l'empêcha pas de mettre son plan à exécution. Le dernier matin, à quatre heures, alors que tout le monde dormait encore, elle se leva, fit un brin de toilette, ferma ses valises et donna un dernier coup balai à sa chambre. Il n'y avait pas beaucoup de nettoyage à faire, la pièce ne contenant qu'une table basse, un bureau, un lit et une chaise, mais c'était son petit domaine et elle s'y était plu.

Dehors, il faisait encore frais et le ciel était à peine nacré. Des cotingas, cachés dans les arbres, l'accueillirent de leur pépiement. Elle marcha en direction de l'autobus, qui attendait au coin d'une rue, parmi des poules et des coqs. Elle y monta. Quelques minutes plus tard, le véhicule démarra, faisant voleter des plumes dans les airs.

Jeanine regardait en avant. C'était là l'histoire de sa vie : faire sa valise, la boucler, partir pour un autre endroit. Elle l'acceptait depuis longtemps.

À l'aéroport de Tuxtla Gutierrez, elle donna un coup de fil à Colette, à Montréal, et lui dit simplement : « J'arrive ce soir. »

15

En Amazonie bolivienne

À Montréal, les responsables d'une O.N.G. lancèrent un grand projet, sans recherches sérieuses préalables, et Jeanine en hérita. Elle devait aller installer une dizaine de postes de santé au Beni, département du nord-est de la Bolivie, dans la partie amazonienne, une région rebutante où peu de coopérants acceptaient d'aller.

À peine quelques précisions lui avaient été fournies, mais, comme elle n'avait pas encore perdu ses illusions, elle accepta le projet avec enthousiasme.

Lydie participa aux préparatifs et aida sa mère à régler les détails de dernière minute. C'était évidemment une façon pour elle de prolonger le contact avec sa mère, qui s'en retournait encore.

La veille du départ, elle lui réserva une chambre à l'hôtel de l'aéroport de Dorval. Jeanine y dormit et, le lendemain, après avoir délaissé son travail, Lydie devait la rejoindre pour partager d'autres moments avec elle avant de lui faire ses adieux. Mais lorsque, en fin d'après-midi, Lydie entra dans la chambre d'hôtel, elle n'y vit personne. Elle appela sa mère, éleva la voix, et comprit vite qu'elle était seule. Elle commença à s'inquiéter. Une feuille blanche sur la table de chevet attira soudain son attention. Elle s'approcha et lut la page arrachée d'un bloc-notes. Incapable de supporter les épanchements douloureux qui accompagnent les départs, Jeanine avait rédigé des adieux sur cette feuille, bien placée en évidence. Ces moments déchirants, elle voulait les épargner aussi à sa fille, et elle avait cru bien faire en agissant de la sorte. Le résultat fut que Lydie sortit de la chambre, aussi fâchée qu'attristée par le geste de sa mère. Elle se demandait pourquoi la vie n'était pas plus simple…

Pendant ce temps, Jeanine, dans l'avion, se rendait compte de sa maladresse et regrettait déjà son erreur. Elle se promettait bien qu'aussitôt débarquée en Bolivie elle lui écrirait une lettre pour se faire pardonner.

❧

Jeanine, à 59 ans, se retrouvait donc en Bolivie, en cette année 1987. Alors que l'objectif du projet était d'aider les populations les plus isolées en installant chez elles des postes de santé, rien n'avait été prévu pour le transport des matériaux et du personnel, dans une région où il n'y avait ni route ni eau potable! À Monte Azul, Jeanine rencontra un drôle de bonhomme, Jorge de Cortès, dont l'épouse était mairesse par intérim de Trinidad, une ville importante de la Bolivie. Il lui proposa son aide pour transporter des sacs de ciment et du matériel à bord de son avion, vers deux autres villages, San Ignacito et Monte Grande, où elle devait faire construire des postes de santé. Don de Cortès possédait des haciendas et sa «générosité» envers Jeanine était intéressée. Il trouvait un avantage personnel à ce que des aménagements nouveaux prennent place à ces endroits et il en tirait du prestige. La Bolivie était en pleine période électorale et de Cortès, travaillant pour un parti politique réputé réactionnaire, se présentait aux élections nationales. Il espérait récolter des votes supplémentaires en s'associant au développement de la région. Quand Jeanine découvrit les vrais motifs de l'aide qu'il lui apportait, elle persista, au lieu de le rejeter et de risquer de se retrouver davantage isolée et moins active auprès des populations qu'elle voulait desservir. Elle se dit qu'elle exploitait ainsi l'exploiteur!

Le bonhomme, âgé de plus de 70 ans, était enclin à la consommation exagérée d'alcool. Il aimait bien étaler à Jeanine son savoir sur cette région de l'Amazonie et, lors d'expéditions de reconnaissance en avion, il s'amusait à faire du rase-mottes au-dessus de lacs bourrés de piranhas, ces terribles poissons carnassiers.

Retenue en majeure partie du temps dans la pampa bolivienne, Jeanine se retrouvait seule sur le terrain à tenter de résoudre des problèmes presque insolubles. Elle devait se déplacer d'un village à l'autre assise à l'arrière d'une charette à bœufs, des heures durant, sous le soleil ardent et dans la poussière, ou exposée aux pluies fortes. Exaspérée, elle se mit à avoir des doutes sur la mission qu'on lui avait confiée. Car, à son avis, les projets planifiés dans un bureau de Montréal ne correspondaient pas toujours aux besoins profonds des populations auxquelles ils s'adressaient.

En avril 1988, impatiente, elle écrivit une lettre aux responsables de l'O.N.G. qui l'employait, une missive émaillée de constatations navrantes mais aussi de solutions et de suggestions réalistes.

D'après elle, les premières choses à faire étaient de creuser des puits d'eau potable, d'aménager des latrines, d'engager des experts en agriculture afin que les gens apprennent à cultiver des légumes, et de construire des écoles plus solides et résistantes aux pluies torrentielles. Elle aurait aussi aimé recevoir une aide technique, afin de pouvoir mener à terme les projets confiés.

Elle terminait sa missive par des mots qui trahissaient son humeur : «Je ne prétends pas avoir raison. J'exprime seulement ma façon de voir, vivre et sentir une réalité, celle du Beni et celle de la pampa. Je ne construirais sûrement pas des postes de santé pour justifier ma présence.»

En attendant qu'il soit possible de réaliser ces projets, elle s'attaqua à des besoins pressants. Dans les villages, elle avait constaté que les enfants, après avoir marché des heures pour se rendre à l'école, étaient épuisés, avaient faim, et bâillaient ou s'endormaient sur leurs bancs ou dans la cour. Elle décida d'instaurer des déjeuners scolaires. Dans chaque village, des mères mirent la main à la pâte, fabriquant des petits pains, préparant du lait chaud et sucré tous les matins. Tout fonctionna à merveille et les enfants profitèrent de cette initiative. Pourtant, certains trouvèrent le moyen de reprocher à Jeanine de « tomber dans le paternalisme ». Elle en vint à se dire que, pour ne pas y tomber, elle devrait laisser des enfants mourir de faim !

Cette remarque sur le « paternalisme » était bien caractéristique de ces coopérants qu'elle rencontrait parfois dans des bureaux de Montréal. Imbus de grandes théories, quelques-uns se disaient capables de s'adapter à toutes les situations et voulaient changer le monde tandis qu'ils parsemaient leurs conversations de « oui, mais moi, mon objectif humanitaire demeure... » ou encore de « oui, mais nous, ce que nous entendons par solidarité internationale, c'est... »

C'était, bien sûr, souvent ceux-là qui revenaient après deux semaines seulement de « travail humanitaire », incapables de trouver des motivations supplémentaires qui les auraient aidés à affronter les réalités quotidiennes d'une telle tâche.

Sans directives, sans support véritable, et subissant même des reproches à peine voilés sur sa conception de la coopération internationale, Jeanine songea à tout laisser tomber. La seule chose qui la retint et la fit persister, au long de ces deux années, fut la rencontre merveilleuse de Vilma Ibanez. Cette belle Bolivienne d'origine paysanne, d'allure costaude, au large visage réjoui, mère de trois grands enfants, avait réussi à s'arracher à des conditions de vie misérables, avait étudié et avait obtenu un diplôme d'auxiliaire de santé. Elle et son mari avaient trimé dur pour permettre à leurs trois enfants d'étudier et les faire accéder à un milieu plus ouvert et plus stimulant.

Lorsque Jeanine avait rencontré Vilma dans le petit village de Somopae, peu de temps après son arrivée en Bolivie, elle avait fait des démarches pour faire améliorer le petit centre de santé dont Vilma était responsable. Il s'agissait de compléter l'ameublement et d'ajouter du matériel de premiers soins. La demande d'aide qu'elle avait acheminée aux organismes concernés avait incompréhensiblement été refusée. Cela n'avait pas empêché Vilma de lui offrir toute sa collaboration et son soutien.

Jeanine avait donc fait de cette femme pleine de talents et d'énergie son bras droit et sa grande amie dès ses débuts en Bolivie, et elle bénéficiait de son aide inestimable. Vilma possédait une grande connaissance du pays et des besoins véritables des gens, et n'hésitait pas à la partager avec sa nouvelle compagne.

Cette femme rayonnante était le type même de ces Boliviennes que Jeanine admirait. Fonceuses, vaillantes, joyeuses, elles dirigeaient les travaux à faire, même auprès de leur mari. Isolées à des dizaines de kilomètres les unes des autres, ces femmes se réunissaient toutes les semaines dans un village donné, pour le plaisir de se rencontrer et pour trouver des solutions à leurs problèmes quotidiens. Elles venaient travailler dans leur jardin communautaire, à Monte Azul, et Jeanine les voyait parler de leurs difficultés, de leurs besoins, et s'amuser.

Lors d'une épidémie de fièvre jaune, Vilma et Jeanine se retrouvèrent ensemble à destination de la région amazonienne. Après avoir reçu elles-mêmes un vaccin à Trinidad, une ville du centre de la Bolivie, elles se dirigèrent vers Monte Grande, dans le nord du pays. Des pirogues les attendaient, chargées d'équipement et de vivres. L'expédition se mit en branle, à pied d'abord, avec son chef, don Benjamen, le fils de celui-ci, Nacho, Jeanine et Vilma. Les pirogues avaient été placées sur des charrettes attelées à deux bœufs, qui les tiraient vers la rivière. Rendu là, on déposa les pirogues par terre et les bœufs les tirèrent jusqu'à l'eau avec leurs passagers, guidés par Nacho qui pataugeait dans la rivière menaçante, le fusil en bandoulière, aux aguets, prêt à toute éventualité. Jeanine s'étonnait de l'audace de ce jeune homme quand elle le vit soudain épauler son fusil, viser et tirer. Deux secondes plus tard, à l'aide de sa machette, il sortait un serpent des eaux troubles de la rivière et le portait haut comme un trophée au bout de la lame.

Sur les rives des *arroyos* (ruisseaux) vivaient des familles indiennes isolées, «*Los Chimanes*». C'est chez elles que Jeanine et Vilma se rendaient, munies d'un petit réfrigérateur portatif à gaz propane rempli de médicaments, don de l'Unicef, afin de distribuer soins et vaccins à ces gens aux prises avec la fièvre jaune.

Cette expédition dura plusieurs jours. On s'arrêtait une heure à un endroit, on répétait les mêmes opérations, puis on repartait.

Malgré les années passées au Guatemala et son séjour dans la forêt mexicaine, Jeanine n'avait jamais assisté à un tel déploiement de beauté et de diversité que celui des oiseaux de l'Amazonie bolivienne, rivalisant de bruits insolites, de chants moqueurs ou solennels, de plumages aux couleurs indescriptibles.

En soirée, le groupe quittait les pirogues, déchargeait l'équipement et s'abritait sous un immense toit de palmes déjà planté sur les bords de la rivière. Jeanine installait son hamac en guise de lit, puis le moustiquaire tout autour, en prenant soin de ne laisser aucune ouverture. L'humidité et la chaleur de la forêt, inondée de pluie huit mois par année, favorisaient la multiplication des moustiques, ainsi que leur taille. Ces parasites volants qui gâchaient la vision du spectacle de la jungle amazonienne le jour et, la nuit, de son ciel noir serti d'étoiles, étaient capables de rendre fou le plus tolérant des Occidentaux! Les aborigènes, bien que subissant eux aussi les piqûres de ces moustiques, en ressentaient à peine la douleur, à cause de leur peau durcie.

Heureusement pour Jeanine, Vilma demeurait la plus agréable des amies et, la nuit tombée, elles continuaient de causer pendant des heures, chacune dans son hamac, côte à côte. Elles parlaient des femmes boliviennes et de leur misère, de leurs pays respectifs, de leur vie personnelle.

Jeanine se souvint toujours de Vilma, une femme profondément heureuse malgré sa pauvreté, et remplie de courage et de détermination. Si elle ne quitta pas ce pays avec un sentiment d'échec – elle avait réussi tout de même à y faire construire trois postes de santé –, cette femme y était pour beaucoup. Toujours gaie, elle avait su insuffler à Jeanine la dose d'énergie qui lui manquait parfois, autant moralement que physiquement.

Vilma, qui ne possédait presque rien, ignorait que ses paroles resteraient gravées à jamais dans le cœur de Jeanine lorsqu'elle lui dit : « Si, un jour, vieille et pauvre, vous ne savez où aller, venez chez moi dans mon humble *casilla*. Il y aura toujours une place pour vous. »

16

Un nid quelque part

«*Two months investigation reveals problems*[1].» Voilà ce que disait le télégramme de mise en garde signé John Younger et adressé à Jeanine à Montréal en septembre 1989, en provenance du Guatemala. Car Jeanine, après son décevant séjour en Bolivie, était revenue au Québec pour quelques mois, afin de se soumettre à des examens au département des maladies tropicales de l'Hôpital général de Montréal. Les examens confirmaient la maladie osseuse de Paget, de l'arthrose dans les vertèbres lombaires ainsi qu'une fracture de la deuxième lombaire, conséquence d'une chute de hamac dans la pampa bolivienne.

Elle ne se plaignait pas de ses bobos. Ce contre quoi elle maugréait était l'ennui, l'inaction. Elle ressentait un sentiment d'inutilité. Et lorsqu'elle manifesta le désir de retourner au Guatemala malgré les dangers potentiels qu'elle encourait, ni Colette ni Lydie ne réussirent à l'en dissuader.

La situation générale au Guatemala, quoique encore marquée par la violence et la répression, s'était quelque peu apaisée. Les élections de décembre 1985 avaient mis à la tête du pays le premier président civil depuis un quart de siècle, Vinicio Cerezo, leader d'un nouveau gouvernement démocrate-chrétien fondé sur la non-participation de la majorité de sa population. La démocratie prônée par Cerezo était sérieusement ternie par l'armée, qui affirmait encore son pouvoir[2].

1. «Une enquête de deux mois révèle des problèmes.»
2. La guerre civile des années 1980 a fait 100 000 morts et 40 000 disparus.

Jeanine voulait y retourner, sans but précis a priori, si ce n'était une envie irrépressible de se retremper là où elle avait recommencé sa vie en 1970, de revoir le village de Nuevo Progreso, ses habitants, l'*Hospital de la Familia*, de se retrouver là où elle avait vécu les quatre plus belles années de sa vie avec Enrique. Peut-être aussi y avait-il en elle un désir inavoué de revivre un bonheur perdu, même en l'absence d'Enrique, grâce à son souvenir.

Peut-être aussi se cherchait-elle elle-même et que retourner là-bas était le seul moyen de renouer avec la femme qu'elle avait été.

Depuis quelques années, elle entretenait une correspondance avec le *padre* Bertoldo. L'incident du dixième anniversaire de l'inauguration de l'*Hospital de la Familia*, lors duquel, en 1986, un magazine avait à peine mentionné sa participation à la création de l'hôpital, était effacé, grâce à sa bonne amie Rosydalia. En effet, quelque temps plus tard, Rosydalia, occupant alors de plus grandes responsabilités, s'occupa à rétablir les faits et à rendre à Jeanine ce qui lui revenait. Dans un numéro subséquent où il était encore question de l'hôpital, elle rappelait le rôle capital que Jeanine avait joué depuis le tout début dans cette aventure, et toute la somme de travail et d'amour qu'elle y avait investie. Elle avait choisi une magnifique photographie de cette période, où on voyait Jeanine à Nuevo Progreso avec un bébé dans les bras, Véronica, le bébé de Thelma, qu'elle nourrissait à la bouteille.

Le *padre* ne cessait donc de lui répéter ces mots : « Violeta, ta place est ici. » John Younger n'en pensait pas moins et il lui lançait le même message à l'occasion. Elle avait donc téléphoné à John, l'avertissant de son arrivée prochaine. John avait alors demandé au ministre de la Défense du Guatemala de l'époque, le général Gramajo, une connaissance, de se livrer à une petite enquête. Il ne voulait pas voir Jeanine exposée à des menaces ou à de la provocation, à cause des événements des années passées avec Enrique et de son travail avec les Indiens. La réponse à la petite enquête avait tardé à venir. Jeanine, peu encline à la patience, était déjà en route pour le Guatemala lorsque le télégramme d'avertissement gagna Montréal. Ce furent Colette et Lydie qui lurent la phrase « *Two months investigation reveals problems*», qui n'avait rien pour les rassurer.

Toutefois, Jeanine et John avaient convenu d'un plan : elle rejoindrait à l'aéroport de Los Angeles un groupe d'une trentaine de médecins américains volontaires, en route pour l'*Hospital de la Familia* et elle se confondrait à eux à titre de médecin; ensuite, à l'aéroport de Ciudad Guatemala, elle se ferait toute petite parmi eux et tendrait son passeport comme les autres, en espérant le mieux.

Tout se déroula tel que prévu, sans la moindre anicroche. Les seuls moments d'émoi furent quand elle franchit la porte menant à l'intérieur de l'aéroport de Ciudad Guatemala : l'odeur et les bruits qui y régnaient la ramenèrent huit ans plus tôt, lorsqu'elle en était sortie en pleurs, apeurée et pitoyable dans sa petite robe fripée, escortée par deux hommes de l'ambassade française. Ce vif souvenir douloureux ne dura que quelques secondes, remplacé par la pensée qu'elle allait revoir John, après dix ans.

Ils se reconnurent d'assez loin : il avait conservé son sourire séduisant et il arborait davantage de cheveux blancs; elle portait des lunettes, ses cheveux toujours aussi abondants possédaient de beaux reflets argentés, tandis que sa démarche était moins assurée. Rendus face à face, ils se sourirent et s'étreignirent comme deux copains se retrouvant.

Ce fut lorsqu'elle arriva à Nuevo Progreso, devant l'*Hospital de la Familia*, que Jeanine éclata en sanglots et que «les eaux de Versailles reprirent leur cours»... Le *padre* reconnut sa «Violeta» au milieu du groupe et s'élança dans sa direction. Leur amitié n'avait pas pris une ride. Si le *padre* s'était montré parfois insupportable, avec son humour décapant, Jeanine avait appris à lui donner la réplique et à ne pas s'en laisser imposer. Ils avaient réussi à travailler ensemble et avaient accompli de belles réalisations. Sous les guirlandes de fleurs et au son des marimbas, lors de l'accueil qu'on fit au groupe de médecins volontaires, tous les deux pleurèrent à chaudes larmes.

⁂

Ce furent des retrouvailles heureuses que celles de Jeanine avec «ses filles», les Indiennes avec qui elle avait travaillé, Rosydalia en tête, lesquelles avaient eu plusieurs enfants depuis; également avec les anciens patients du *doctor* Enrique, qui sortirent de la forêt pour venir la saluer, la remercier et lui parler de la grande gentillesse et de la générosité d'Enrique.

Cependant, au bout de quelques semaines à Nuevo Progreso, Jeanine sentit que ce retour en arrière ne correspondait pas à ses attentes et qu'elle ne pourrait pas «recommencer» sa vie là. Tout ce qu'elle y avait vécu appartenait au passé et il lui sembla absurde d'essayer de le faire revivre sous une autre forme. En outre, la direction de l'hôpital relevait maintenant de religieuses locales qui, sans le démontrer clairement, n'appréciaient pas tellement la visite de cette femme si populaire, ancienne directrice de l'établissement. Elles se sentaient menacées et semblaient craindre son retour. Jeanine s'aperçut qu'elle gênait, à une multitude de petits signes : elles manquaient d'amabilité envers elle, ne lui parlaient guère, ne posaient pas de questions, l'évitaient subtilement, ou la saluaient froidement si elles la croisaient.

Elle ne se sentait plus chez elle dans ce lieu, ni complètement acceptée. Si cet établissement avait été, dans le passé, «son» hôpital, ce n'était plus le cas maintenant. Quelque chose était brisé, que même le temps n'arrangerait pas.

Pourtant, le *padre*, quand il la prenait à part, ne cessait de lui répéter : «*Somos viejos, quedate aqui*» – «Jeanine, nous sommes vieux… Reste ici». Elle comprenait pourquoi le cher *padre* disait cela. Malade, fatigué, il espérait que Jeanine se révélât maintenant pour lui une infirmière, voire une mère. Il n'y avait plus personne pour le comprendre, le dorloter ou même le bousculer gentiment, ainsi qu'elle l'avait fait tant de fois.

Elle savait qu'elle partirait bientôt mais elle n'en parla à personne. Elle alla d'abord visiter sa belle-famille, à Ciudad Guatemala. Là, Mme Morales, ainsi que Julio, le frère d'Enrique, la convainquirent du danger qu'elle courait si elle demeurait au Guatemala. Partout au pays subsistaient des îlots de violence et de répression soudaine de la part de l'armée. Des disparitions de citoyens soupçonnés d'être sympathisants de la résistance armée survenaient encore au pays, et des exécutions sommaires par les militaires y avaient toujours lieu. Aux yeux des autorités, le nom de Jeanine demeurait associé à celui d'Enrique, et sa présence au Guatemala pouvait être mal interprétée. Venait-elle faire des recherches sur la disparition de son mari? Voulait-elle attiser la colère des Indiens contre les militaires? Dans les circonstances, un rien pouvait déclencher un drame : une simple vérification de papiers sur la route pouvait tourner au cauchemar pour quiconque offrait un passé «suspect». La famille d'Enrique lui fit comprendre que, pour sa propre sécurité et pour la leur également, elle devait sortir du pays rapidement et, d'ici là, demeurer le plus discrète possible. Au cours de la soirée, Jeanine et les membres de la famille d'Enrique ne parlèrent finalement que très peu de ce dernier. Il ne servait à rien de raviver une blessure dont ils arrivaient à peine à se consoler malgré le passage du temps.

En revenant à Nuevo Progreso, Jeanine se rappela une promesse faite à Lydie et à Colette. Elle les avait assurées qu'elle ne prendrait pas de risques inutiles. Elle se rappela également le contenu du télégramme de John, dont il lui avait fait part, et conclut que le danger était réel.

Elle quitterait donc le Guatemala et tenterait un retour au Chiapas, à l'hôpital San Carlos d'Altamirano, là où elle avait

Jeanine et Enrique, l'amour de sa vie, à Nuevo Progreso, en 1978.

La photographie que Jeanine portera toujours sur elle et qu'elle utilisera lors des recherches, quelques années après la disparition de son mari.

Enrique, Jeanine et un ami, le docteur Carlos, en 1978.

Enrique et Jeanine coulant des jours heureux lors d'un séjour de travail à l'Hôpital général de Ciudad Guatemala, en 1977.

Enrique et Jeanine au cours d'un rare moment de détente, dans un hôtel de la capitale, en 1978.

Excellent sportif,
Enrique se détend
en jouant avec
son équipe de soccer.

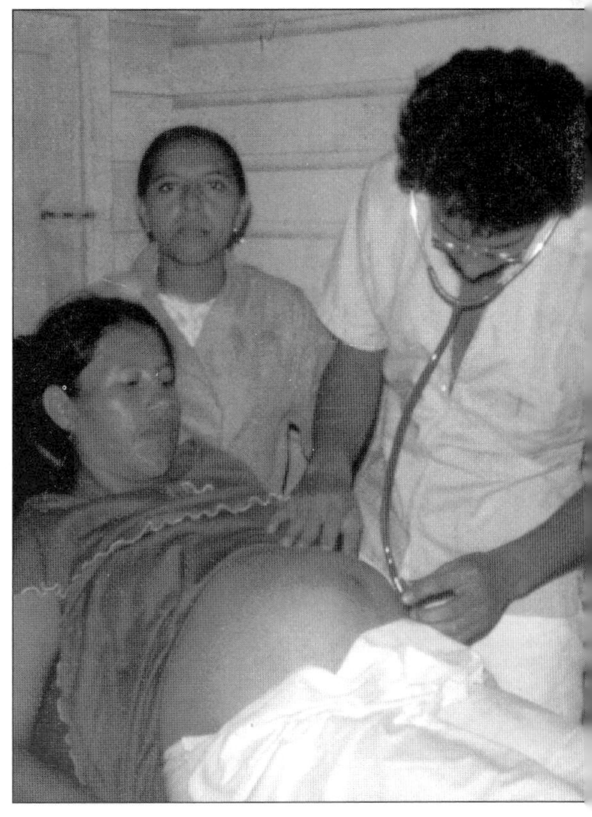

Enrique auprès d'une
patiente, à Sipacate,
quelques mois avant son
enlèvement par les
militaires du Guatemala.

Jeunes réfugiées guatémaltèques arrivant à Motozintla, au Chiapas, en 1982.

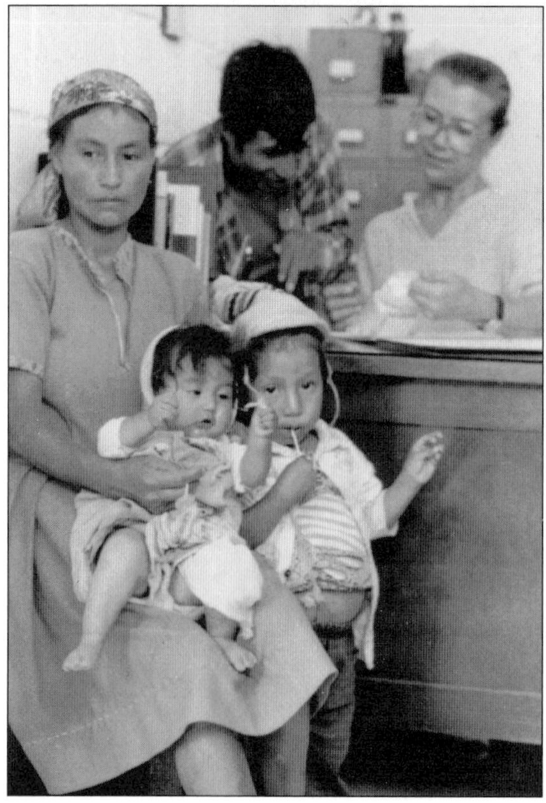

Jeanine dans son dispensaire de Motozintla, en 1983.

Jeanine lors d'une expédition
de secours en Amazonie bolivienne,
au Beni, en 1988.

Lors d'une tentative de retour
à Nuevo Progreso en 1989, Jeanine
retrouve ses deux comparses,
le *padre* Bertoldo et John Younger.

Andrès, un jeune Indien de 13 ans que Jeanine a « adopté », au Chiapas. Ici à l'atelier de couture, en 1990.

Jeanine avec Andrès et sa famille, à El Arenal, en 1992. (Les militaires s'empareront plus tard de cette photographie et la distribueront aux médias mexicains.)

Les Indiens d'Ach Lumâl remercient Jeanine après qu'elle a fait installer l'eau potable dans ce village du Chiapas, en 1991.

Le porte-parole des zapatistes, le sous-commandant Marcos (quatrième à partir de la gauche), lors des négociations avec le gouvernement mexicain dans la cathédrale de San Cristobal de Las Casas, en févrie 1994.
(Photo Thérèse Peltier.)

Rigoberta Menchú, à gauche, et don Samuel Ruiz, à droite, lors des dialogues pour la paix au Chiapas, en 1994, une cause importante pour Jeanine.
(Photo Thérèse Peltier.)

vécu et travaillé de 1984 à 1987. Les sœurs catholiques qui dirigeaient cet hôpital la connaissaient et elle s'y sentirait bien. Car Jeanine avait appris que lorsqu'on se retrouvait seule, à titre de coopérante volontaire, dans un pays d'Amérique centrale, il valait mieux, dans un premier temps, créer des liens avec des congrégations religieuses. Elle pouvait y laisser les adresses et les numéros de téléphone de sa famille à Montréal, au cas où... En outre, bien que des attentats fussent parfois commis contre des membres du clergé catholique, considérés souvent comme «trop progressistes», les autorités militaires d'extrême droite savaient qu'il était toujours périlleux de s'en prendre à ces communautés reconnues à travers le monde.

Le même soir, juste avant de s'endormir dans la petite chambre mise à sa disposition à l'*Hospital de la Familia*, Jeanine pensa que Nuevo Progreso n'était tout de même qu'à 70 kilomètres de la frontière du Mexique et qu'elle saurait bien sortir en douce du Guatemala. Elle se promit bien alors que cette prochaine étape serait la dernière. Elle en avait assez, à son âge, de cette errance sans fin. Elle n'était pas sans savoir que son choix de vie comportait des imprévus, mais elle avait hâte de se faire un nid quelque part. Elle ne cherchait pas le confort, juste un peu plus de stabilité. Après tout, elle croyait qu'elle y avait droit. Et si cela ne fonctionnait pas à l'hôpital San Carlos, elle s'adresserait à son ami don Samuel Ruiz, à San Cristobal de Las Casas, qui trouverait certainement des gens heureux d'accueillir une travailleuse volontaire de sa trempe.

Quelques jours plus tard, elle accepta la *despedida* qu'on lui offrit juste avant de partir. Le *padre*, les larmes aux yeux, ce qui le vieillissait davantage, se résigna à son départ. John avait réussi, non sans peine, à lui faire comprendre les ennuis auxquels Jeanine s'exposait si elle ne quittait pas le Guatemala. Le *padre* avait été le seul à ne pas la mettre en garde contre ces risques : il tenait tellement à ce qu'elle reste pour veiller sur lui qu'il en avait perdu tout à coup le sens des réalités...

Après la petite fête d'adieux, Jeanine sortit dehors avec ses valises, prête à partir. Elle prit un moment pour respirer l'odeur de la nuit de Nuevo Progreso, le parfum des plantes grimpantes, géantes, qui s'élevaient autour de la maison paroissiale, et celui des fougères, d'une hauteur démesurée et d'un vert étincelant, qui se trouvaient un peu plus bas, dans la pente. Jadis, quand elle était chez elle dans ces lieux, elle ne prenait pas vraiment le temps de savourer ces petits plaisirs, trop affairée à mille et une activités. Elle retrouva, lors des dernières minutes de cette nuit-là, le souvenir des journées bien remplies, à courir, à entrer et sortir, à régler des problèmes, dans une atmosphère presque familiale.

Deux silhouettes familières l'attendaient silencieusement dans le véhicule appartenant au *padre*. Il s'agissait de la sœur Maria, une des seules religieuses à lui avoir témoigné de la sympathie, et de Tino, un jeune homme servant de chauffeur à l'occasion.

Les montagnes de la sierra Madre, qui chevauche le Mexique et le Guatemala, revêtaient, la nuit, l'aspect de puissantes formes sombres, endormies. Au volant, Tino les longeait en empruntant des chemins déserts, non surveillés, où tout n'était que silence profond. On arriva enfin au poste frontalier. Munie de son visa pour le Mexique, qu'elle s'était procuré à l'ambassade du Mexique de la capitale, Jeanine passa sans problèmes en pays mexicain. Ses amis la reconduisirent à l'hôtel Loma Real, au bord de l'autoroute, pas très loin de la gare d'autobus Cristobal Colomb, située dans la ville de Tapachula. À l'hôtel, elle passa quelques heures pour dormir et se préparer à son retour à Altamirano. Le sommeil ne lui vint pas vite, songeuse qu'elle était, presque désemparée. Elle se souvenait que, deux ans auparavant, elle était partie un peu à la sauvette, refusant d'assister à la fête qu'on voulait lui faire, à cause des fortes émotions qu'elle risquait d'éprouver. À présent, elle se demandait bien comment on l'accueillerait là-bas, d'autant plus qu'elle n'avait avisé personne de sa venue.

Elle aurait cependant bien le temps d'y penser durant les dix heures de trajet en autobus qui la séparaient d'Altamirano, un parcours dont elle connaissait le paysage par cœur.

❧

Son mauvais pressentiment fut rapidement confirmé : son arrivée inopinée à l'hôpital San Carlos parut déplaire à la nouvelle directrice de l'établissement. Jeanine avait cru, en s'amenant ici, qu'elle y retrouverait ses anciennes amies et que cela faciliterait son retour, mais presque tout le personnel avait changé et elle ne voyait que de nouveaux visages. La Mère supérieure ne se montra pas très enchantée de l'apparition-surprise de Jeanine, qui, par sa seule présence, son énergie, son entrain, venait perturber les habitudes de la maison. Jeanine s'étonna de l'attitude de cette nouvelle directrice qui, chaque fois qu'elle la croisait, feignait de l'ignorer et ne la saluait même pas. Durant les deux ou trois premiers jours, elle fut laissée à elle-même, et elle se sentait un peu dépaysée, ne sachant pas trop quoi faire ni à quoi se rattacher. Une seule femme s'aperçut de sa déconvenue et s'en inquiéta. Il s'agissait de la sœur Cristina, celle aux mille talents, qui y travaillait encore et qui s'empressa de venir à son aide.

Cette femme si perspicace savait tout le travail que Jeanine avait accompli à El Arenal, ce hameau indien relié à Altamirano par une route de terre. Depuis son départ, elle avait pris en quelque sorte sa relève au Centre de promotion de la femme indigène et y travaillait un ou deux jours par semaine. Elle proposa à Jeanine d'y retourner, de s'y réinstaller et de retrouver son monde d'El Arenal, qu'elle n'avait jamais oublié.

❧

Une des passions de Jeanine, qu'elle n'avait toutefois pu entretenir depuis fort longtemps, était le jardinage. Cette attirance pour les fleurs remontait à son enfance, juste avant la guerre, du temps des promenades en forêt avec son père, en France, parmi les fleurs sauvages et les herbes au bord des étangs et au milieu de la forêt.

Aussi, la première activité à laquelle elle se livra après son arrivée à El Arenal fut d'installer des boîtes à fleurs devant ses fenêtres et d'étendre de la terre autour de sa maisonnette surplombant le village. Des villageois lui avaient donné des plants d'hibiscus rose, ainsi que des branches magnifiques d'une autre plante tropicale ornées de fleurs et de boutons, qui avaient conservé leur fraîcheur. Elle planta aussi des géraniums roses.

Quand elle se levait le matin, qu'elle visitait sa petite cour fleurie et qu'elle regardait autour d'elle ou à l'horizon, Jeanine avait l'impression qu'elle n'avait jamais quitté ce hameau. Elle était là en pays de connaissance, dans ce petit village habité uniquement par des Tzetzales, où, deux ans plus tôt, elle avait dû laisser en plan les projets déjà amorcés : le centre communautaire, la coopérative, le Centre de promotion de la femme indigène. Elle allait reprendre les anciens projets et en lancer de nouveaux, là même où elle avait rêvé un jour de s'installer pour la vie. Elle était comblée.

⁂

Elle habitait une section du Centre de promotion de la femme indigène, une bâtisse neuve construite en briques. Un espace y était réservé pour son logis, minuscule, agréable, rassurant. La bougainvillée de couleur pourpre qu'elle avait plantée dans la cour de sa maisonnette montait maintenant jusqu'à ses fenêtres. Des enfants indiens des environs, découvrant son amour pour les fleurs, se présentaient chez elle les bras chargés de plantes vertes ou d'orchidées cueillies dans la forêt lacandone. Un jeune garçon de dix ans, Andrès, s'éprit de Jeanine et il devint pour elle un filleul. Parlant l'espagnol et le tzetzal, il lui servait d'interprète, car la plupart des femmes et des filles d'El Arenal ne parlaient que leur dialecte, ne fréquentant que peu ou pas l'école, confinées qu'elles étaient dans leur milieu et dans leurs tâches traditionnelles. En revanche, la plupart des hommes parlaient l'espagnol en plus de leur langue, leurs contacts avec le «monde extérieur» étant plus fréquents à cause de leurs rapports de travail avec des employeurs ladinos.

Andrès, intelligent, réservé, adorait la présence de Jeanine. Avec l'accord de ses parents, qui étaient pauvres et avaient plusieurs autres enfants, Jeanine «adopta» le jeune garçon. Au retour de la classe, il s'adonnait aux menus travaux dans le jardin ou autour de la maison. Il interrompait parfois son activité et venait parler avec «Yanina». Il possédait une grande maturité, comme la plupart des enfants indiens, habitués tôt à affronter les réalités d'un environnement difficile. Il posait toutes sortes de questions à Jeanine sur la façon de vivre des gens du Canada.

Jeanine était la seule *gringa* vivant au village d'El Arenal, parmi les Indiens, et elle ne l'oubliait pas. Bien que tout le monde l'accueillît toujours avec chaleur, rien n'était acquis et elle devait leur prouver en quelque sorte qu'elle n'était pas là pour changer leurs coutumes ou leur façon de penser. Elle leur prouva par ses actions et, de leur côté, les Indiens l'appuyèrent en travaillant fort à la réalisation de son premier nouveau projet : l'installation d'un réseau d'alimentation en eau potable et d'un réservoir de 50 000 litres. Le devis avait été envoyé à Huguette et aux fondations d'aide internationale à Montréal et le projet avait été accepté. Jeanine, après de nombreux allers retours à San Cristobal pour l'achat du matériel ou à Tuxtla Guttierez pour la tuyauterie, avait donné le coup d'envoi et le chantier s'était mis en branle sous sa direction. Les hommes offrirent leurs bras et leur temps pour la captation de deux sources, l'installation de six kilomètres de tuyauterie, ainsi que la construction et l'érection d'un énorme réservoir, splendide, trônant au centre d'un lopin de terre sablonneux. Cette réalisation allait contribuer, au cours des années suivantes, à sauver plusieurs vie, en préservant les enfants des parasites infestant l'eau de mauvaise qualité. Les gens verraient ainsi moins de petits cercueils passer devant leurs fenêtres…

En relançant ce projet qu'elle avait dû mettre en veilleuse deux ans plus tôt, elle gagna beaucoup de respect de la part des Indiens, qui virent en elle une femme intègre qui ne manquait pas à sa parole.

Elle donna une nouvelle impulsion aux activités du Centre de la femme indigène, où les Indiennes pouvaient se rencontrer pour parler de leurs problèmes. Un jour, apercevant une femme aux lèvres tuméfiées, Jeanine lui posa doucement quelques questions. C'est ainsi qu'elle découvrit que certaines d'entre elles étaient victimes de violence physique de la part d'un mari aux prises avec l'alcoolisme. Elles quittaient parfois leur masure en pleine nuit avec leurs jeunes enfants pour aller se réfugier chez une amie voisine. Elles en vinrent à en discuter de plus en plus ouvertement entre elles au Centre, trouvant là un support moral. D'autres hommes avaient, quant à eux, le vin triste, et passaient la nuit du samedi au dimanche sur le talus près de la maison de Jeanine, à pleurer, à s'apitoyer sur leur sort. Elle ne les craignait pas, car ils étaient inoffensifs, et elle les laissait libérer leur peine insondable.

Les relations de Jeanine avec les Indiens d'El Arenal étaient marquées d'une grande transparence de part et d'autre. Ils trouvaient qu'elle avait la tête dure; elle, sans être autoritaire, avait parfois tendance à être directive, afin d'insuffler l'énergie nécessaire pour que les choses se fassent. Ni d'un côté ni de l'autre, on ne mâchait ses mots, seule façon, selon elle, d'arriver à se comprendre sans malentendus. Au cours des nombreuses réunions le respect fut toujours de mise, ce qui permit le maintien de l'harmonie entre Jeanine et les Indiens. Ceux-ci lui témoignaient leur confiance, et elle se sentait honorée, privilégiée d'être leur amie.

Comme il lui restait du temps, elle offrit des cours de couture aux filles, qui se précipitèrent. Elles adoraient ces activités, qui les libéraient d'un cadre familial parfois monotone. Le seul garçon qui s'adonna à la couture fut Andrès, et il s'avéra très doué. Penché sur sa machine à coudre, le bout de la langue relevé entre les lèvres, il manipulait le tissu avec aisance et son petit air sérieux, appliqué, faisait toujours sourire sa *madrina* (marraine).

Jeanine vouvoyait tout le monde, même les jeunes, non pour marquer une distance avec les gens, car elle était plutôt chaleureuse, mais à cause d'une habitude acquise depuis l'enfance. Andrès, qui savait faire la différence entre *tu* et *usted* (tu et vous), lui dit ceci, un jour : «*Madrina*, tu ne m'aimes pas, car, si tu m'aimais, tu ne me dirais pas *usted*; je ne suis pas un étranger, mais ton filleul...» Jeanine sourit aussitôt tandis que ses yeux s'humectaient. D'accord avec Andrès, elle lui promit qu'elle ne le prendrait plus jamais pour un étranger.

Un jour, Andrès lui présenta deux de ses copains, Feliciano et Cristobal, des enfants de deux autres familles nombreuses d'El Arenal. Jeanine leur ouvrit sa porte et se retrouva tout à coup avec une couvée de trois enfants. En dehors des heures d'école, ils passaient leur temps chez elle, dormaient au dortoir attenant au logis, entretenaient son jardin, faisaient des courses. À la longue, si Jeanine leur inculqua certains principes de bienséance et d'hygiène, elle se garda bien d'en faire de petits Blancs. Elle ne voulait pas les «civiliser», mais elle se disait simplement que, si jamais ils devaient évoluer en dehors de leur milieu, cela pourrait leur être utile. Elle s'occupa évidemment aussi de leur santé, et leur apprit également à fabriquer et à coudre leurs chemises et pantalons.

Quand elle se procura un téléviseur, Lydie lui ayant envoyé un montant d'argent à cette fin car elle n'avait accès ni à la radio ni aux journaux pour s'informer de l'actualité mondiale, les enfants sautèrent de joie. Ils connaissaient déjà la distraction de cette boîte à images car les autorités de la municipalité d'Altamirano installaient sur la place publique, certains soirs, un téléviseur pour les gens qui n'en possédaient pas. Jeanine leur permettait de regarder quelques émissions, en général le samedi soir, et il s'agissait souvent de vieux films comiques. De sa chambre, elle entendait leurs rires en cascade, si communicatifs, et allait les rejoindre tous les trois dans la salle commune, pour se blottir parmi eux.

Leur présence et leur tendresse la touchèrent plus que tout, au long de ces années, et adoucirent une part de solitude qui ne l'avait jamais quittée. Elle avait beau être acceptée par la communauté tzetzale, être respectée par tous ces hommes et ces femmes, elle ne vivait pas moins dans un certain isolement. Heureusement, elle recevait parfois des amies de l'hôpital San Carlos ou des médecins étrangers, qui venaient partager un repas avec elle, et elle appréciait beaucoup ces quelques heures agréables, trop rapidement envolées. Par la force des choses, elle s'habitua à la solitude, allant même jusqu'à la préserver. Elle espérait encore et toujours des nouvelles d'Enrique. Dans son esprit, il existait une chance sur mille qu'il fût encore vivant, et elle s'y cramponnait. Elle avait donné à la mère d'Enrique l'adresse de l'hôpital San Carlos, avec un faux nom, et les religieuses de l'hôpital avaient été averties : si une lettre arrivait du Guatemala, adressée à ce nom, on devait la lui remettre. Ce seraient alors des nouvelles d'Enrique, peut-être même une lettre de sa propre main. Mais tout çela demeurait très improbable. Et, lorsque la raison reprenait le dessus, le sentiment de solitude devenait intolérable.

C'est pourquoi la présence autour d'elle de ces trois petits garçons pleins de vie s'avéra extrêmement bénéfique. L'amitié d'Andrès, plus particulièrement, augmenta et ne se démentit jamais.

Pendant ce temps, Colette vivait des jours cruels à Montréal. Elle téléphona à Jeanine et lui annonça que son mari, Henri, venait de mourir subitement. Elle lui disait qu'elle avait besoin d'elle et lui demandait d'aller la rejoindre le plus vite possible.

Dès leur plus jeune âge, les rapports de Jeanine et de Colette avaient été ceux que tous les parents espèrent : harmonieux, joyeux, faits d'une complicité enfantine à toute épreuve. Quand elles furent devenues adultes, Colette avait rejoint Jeanine au Québec et elles s'étaient fréquentées comme de grandes amies, malgré leurs obligations respectives. Plus tard, Colette avait toujours suivi de près les pérégrinations de Jeanine, l'accueillant quand il le fallait, la supportant et l'encourageant. En 1978, l'idée lui était même venue d'aller la visiter au Guatemala. Là-bas, elle et son mari avaient été témoins du travail de Jeanine et d'Enrique à l'*Hospital de la Familia*, à Nuevo Progreso. À leur retour à Montréal, ils avaient remis en question leur mode de vie : « Qu'est-ce qu'on fait maintenant?... Pourquoi posséder tant de choses inutiles alors que d'autres vivent dans un tel dénuement?... » Pourtant, ils avaient replongé bientôt dans leur vie quotidienne.

Ce n'est qu'au début de l'année 1991, quelques mois après le décès de son mari, qu'un déclic s'opéra chez Colette. Se retrouvant désormais seule, elle ne voulait pas être dépendante de ses enfants. Il n'était pas question que ceux-ci la prenne en pitié. En bonne santé et autonome, bien qu'affligée par la perte de son mari, elle cherchait elle aussi à donner de son temps, de son énergie et de son modeste avoir. Elle ne savait pas encore comment, mais elle voulait contribuer à ce que sa sœur avait entrepris. C'est ainsi qu'elle annonça à Jeanine qu'elle désirait aller la rejoindre au Chiapas, à El Arenal. Elle se plaisait beaucoup à cette idée d'aller vivre de longs mois aux côtés de sa grande sœur, un peu à l'aventure, réminiscence d'une enfance lointaine.

17

Une photo pour Andrès

Les années 1991 et 1992 furent les seules de toute cette période en Amérique centrale où Jeanine se permit des moments de détente et de tourisme ordinaire. Grâce à Colette qui lui disait : «Tu t'occupes de tout et je paye», Jeanine put d'abord améliorer son logis, dépourvu de tout confort. Cela avait frappé Colette dès son arrivée à Altamirano. Depuis la disparition d'Enrique, Jeanine avait développé une grande tolérance à l'inconfort, n'accordant que très peu d'importance aux commodités domestiques. Elle ne disposait même d'aucun système de chauffage pour les nuits froides et humides de l'hiver du Chiapas. Colette décida donc de leur procurer un *calentador*, un foyer indien artisanal mais ingénieux et fort efficace : une grosse boule en terre cuite avec une ouverture devant pour y mettre le bois et se terminant en forme de poire dans le haut afin d'y fixer un tuyau. Elle remplaça aussi les vieilles casseroles bosselées ou rouillées, ainsi que la vaisselle craquelée. En outre, elle permit à Jeanine de se distraire un peu en lui proposant certaines fantaisies. Ainsi, elles décidèrent qu'elles feraient de Palenque leur lieu préféré de ressourcement.

À deux heures de route d'Altamirano, l'immense cité maya vieille de 1 500 ans, une des mieux conservées et des plus grandes, se dresse en plein milieu de la forêt vierge lacandone. L'ensemble «urbain» millénaire comporte trois étages, encadrés de petites collines sur chacune desquelles s'élève un temple, véritable observatoire céleste muni d'un escalier en pente raide qui donne le vertige. Lorsque Jeanine et Colette parvenaient au faîte de la pyramide du Temple des Inscriptions[1], un des 34 édifices mis au jour, elles embrassaient du regard, à 150 mètres d'altitude, toute la cité et la jungle verte environnante, à des kilomètres à la ronde. Quand elles arrivaient le matin, elles voyaient l'ancienne cité couverte de brume, et baignant dans le silence, ce qui ajoutait à son mystère. Une drôle d'impression s'emparait d'elles quand elles marchaient sur le site : sous leurs pieds et alentour, ensevelie dans la végétation, reposait la majeure partie de Palenque, soit des centaines d'édifices que l'homme moderne, muni de ses outils, n'avait pas encore grattés, de tombeaux que sa main n'avait pas ouverts, que son regard n'avait pas encore surpris. La force du peuple maya y vibrait encore.

Colette avait fait connaissance avec Andrès et ses deux copains, et elle s'amusait beaucoup avec eux, même si elle ne parlait aucun mot d'espagnol. Un des grands plaisirs des garçons était de laver et de frotter la voiture ronde de Jeanine, une Volkswagen coccinelle blanche usagée qu'elle avait pu se procurer grâce à la fondation Roncalli. Elle s'en servait pour transporter des vivres de la ville, des matériaux de construction, et parfois pour conduire d'urgence un Indien à l'hôpital San Carlos. C'est dans cette petite voiture que, profitant d'une demi-journée de congé, Colette et Jeanine emmenaient Andrès et ses deux amis à la rivière pour une baignade ou dans les rues de San Cristobal, en profitant pour faire des courses. Elles allaient aussi parfois en pique-nique avec eux sur les rives des lacs de Montebello, dans la forêt lacandone, tout près des frontières du Guatemala. La coloration de ces lacs, à cause de leur fond calcaire et du sol sablonneux, était bleu encre à l'ombre ou bleu opale au soleil. C'étaient là des journées de bonheur pour ces jeunes garçons.

1. Une de ses tombes contient trois panneaux sculptés de glyphes constituant l'une des plus longues inscriptions mayas connues.

Jeanine bénéficiait de ces congés qu'elle n'aurait jamais imaginé vivre sans un sentiment de culpabilité. Elle qui s'estimait toujours privilégiée par rapport aux gens de son entourage, elle considérait comme indécent de s'octroyer des satisfactions supplémentaires. Pourtant, une remarque de Colette l'avait, un jour, ébranlée : « Tu sais, Jeanine, le temps des missionnaires se laissant mourir de faim et de misère afin de mieux partager les souffrances d'autrui est révolu. »

Jeanine avait adopté cette pensée. Elle reconnaissait que, devant un peuple en douleur, se punir soi-même n'était pas une solution et qu'il valait mieux s'offrir parfois du repos et des plaisirs, penser à soi sans honte, dans un souci d'équilibre. Cela lui rappelait que, durant ces vingt et une dernières années de travail comme coopérante, elle avait rencontré plusieurs de ces « adeptes de l'oubli de soi total ». Ils n'avaient pas duré, finissant par craquer. Elle remerciait Colette de lui avoir fait prendre conscience de la nécessité de se distraire.

Un soir, autour du *calentador* chauffé à blanc, Jeanine et Colette causaient tranquillement en tricotant des vêtements pour les enfants du village. Colette ayant aperçu par la fenêtre, un jour, des enfants marchant pieds nus et à demi vêtus dans la boue froide de l'hiver, elles préparaient des centaines de pièces de vêtement pour la Noël de 1991. Au cours de la conversation, Jeanine aborda le sujet de la chapelle d'El Arenal et expliqua à Colette ce que signifiait vraiment, pour eux ce lieu. « La chapelle, pour les Indiens mayas, a un sens très particulier. Elle englobe une réalité beaucoup plus vaste et plus riche que celle que nous pouvons lui prêter. En plus d'être un refuge pour célébrer la messe et leurs rites ancestraux, ce lieu est une maison communautaire, un endroit pour parler, se confier, discuter de problèmes politiques ou autres. Ils s'y sentent en sécurité et cet espace leur procure un bien-être parfois plus élevé que leur propre maison familiale. »

Si le travail de Jeanine à El Arenal, avec l'aide des fondations d'aide humanitaire, avait permis l'instauration de plusieurs services pour la communauté indienne, et si les habitants du village avaient participé directement aux décisions et à la réalisation de ces projets et les appréciaient au plus haut point, une chose les attristait plus que tout : voir leur chapelle délabrée, détériorée, à l'abandon.

Jeanine racontait tout cela à sa sœur et celle-ci l'écoutait. À la fin de la soirée, Colette, qui avait bénéficié d'un montant d'assurances à la suite du décès de son mari, leva la tête et dit à Jeanine : « Est-ce qu'une somme de 10 000 $ serait suffisante pour construire une nouvelle chapelle? »

Jeanine poussa une exclamation de joie.

❧

Plusieurs mois plus tard eut lieu une grande fête à El Arenal pour célébrer la fin de la construction de la chapelle. Tous les Indiens qui avaient travaillé au projet s'y retrouvèrent. Lorsque Jeanine et Colette passèrent la porte de la chapelle, elles découvrirent celle-ci décorée de guirlandes de papier aux couleurs vives et de fleurs de toutes sortes. Le sol, recouvert de branches de pin servant de tapis pour les pieds pleins de boue répandait une odeur de forêt. Les deux femmes étaient émues aux larmes.

Au sortir de la cérémonie, elles furent accueillies par une pétarade de feux d'artifice et par des joueurs de marimba, accompagnés du son de la cloche de la nouvelle chapelle. Andrès et ses deux copains faisaient partie de la fête et l'un d'eux avait apporté sa guitare, l'autre son violon. Cela se termina par un petit festin : une montagne de tortillas, du riz, des légumes et de la viande de bœuf, un aliment rare au menu des communautés indiennes parce que trop dispendieux, même si les riches éleveurs de bétail foisonnent dans la région.

Des Ladinos d'Altamirano eurent vent de l'existence de la chapelle neuve des Indiens et s'en offusquèrent : comment accepter que les Indiens possèdent une chapelle plus belle que leur église? Colette s'étonnait d'une telle attitude et ne manquait pas d'en parler avec Jeanine. Au cours de conversations antérieures à sa venue dans ce pays, Jeanine l'avait entretenue du malaise qui existait entre les Indiens et le pouvoir ladino ou métis au Mexique et dans d'autres pays d'Amérique latine. Les remarques anodines des Ladinos au sujet de la chapelle n'étaient que de faibles échos de l'atmosphère sinistre prévalant dans certaines régions du pays.

En 1992, on célébrait les fêtes du 500e anniversaire de la découverte de l'Amérique par Christophe Colomb. Avaient lieu également de nombreuses manifestations pacifiques au Mexique et au Guatemala pour marquer les cinq siècles de résistance indienne. Le souvenir des Cortés et Alvarado, conquistadores de la première heure, égratignait les oreilles de tous les Indiens d'Amérique. Le poète chilien Pablo Neruda, prix Nobel de littérature, lança à l'époque de ces fêtes commémorant la découverte de l'Amérique, la fameuse boutade : «Est-ce que le premier Indien qui a posé le pied en Europe a clamé sa découverte?»

D'innombrables démonstrations avaient alors lieu au Chiapas, et Jeanine et Colette en furent témoins lors de leur dernière sortie touristique, dans la région de Comitan, au sud de San Cristobal. Colette, qui aimait bien visiter les églises, désira voir celle de Santo Domingo, datant du XVIe siècle et située au centre de la ville. À l'intérieur, les deux sœurs remarquèrent un grand panneau placé à l'entrée de la nef centrale, et Colette se demanda pourquoi Jeanine paraissait si remuée. Le panneau portait le dessin d'un arbre aux branches coupées mais dont les racines, dessinées fermement, ressortaient, vigoureuses. Dessous se lisaient des mots martelés en grosses lettres bien découpées, que Jeanine traduisit à Colette :

Cinq cents ans
Ils nous ont fauché nos fruits,
Ils nous ont coupé nos branches,
Ils nous ont brûlé nos troncs,
Mais ils n'ont pas pu tuer nos racines.

Ces mots constituaient une protestation contre les célébrations de la découverte de l'Amérique, et ce n'était pas l'inscription elle-même qui renversait Jeanine mais plutôt l'audace du prêtre catholique qui l'affichait ainsi ouvertement, reconnaissant par là son appui moral aux Indiens de la région. Car celle-ci, magnifique et fraîche, était reconnue pour accueillir les riches propriétaires terriens ou leurs administrateurs, qui s'y installaient nombreux avec leur famille. Jeanine était certaine que le prêtre, en agissant de la sorte, agrandissait le cercle de ses ennemis parmi les puissants de la région.

Malgré le fait que ses vieux os commençaient à la faire souffrir, Jeanine, maintenant âgée de 64 ans, n'en continuait pas moins son boulot à El Arenal. Ne pouvant se déplacer les jours de froid ou de pluie à cause de la douleur trop aiguë, elle tenait des réunions autour de son lit avec les hommes ou les femmes du village. Andrès lui apportait des citrons pour chasser sa nausée, ainsi que des sacs de glace qu'il plaçait autour de sa tête, qui la faisait souffrir à cause de la maladie de Paget. Colette allait répondre à la porte et recevait les gens, était présente aux réunions, même si elle n'y parlait pas, et participait aux tâches domestiques et à la planification des projets.

En cette année 1992, Jeanine fit installer l'eau potable dans un village voisin, Ach Lumâl, grâce à l'aide financière de la fondation Roncalli. Il fallut terminer aussi la construction du *Centro communautarios* d'El Arenal, que les Indiens appelaient en tzetzale «*Yolil Muc Ulum*», un centre servant à tous les indigènes de la région dont ceux qui habitaient dans la jungle. Ils pouvaient dorénavant s'abriter quelque part après des heures de marche dans les montagnes et la forêt, et y tenir leurs rencontres, de plus en plus fréquentes. Jeanine et Colette habitaient tout près de ce centre communautaire et elles pouvaient observer tout autour une animation croissante.

Jeanine devinait le contenu de ces réunions, à teneur politique, et elle demeurait discrète. Si elle s'y trouvait à ce moment-là, elle se retirait du groupe et ne posait pas de questions. Elle avait beaucoup contribué à la construction du centre, mais il leur appartenait et ils en disposaient librement.

À la fin de l'année, une fatigue générale s'empara d'elle, non seulement à cause de sa santé chancelante ou du travail sans cesse renouvelé, mais aussi parce qu'elle constatait que la situation au Chiapas ne s'améliorait pas. Cela la rendait anxieuse et surtout malheureuse. Elle avait l'impression de revivre sans cesse les mêmes conflits, entre les mêmes opposants, pour les mêmes motifs : les grands propriétaires terriens, qu'ils fussent du Guatemala ou du Chiapas, ne voulaient céder en rien une parcelle de ce qu'ils considéraient comme leur prérogative, la terre.

Les paysans pauvres tenaient des manifestations pacifiques un peu partout, exigeant de meilleures terres pour leurs cultures, celles qu'on leur avait laissées se révélant des sols épuisés. Les rassemblements se multipliaient dans les villages et des barrages s'érigeaient sur les routes.

Les riches éleveurs de bétail étaient inquiets et commençaient à s'organiser. À la sortie d'Altamirano, Jeanine et d'autres personnes avaient vu un ancien chantier d'abattage de bois transformé en terrain d'entraînement pour une troupe paramilitaire, la «garde blanche», des mercenaires au service de ces propriétaires. De plus, des Indiens racontaient à Jeanine que les éleveurs eux-mêmes se pointaient sur leurs lieux de travail armés jusqu'aux dents, se sentant menacés. Jeanine remarqua autour d'Altamirano une recrudescence d'autos patrouilles conduites par des policiers en uniforme bleu marin, armés de mitraillettes et de fusils.

Colette, dont c'était devenu une habitude d'emprunter le chemin de terre et de se rendre au village d'Altamirano afin de téléphoner à sa parenté à Montréal, ne voulut plus aller là-bas car elle avait trop peur. Elle percevait dans les yeux des Ladinos ou des riches propriétaires qu'elle croisait trop de haine à son endroit. Elle comprit pourquoi : elle était la sœur de la *gringa* d'El Arenal.

Les deux femmes cessèrent leurs visites touristiques dans le pays. Elles jugeaient mal à propos de se balader innocemment sous un tel climat. Colette, une femme pleine de santé, gaie, énergique, peu habituée à vivre dans de telles conditions, éprouvait une anxiété quotidienne. Elle s'en retourna bientôt à Montréal.

C'est vers cette époque que des journaux mexicains lancèrent une première campagne de diffamation contre les prêtres catholiques de la région d'Ocosingo – à quelques kilomètres au nord d'Altamirano –, qu'ils accusaient d'inciter les Indiens à s'emparer des terres des riches propriétaires. Un traitement égal fut réservé aux dominicaines et aux sœurs responsables de l'hôpital San Carlos. Ces dernières vivaient une sorte d'état de siège. Devant la grille de leur hôpital, des éleveurs de la région venaient manifester régulièrement et crier des slogans : « Dehors, les sœurs ! » Ils promettaient aussi de brûler l'établissement.

Bien que Jeanine ne travaillât plus à cet hôpital, elle n'était pas à l'abri des menaces et des intimidations. Un soir, on frappa frénétiquement à la porte de sa maisonnette d'El Arenal. Avant d'ouvrir, elle demanda qui faisait ce tapage. C'était la sœur Socorro, une dominicaine qui lui annonça que les menaces s'aggravaient et que les riches éleveurs voulaient leur peau, incluant celle de Jeanine. La dominicaine, extrêmement agitée, tenait dans ses mains un journal où, dans un petit article, on citait entre autres le nom de Jeanine. La religieuse était tellement effrayée que Jeanine en oublia sa propre peur, s'occupant à la rassurer du mieux qu'elle put, mais sans y parvenir.

La nouvelle se propagea rapidement dans le petit village d'El Arenal et, le même soir, à l'extérieur, devant la maisonnette de Jeanine, des Indiens se rassemblèrent et proposèrent de monter la garde tout autour, formant une sorte de quadrilatère : la maison de Jeanine, l'école, la chapelle et le centre communautaire. Certains d'entre eux se postèrent dans le logis de Jeanine, auprès des deux femmes. Quelques heures plus tard, vers trois heures du matin, voyant que la sœur Socorro n'arrivait pas à se calmer, les responsables indigènes et Jeanine décidèrent qu'il leur fallait se rendre à San Cristobal et demander asile à don Samuel Ruiz.

Jeanine boucla rapidement une petite valise et, ne voulant pas laisser Andrès seul, car ses deux copains étaient depuis peu retournés dans leur famille afin d'y travailler sur la terre, elle le pria de retourner chez ses parents. Quand tout serait calmé, ils se retrouveraient. Andrès n'accepta qu'à moitié : il proposa à Jeanine de venir tous les jours à la maison et d'y passer quelques heures, afin qu'on ne crût pas leur maison abandonnée ni Jeanine en déroute. Il se voulait le protecteur des lieux en attendant le retour de sa *madrina.*

À San Cristobal, don Samuel Ruiz les accueillit à bras ouverts et mit à leur disposition la maison diocésaine. Là, Jeanine et la sœur Socorro durent patienter pendant trois longues semaines entre quatre murs, pour leur propre sécurité. Elles occupaient leurs journées à mettre de l'ordre dans leurs papiers, à donner un coup de main aux cuisines, mais surtout à participer à des réunions avec des groupes de solidarité venus des quatre coins du monde. Ces gens du Brésil, du Japon, de l'Afrique, se réunissaient afin de fournir leur appui aux Indiens de l'Amérique centrale dans leurs revendications. Ces rencontres avaient été organisées par don Samuel Ruiz.

À cette époque, si l'Église catholique et les étrangers furent les cibles les plus fréquentes des intimidations de l'armée et de l'oligarchie terrienne, Mgr Samuel Ruiz fut la personne le plus souvent visée. Il reçut même des menaces de mort. Un an auparavant, en 1991, lors d'une rencontre sur les droits de la personne qui avait eu lieu à San Cristobal de Las Casas et à laquelle Jeanine avait assisté, Mgr Samuel Ruiz avait dénonçé vivement les violations des droits de l'homme sur le territoire du Chiapas. Sa déclaration avait fait grand bruit à travers le monde et, au Chiapas, sa tête était désormais mise à prix. Le Vatican, loin de l'appuyer, lui avait reproché de «réduire le message évangélique» à l'intention des Indiens, de marquer une préférence trop forte envers les pauvres, et avait demandé sa démission à titre d'évêque de San Cristobal. Alertés, quinze mille Indiens s'étaient rassemblés spontanément devant la cathédrale et au centre-ville de San Cristobal, en guise de protestation. Rome avait dû reculer et don Samuel poursuivait donc sa mission sociale, malgré les menaces et les insultes publiques : graffitis haineux sur les murs de la cathédrale, injures dans les rues, manifestations de Ladinos l'accusant de communisme.

Le pouvoir établi considérait les membres du clergé catholique comme des adeptes de la «théologie de la libération», dont l'objectif consistait prétendument à soulever les paysans et les pauvres contre les autorités (il s'agissait plutôt de trouver une solution globale au problème de la pauvreté). Pendant ce temps, les autres sectes évangéliques d'obédiences diverses qui pullulaient au Chiapas prêchaient aux Indiens surtout la tolérance, la patience, l'acceptation de leur sort comme un «bienfait de Dieu»... Curieusement, les dirigeants ou les membres de ces groupes ne subirent pas de violence ni de menaces de la part des autorités mexicaines.

Après les trois semaines d'«internement» à San Cristobal, alors que le calme semblait être revenu, on «relâcha» Jeanine et ses amies. Il était temps. Elle avait hâte de retrouver son monde à El Arenal, son travail, sa maisonnette, ses fleurs et Andrès.

À El Arenal, la situation continua de se dégrader. Un ami de Jeanine, un jeune propriétaire terrien d'origine allemande, du nom d'Amilcar Kanter, sensible aux besoins des Indiens, avait été élu au poste de maire d'Altamirano aux dernières élections municipales, soutenu majoritairement par les paysans indiens, qui voyaient en lui un homme intègre. Jeanine assista alors à des choses étonnantes : les Indiens n'étaient plus reçus dans les bureaux du maire en citoyens de deuxième classe; la priorité, pour les rendez-vous, n'appartenait plus aux métis; enfin, les promesses du maire pour l'amélioration des routes à El Arenal furent tenues.

Un jour cependant, don Amilcar se retrouva en prison, et Jeanine apprit pourquoi de la bouche de son épouse.

À Tuxtla Gutierrez, une réunion avait eu lieu entre les riches propriétaires terriens d'Altamirano, les maires de la région et le gouverneur de l'État du Chiapas. Au retour de la rencontre, de supposés amis invitèrent don Amilcar à terminer la soirée avec eux dans un bar sympathique de la rue principale d'Altamirano. La réunion s'étant bien déroulée, dans un climat somme toute serein, don Amilcar accepta l'invitation. Pour une raison inconnue, il accepta de boire plus que d'habitude, acueillant les tournées de l'un et de l'autre, et la soirée dégénéra. D'après un témoin, on commença d'abord par le dévisager, le narguer, puis on le provoqua sans relâche. On finit par le bousculer, quelqu'un le frappa, et, hors de lui, il sortit son revolver de sa poche et tira sur son assaillant. Blessé, le provocateur porta plainte, et le maire fut emprisonné. Le travail avait été bien exécuté : on avait tendu un piège à don Amilcar et il y était tombé. (Un an plus tard, à sa sortie du pénitencier, il put réintégrer son poste, mais, lors des élections suivantes, un autre le remplaça à la mairie.)

Jeanine ne s'étonnait plus de ces terribles manigances et elle dut subir à son tour le harcèlement des autorités. Des agents d'immigration, accompagnés de la police judiciaire, effectuèrent quelques visites d'intimidation chez elle, à cause des idées subversives qu'on lui prêtait.

Si, la première fois, elle en fut troublée, elle s'habitua ensuite à leur ronde inquisitrice. Ils entraient dans la maisonnette sans demander la permission et fouillaient les lieux. En retrait, Jeanine les regardait faire, ajoutant même l'ironie au calme. «Allez, ouvrez les placards, grimpez au grenier, servez-vous...»

Ils ne trouvaient rien de compromettant, évidemment, et, lorsqu'ils redescendaient l'échelle, Jeanine ouvrait devant eux, exprès, des boîtes contenant des timbres de la charité, des papiers personnels ou d'autres objets inoffensifs apportés par Colette lors de ses séjours.

Les visites de ces individus ne passaient pas inaperçues à El Arenal. Dès l'arrivée des véhicules, des gamins couraient avertir leurs parents de la présence des *matones* (tueurs) chez «Yanina». Quelques minutes plus tard, Jeanine apercevait par la fenêtre un ou deux Indiens sortant de la forêt et quelques autres s'avançant dans la rue pour former un attroupement. Ils ne se rendaient cependant jamais jusqu'à sa maison. Lors de la dernière descente chez Jeanine, toutefois, ils furent un peu plus téméraires. Deux d'entre eux, don Mariano et don Vicente, des hommes qui avaient toujours apprécié le travail et la présence de Jeanine chez eux, osèrent demander des explications aux agents d'immigration et à leurs gardes armés. Pour réponse, ils n'obtinrent qu'un silence méprisant.

Jeanine se heurta également à un mur quand vint le temps de faire renouveler son visa. Aux services d'immigration de San Cristobal, là où elle avait l'habitude de se rendre et où le personnel l'accueillait toujours avec courtoisie, elle se vit refuser sa demande. On lui suggéra d'aller plutôt faire mettre ses papiers en règle à la pointe sud du Chiapas, à Tapachula, à huit heures de route en autocar. Rendue là, elle se fit dire de retourner de nouveau à San Cristobal, car on ne pouvait pas délivrer de visa à cet endroit. Elle retourna donc à San Cristobal, où on lui avoua s'être trompé, car c'était à Mexico, à plus de mille kilomètres, qu'elle devait obtenir le renouvellement de son visa!

Il apparut clair à Jeanine qu'on tentait de la décourager et que son nom apparaissait sur une liste noire quelconque. Épuisée, elle communiqua avec des amis à San Cristobal, qui la mirent en contact avec le nouveau directeur de l'Immigration à Mexico. Un de ses amis de San Cristobal, don Abraham, devant se rendre dans la capitale au cours des jours suivants, lui offrit de l'accompagner en voiture et s'engagea même à rester auprès d'elle lors de l'entrevue aux services de l'immigration.

La rencontre avec le directeur ne fut pas très fructueuse : il ne pouvait lui fournir qu'une extension d'un mois afin qu'elle puisse veiller à la bonne marche de ses projets jusqu'à son départ. « Est-ce que je pourrai obtenir un autre visa à Montréal? » lui demanda Jeanine avant de s'en aller. « J'ai encore beaucoup de travail à faire ici. Ma sœur et moi projetons de nous installer définitivement au Chiapas. Nous avons nos effets personnels... – Il faut essayer», se contenta de répondre le directeur de l'Immigration avec un sourire poli.

Jeanine vécut tristement ce mois de mai 1993. Incertaine de son statut prochain, elle alla faire ses adieux à ses amies de l'hôpital San Carlos, à Altamirano, leur promettant toutefois de revenir avec un nouveau visa de travail. Elle n'en était cependant pas si certaine.

À la fin de mai, au consulat mexicain de Montréal, elle n'eut aucune difficulté à obtenir un visa, mais pour une période de six mois seulement. Dans les circonstances, elle en fut satisfaite et se dit que, dorénavant, elle n'aurait qu'à répéter la demande, l'échéance venue.

Elle fit un saut chez Colette, lui conseillant de ne pas venir la rejoindre au Chiapas cette année-là, à cause des mouvements de révolte qui grondaient dans la région d'Altamirano et de San Cristobal. Lydie était présente dans l'appartement de Colette et Jeanine lut bientôt sur le visage de sa fille et de sa sœur une grande inquiétude. Elle se hâta de les rassurer. « Soyez tranquilles... Si jamais je me sens menacée sérieusement, je donnerai mes biens personnels à mes amis et je filerai ailleurs, en sécurité. »

Il fut aussi convenu que toutes trois se retrouveraient en janvier 1994, pour deux semaines de vacances à Puerto Vallerta, sur les bords du Pacifique. Lydie et Colette y invitaient Jeanine pour célébrer ses 24 ans de vie de coopérante en Amérique centrale.

De retour à El Arenal, Jeanine se sentit bousculée par le temps. De fortes pluies la forcèrent à interrompre souvent la réalisation de ses projets. À chaque accalmie, elle mettait les bouchées doubles, animée par un vague sentiment d'urgence. Un vieux projet qu'elle avait présenté à la fondation Roncalli se concrétisait enfin : elle reçut 840 arbres fruitiers, d'un mètre de hauteur, à planter dans la région. Les Indiens, tellement heureux de cet arrivage d'orangers, de citronniers et de mandariniers en provenance de Tuxtla Gutierrez, lui en offrirent quelques-uns pour son jardin.

Levée tôt à 5 heures 30 tous les matins, Jeanine sortait dehors, sa tasse de café à la main, et humait l'odeur de bois brûlé et de tortillas grillées des *ranchitos* indiens des montagnes. Au bout de quelques minutes, elle voyait surgir Andrès, qui, les cheveux noir d'ébène ébouriffés, les yeux encore plein de sommeil, venait la rejoindre en courant. Il la prenait alors par le bras, la soutenait au besoin, et, tous les deux, ils marchaient dans la cour. Ils s'arrêtaient devant l'énorme plante grimpante vigoureuse qui montait jusque sur le toit et dont les grappes de fleurs roses, en retombant, formaient de véritables rideaux vivants. Elle ne manquait jamais à son rituel : cela renforçait chez elle un sentiment d'appartenance qui lui procurait une paix nécessaire, la vie autour d'elle étant devenue tellement incertaine et imprévisible.

Le rebord de la fenêtre de sa cuisine regorgeait de géraniums rouges et roses où les colibris venaient s'abreuver. Cette fenêtre lui rappelait toujours le premier séjour de Colette, car c'est en y regardant que celle-ci avait aperçu des enfants à moitié nus courant dans la boue froide et qu'elle avait pensé à fabriquer des tricots.

Jeanine se disait que Colette comprendrait un jour, tout comme elle-même l'avait fait à une étape de sa vie, qu'un cortège de camions remplis de chandails ne constituait pas la solution à la misère de ces gens. Comme elle l'avait compris au Guatemala, c'était plutôt les systèmes iniques et les institutions corrompues qu'il fallait modifier. Elle et Enrique en avaient causé souvent, à l'époque, et leur impuissance à changer les choses les avait parfois découragés. Ils en revenaient toujours à la même conclusion : continuer à faire ce qu'ils pouvaient faire le mieux, tous les jours, c'est-à-dire soigner les malades et ceux qui souffraient.

Un matin où, avec Andrès, elle achevait sa promenade sur son «petit domaine» et s'apprêtait à rentrer, Jeanine entendit son nom hélé par une voix familière. Il s'agissait de don Nicolas, un catéchiste indien, un des responsables d'Ach Lumâl, un village voisin où elle avait participé à la mise sur pied d'une coopérative d'alimentation et à la construction d'un petit dispensaire.

«Bonjour, don Nicolas», commença Jeanine. (Elle appelait les Indiens «*don*» (monsieur), terme de politesse généralement utilisé à l'endroit des Ladinos.)

Don Nicolas fit un léger signe de tête et lui demanda sans ambages : «*Hermana* Yanina, la prochaine fois que tu vas au Canada, pourrais-tu nous rapporter des armes?» (Tout le monde s'interpellait de la sorte : *hermana*, *hermano*, sœur, frère.)

Jeanine demeura stupéfaite. On lui avait déjà réclamé des choses impossibles, mais là elle était renversée!

«Mon Dieu! don Nicolas, pourquoi me demandez-vous ça, vous, un catéchiste? – Nous avons peur pour nos familles, lui répondit-il simplement. Nous n'avons que nos *machetes* pour nous défendre contre *los ricos*. Ils viennent nous menacer, ils sont armés et leurs *guardas espaldas* (gardes du corps) portent des mitraillettes.»

Bouleversée, Jeanine mit quelques secondes à lui répondre, et, devant ce silence, don Nicolas implora, pathétique : «Une seule carabine alors, *hermana…*»

Jeanine lui expliqua patiemment pourquoi elle ne pouvait et ne devait l'«aider» de cette manière : premièrement, les armes ne circulaient pas de cette façon au Canada, et, deuxièmement, elle n'allait pas se dresser subitement en disciple de la violence. L'appel de cet homme illustrait bien pour elle la tournure critique des événements. Elle crut comprendre cependant la cause de sa méprise : elle était tellement proche des Indiens, leur relation était empreinte de tant de confiance, de probité et de fidélité que don Nicolas avait mal interprété le rôle de Jeanine. Pourtant, elle ne s'était jamais impliquée dans les débats politiques du pays et n'avait jamais été active chez les groupes contestataires indiens, quoiqu'elle fût parfaitement au courant de leurs revendications. Elle les appuyait moralement, sans plus, se concentrant sur son travail, moins spectaculaire mais efficace, avec les familles locales.

Don Nicolas salua Jeanine et s'en retourna déçu, semblant comprendre l'impossibilité pour elle de s'acquitter d'une telle tâche.

L'Hôtel Ciudad Real est une demeure espagnole située en plein centre de San Cristobal, sur le *zocalo* – place publique avec bancs et aire de repos. À quelques pas de l'hôtel, on peut apercevoir la cathédrale de San Cristobal, teintée d'ocre jaune et rouge. Depuis quelques années, les propriétaires de cet hôtel, doña Italia et son mari, étaient devenus de bons amis de Jeanine. Quand elle avait des courses à faire à San Cristobal, elle s'y rendait souvent pour une nuit, et doña Italia ou doña Mercedes l'accueillaient avec une joie sincère. À peine était-elle montée à sa chambre, simple et sympathique, sans luxe, qu'un employé frappait à sa porte pour lui remettre un bouquet de fleurs, gracieuseté de la maison. Et le soir, au repas, on lui offrait un dessert maison personnalisé.

Un jour qu'elle était ainsi allée faire des courses à San Cristobal au volant de sa petite Volkswagen, Jeanine se rendit à cet hôtel pour saluer ses amis avant de reprendre la route. La salle à manger de l'hôtel, recouverte d'un toit vitré, était située dans la cour centrale de l'établissement. Jeanine y pénétra et aperçut aussitôt doña Italia, qu'elle s'empressa d'aller embrasser.

Après leur accolade, cette femme qui d'habitude était si souriante tint les mains de Jeanine dans les siennes en fronçant les sourcils et l'emmena à l'écart des autres clients. Son mari se joignit à elles et tous les deux s'ouvrirent à Jeanine : tout récemment, ils avaient entendu à la télévision son nom cité parmi ceux d'autres personnes accusées par les riches propriétaires d'être des complices de la guérilla! Ils l'exhortèrent à sortir du pays au plus vite, insistant sur les dangers qui la menaçaient sur la route menant à El Arenal.

Jeanine ne savait pas si elle devait vraiment prendre ces avertissements au sérieux. En conduisant sa petite voiture sur l'autoroute 199 menant à Altamirano, elle jetait de fréquents coups d'œil à son rétroviseur. La peur s'immisçait lentement en elle. Elle se disait qu'elle n'avait pourtant rien d'autre à se reprocher que d'aimer les Indiens mayas et de vivre parmi eux. Mais si elle y réfléchissait sérieusement, elle savait que cela était suffisant pour la mettre dans le pétrin. «Eh bien, tant pis! grommela-t-elle. Si c'est à cause de cela, je ne regrette rien!»

Jusqu'à El Arenal, elle ne cessa de jongler avec des images d'Enrique surgissant dans sa tête et avec des interrogations sans réponse, épuisantes : «Quels seraient ses conseils? Me recommanderait-il de tenir le coup ou de fuir? Et si je pars, n'est-ce pas la preuve que je suis lâche?»

Quand elle descendit de sa voiture, elle eut l'impression d'avoir parcouru la distance à pied tellement son cerveau bourdonnait et ses membres étaient endoloris. Andrès n'était pas là et, seule dans son coin de maison du Centre de promotion de la femme indigène, elle vit peu à peu les choses d'un autre œil. Sa demeure, la chapelle, les humbles masures de bois qu'elle apercevait de ses fenêtres, ses fleurs : elle ne voulait pas admettre qu'elle devrait peut-être abandonner tout cela. Elle ne pourrait se résigner surtout à quitter ceux qui l'avaient aidée à supporter sa rupture avec le Guatemala et la disparition d'Enrique.

Affaissée sur une chaise, elle laissa libre cours à une grande lassitude, espérant, comme toutes les fois que cela se produisait, que celle-ci n'était que passagère.

Le retour d'Andrès vint chasser ce cafard, un des pires qu'elle eût connus depuis son arrivée à El Arenal. Il l'aida à ranger les choses qu'elle s'était procurées à San Cristobal et, à l'heure du soleil couchant, quand la chaleur fut tombée, ils sortirent prendre le frais dans la petite cour. Jeanine restait ambivalente. Silencieuse et soucieuse, elle pesait le pour et le contre de sa décision.

Ce n'est que le lendemain matin qu'elle fut enfin délivrée de son incertitude et que la solution s'imposa d'elle-même. Elle entendit frapper à sa porte et, selon l'usage, elle cria : «*Ya voy*» («Je viens»). Deux Indiens qu'elle ne connaissait pas la saluèrent gentiment et demandèrent à lui parler. Elle les invita à entrer et leur offrit des rafraîchissements. Ils ne paraissaient pas très à l'aise et Jeanine crut qu'on allait encore lui faire une demande impossible. Mais elle fut surprise car c'étaient eux qui venaient lui offrir quelque chose : un conseil, précieux.

«*Hermana* Yanina, dit l'un d'eux, il va falloir que tu partes.»

La phrase brutale avait été dite avec beaucoup de douceur. Jeanine eut un mouvement de recul mais n'eut pas le temps de répliquer car l'autre continua : «Ici, tu as beaucoup d'amis mais aussi plusieurs ennemis, de riches propriétaires qui te haïssent. Nous ne voulons pas qu'il t'arrive malheur. Il va bientôt se produire ici des changements et nous te demandons de partir. Tu nous as beaucoup aidés; alors, c'est à notre tour.»

Jeanine ne réagit pas extérieurement, se contentant d'absorber ce qu'elle venait d'entendre. Si elle n'était pas encore complètement convaincue de la nécessité de partir, ce qui suivit l'en persuada.

«*Hermana*, conclut le même homme, si on s'en prend à toi, on s'en prendra à nous davantage, à nos familles aussi, et nous n'avons rien pour nous défendre.»

Jeanine ne put que les remercier d'être venus lui faire ces aveux. Elle les accompagna dehors et les regarda longtemps marcher sur le chemin menant à la montagne, derrière sa maison.

C'est lorsqu'elle rentra qu'elle prit conscience que c'était la fin. Sa vie basculait encore. Tout était encore à recommencer. Dans une dernière tentative d'apaisement, elle eut une pensée pour sa mère et son père, qu'elle supplia de ne pas l'abandonner. Puis elle se mit à pleurer sans retenue, convulsée de douleur.

Andrès assistait, impuissant, à cette fin pénible. Puisqu'ils vivaient ensemble, il fut le premier à qui elle apprit son départ forcé, et elle lui demanda de n'en parler qu'à ses parents. Ceux-ci, le lendemain, vinrent lui faire leurs adieux discrètement.

Sa première décision fut de régler ses affaires personnelles : fermer son compte en banque, où il ne restait que peu d'argent, donner ses vêtements, la literie, distribuer à ceux qui en avaient besoin des accessoires de cuisine et de maison, des meubles, des pots de fleurs. En l'espace de quelques jours, elle vida son logis, ne conservant que le strict nécessaire.

Elle allait garder sa Volkswagen jusqu'au dernier jour et la revendre à quelqu'un de San Cristobal avec qui elle avait pris un arrangement. Elle communiqua aussi avec une amie de longue date, la sœur Florencia, qu'elle avait connue à Altamirano, à l'hôpital San Carlos. La religieuse dirigeait maintenant un centre pour personnes âgées à Mexico, accueillant des gens dont la rue était devenue le dernier refuge, que des personnes plus aisées. Ce centre s'appelait El Hogar San Vicente. La sœur Florencia assura Jeanine qu'il restait une chambre disponible et qu'elle était la bienvenue pour s'y réfugier.

Jeanine quitta El Arenal le matin du 10 décembre 1993, avec quelques sacs et une valise qu'elle enfourna dans la Volkswagen. Le plus difficile fut de faire ses adieux définitifs à son filleul d'adoption. Andrès avait du mal à voir partir ainsi sa marraine. Au début, il n'avait pas trop voulu croire à son départ, mais il avait fini par accepter l'inévitable, reconnaissant les dangers auxquels sa *madrina* était exposée.

Elle lui recommanda à son tour de faire attention à sa propre personne. Elle l'encouragea aussi à poursuivre ses études, à persévérer, à espérer un travail où il se sentirait utile et dont il serait fier. En se laissant, ils se promirent de ne jamais permettre au temps ni à la distance de les éloigner.

Il referma la barrière de bois de la cour après avoir laissé passer Jeanine dans sa petite voiture blanche. Ils se saluèrent de la main pendant plusieurs secondes, jusqu'à ce que Jeanine atteignît la butte sur la route de terre menant à Altamirano. Quand elle eut disparu derrière, Andrès retourna à la maison de sa famille, emportant fièrement une photographie que Jeanine lui avait remise avant de partir. On l'y voyait fixant l'objectif, les yeux francs, roide aux côtés de Jeanine qui l'entourait de son bras.

18

Soulèvement au Chiapas

Jeanine se retrouva donc à Mexico. Dans le taxi qui la conduisait au centre El Hogar San Vicente, elle se dit que, après le repos qu'elle s'offrirait en ce lieu, elle serait capable de repartir. Pour aller où? Elle verrait bien à ce moment-là. Sa santé chancelante ne lui semblait pas une entrave et ne diminuait aucunement sa détermination.

Elle ressentit un grand apaisement dès qu'elle commença à gravir l'escalier du centre. À l'entrée, elle aperçut une grande affiche de saint Vincent de Paul, accompagnée de la phrase suivante : «J'ai peine de votre peine». Cette image et ces mots de compassion s'adressaient à toutes ces vieilles gens de Mexico, souvent seules et misérables, qui allaient frapper à cette porte. Jeanine ne se sentait pas étrangère à ces êtres humains à la dérive et elle s'appropria le message comme s'il lui était adressé personnellement.

Elle se reposa durant les premières semaines, tant bien que mal. Mexico demeurait froid et l'immeuble qu'elle occupait n'était pas chauffé. Elle avait un peu de difficulté à marcher. Lorsqu'un rayon de soleil traversait les nuages, elle s'empressait de sortir dans la cour pour se réchauffer. Les jours où elle broyait du noir, elle se nichait au dernier étage, dans la chapelle, s'inquiétant du sort de ceux et celles qu'elle avait quittés. L'angoisse la prenait alors et elle pleurait des heures durant.

Lasse de rester inactive, elle demanda qu'on lui prête une machine à coudre, qu'elle installa devant sa fenêtre. Elle passa toutefois ses meilleurs moments lors de longues conversations avec ses anciennes amies de l'hôpital San Carlos, qui lui permirent de se libérer des tensions et des émotions accumulées. Entourée de ces femmes qu'elle avait connues en 1984 à Altamirano, elle ne se sentait pas trop perdue. Ainsi, son moral s'améliora, et elle participa aux fêtes de Noël et du nouvel an, au cours desquelles elle accepta des petits cadeaux et des gâteries, comme les autres pensionnaires.

L'établissement ne possédant ni radio ni télévision, Jeanine était coupée du monde extérieur et elle s'en accommoda pendant ces quelques semaines. En vérité, dans les circonstances, elle s'était à peine rendue compte de ce retranchement, jusqu'à ce qu'elle vît, un jour de la première semaine de janvier, la sœur Adela venir vers elle avec des magazines sous le bras. La religieuse marchait calmement mais ses yeux étaient inquiets. S'arrêtant devant Jeanine, elle la regarda intensément. Jeanine comprit tout de suite que la sœur Adela apportait de mauvaises nouvelles. Celle-ci déploya alors les magazines et montra à Jeanine de quoi il s'agissait : son nom faisait la une du magazine *Impacto* et sa photo apparaissait en médaillon sur la couverture d'un autre, parmi des cadavres criblés de balles, gisant au sol! Terrifiée, Jeanine ne voulut pas y croire. En tournant les pages, elle apprit le soulèvement des Indiens du Chiapas, survenu le 1er janvier 1994, et leur prise de possession de San Cristobal et de plusieurs autres municipalités, dont Altamirano. En manchette, on déclarait que Jeanine était leur *coronela* (colonelle) et Mgr Samuel Ruiz, leur chef! Ils étaient les «*cabeza de los Zapatistas*», les têtes dirigeantes du Front zapatiste de Libération nationale (EZLN[1]), et ils faisaient transiter des armes par

1. Mouvement de protestation indien représenté par le sous-commandant Marcos et dont le nom est inspiré d'Emiliano Zapata, héros de la révolte paysanne armée de 1911.

Le 1er janvier 1994, jour de la signature du traité de libre-échange entre le Mexique, les États-Unis et le Canada, les Indiens, se considérant les laissés-pour-compte de cette entente, irrités d'être constamment les victimes des conflits avec

un tunnel creusé sous la cathédrale de San Cristobal. On la traitait ici de crapule, là d'amazone qui, sur son cheval, cheveux blonds au vent, cartouchière en bandoulière, allait menacer les paysans dans les villages!

Jeanine était littéralement estomaquée. Son nom et sa photo associés au Chiapas en guerre[1]! À la limite, elle se sentait capable d'absorber les coups vicieux de cette presse à scandale, les mensonges et la diffamation à son endroit, mais elle eut terriblement peur tout à coup pour ceux et celles avec qui elle avait vécu, les habitants d'El Arenal, les sœurs de l'hôpital San Carlos, qui accueillaient les blessés des deux camps, et enfin Andrès, dont elle voyait la photo dans le magazine.

Cette photo où il apparaissait à ses côtés et qu'elle lui avait donnée juste avant son départ du village, comment la lui avait-on enlevée? Qu'était-il advenu de lui? L'avait-on torturé, tué? Les magazines rapportaient qu'il y avait eu 400 morts au cours du soulèvement.

Jeanine quitta *El Hogar San Vicente* le 9 janvier, secouée par les derniers événements. Supportée par ses amies, elle se fit reconduire à l'aéroport de Mexico, en route vers Puerto Vallarta.

Dans une heure, elle retrouverait là-bas Lydie et Colette, pour «fêter ses 24 ans...», tel que prévu. Sa joie de les revoir était assombrie par la crainte de devoir rompre définitivement avec le Chiapas.

---

les éleveurs pour la possession de la terre, révoltés de la terreur semée par l'armée et les gardes privées, las de la corruption et de la pauvreté qui les touchent directement, sortent de la forêt lacandone, munis de passe-montagnes et de fusils, s'emparent de villes et de villages et forcent le gouvernement à négocier : «*Hoy decimos : basta!*» («Aujourd'hui, nous disons : assez!»)

1. Un tiers des membres de l'EZLN sont des femmes et une partie des revendications de l'EZLN concerne directement celles-ci : «Les femmes zapatistes présentent la Loi révolutionnaire des femmes, affirmant le droit de celles-ci à s'engager dans la vie politique et dénonçant la répression qui leur est réservée.»

⁂

À l'hôtel Sheraton, à Puerto Vallerta, Jeanine ne voulut pas gâcher les vacances de Lydie et Colette : durant deux jours, elle réussit à leur cacher sa mésaventure des dernières semaines. Elle se ravisa toutefois car elle savait que les stations de télévision mexicaines ne cessaient de déverser des nouvelles sur le Chiapas, vraies ou fausses, et que son nom et sa photo revenaient souvent à l'écran. Au centre pour personnes âgées de Mexico, la sœur Adela l'avait tenue au courant des développements et lui avait appris que Jacobo Zabludoinsky, directeur des nouvelles de la station de télévision privée Televisa, semblait prendre un plaisir sadique à alimenter la campagne de salissage contre elle, don Samuel et les sœurs de l'hôpital San Carlos. Cette station de télévision atteignait des millions de Mexicains.

Jeanine fit donc le récit des derniers événements à sa fille et à sa sœur. Les deux femmes demeurèrent étonnamment calmes et Lydie, bien déterminée à ne pas baisser les bras, décida que leurs vacances seraient quand même réussies : «On reste, lança-t-elle à sa mère. Donne-moi quelques minutes et plus personne ne te reconnaîtra.»

Puisque Jeanine avait de la difficulté à marcher, Lydie lui trouva d'abord un fauteuil roulant. Puis elle la coiffa d'une casquette et lui mit des lunettes de soleil. Ainsi affublée, Jeanine était loin de ressembler à la *guerillera* qu'on l'accusait d'être.

Avant la fin de ses «vacances», elle put éclaircir enfin une partie de l'énigme de la photo en médaillon d'elle et d'Andrès parue dans un magazine mexicain. Profitant d'un voyage à Mexico, la sœur Patricia, de l'hôpital San Carlos d'Altamirano, envoya une lettre à Jeanine à son hôtel. (Par mesure de sécurité, elle avait évité de poster cette lettre à Altamirano). La missive contenait beaucoup d'informations sur la situation au Chiapas et un passage concernait Andrès. La sœur Patricia racontait que *los matones* avaient fait irruption dans la *tienda* de ses parents, une boutique de légumes où Andrès travaillait les week-ends, et qui se trouvait juste en bas de la côte, non loin de la maison de Jeanine. Les militaires avaient envahi le petit local, l'avaient détruit et, au cours de l'opération, s'étaient emparés de cette photo que le garçon avait épinglée sur un mur. Jeanine devina la suite : les militaires avaient remis la photo à des journalistes, heureux de fabriquer une histoire… La lettre lui apprenait également qu'un groupe lié aux éleveurs de bétail avait mis le feu au petit garage attenant à sa maison, qui servait aussi de remise.

Quant à l'autre partie de l'énigme – ce qu'il était advenu de son filleul –, elle n'était toujours pas résolue.

19

Le véritable exil

Le contraste était frappant. Non seulement à cause du froid et de la neige, mais aussi à cause du cadre de vie, si différent de celui qui avait été le sien durant les vingt-quatre dernières années.

En février 1994, c'est la vie de banlieue dans une belle et grande maison décorée avec raffinement qui attendait Jeanine à son retour à Laval. Le «comité d'accueil» se composait de Charlie, un adorable petit chien qui se tenait sur ses deux pattes de derrière en jappant gentiment, d'un gros chat persan qui se collait déjà à ses jambes, et d'un perroquet qui l'observait de côté... Ces trois petites bêtes constituaient la ménagerie de Lydie et de son mari, Pierre.

Là, Jeanine guérit ses plaies physiques et morales. La maladie osseuse de Paget s'aggravait et elle traversa des crises de désespoir intenses, protestant contre l'injustice dont elle se sentait victime : fausses accusations, départ forcé, fin abrupte et frustrante d'un parcours de vie qui lui avait été cher.

En méditant sur ce parcours, elle se demandait si, après tout, elle avait bien agi en allant travailler dans ces pays d'Amérique centrale. Après réflexion, elle se disait qu'elle n'avait écouté que son cœur, qu'elle ne regrettait rien, et que les critiques qu'elle entendait parfois proférer contre les coopérants œuvrant dans les pays en voie de développement n'étaient souvent que des prétextes chez leurs auteurs pour justifier leur inaction ou leur indifférence envers les autres. Par ailleurs, elle se consolait à l'idée que certaines personnes avaient été inspirées par elle, des jeunes à qui elle avait inculqué le goût d'aller offrir leur énergie et leur temps dans les pays défavorisés. Ces jeunes, elle les avait rencontrés au cours des années dans les écoles, et elle fut confortée de voir certains d'entre eux venir la visiter pour lui apprendre qu'ils plongeaient dans l'aventure humanitaire. Jeunes médecins volontaires ou en voie de le devenir, ils s'appelaient Alexandre, Fabienne, Benoît, Geneviève, et partaient pour l'Amérique centrale ou ailleurs dans le monde. Au bout de quelques mois, elle était sûre de recevoir d'eux un petit mot plein d'affection.

Il lui restait aussi une dernière chose, peut-être la plus importante, et que personne ne pouvait lui ravir : le souvenir impérissable des êtres d'exception qu'elle avait rencontrés au cours de toutes ces années, ces gens qui étaient prêts à tout partager alors qu'ils ne possédaient presque rien, les Rosydalia, Vilma, Gloria, don Villatoro et tous les autres. L'amour était le fondement de leur vie. Cette seule pensée la rassérénait quand le spleen s'emparait d'elle au cours des premières semaines après son retour en terre québécoise.

Elle parla beaucoup aux gens de son entourage. Quelques représentants des médias demandèrent à la voir et elle ne se fit pas prier : il fallait à tout prix qu'elle exorcise les frustrations de ses derniers mois passés au Chiapas, les peines et les souffrances endurées pendant toutes ces années, ainsi que la fureur et la révolte qui avaient été attisées en elle et qui ne s'étaient jamais vraiment éteintes. Sa colère n'avait d'égale que l'affection qu'elle portait aux Indiens du Guatemala et du Chiapas.

Durant les premiers mois, elle lut beaucoup les journaux locaux et étrangers et regarda les nouvelles internationales à la télévision, s'intéressant plus particulièrement à celles qui concernaient le Mexique : depuis le «cessez-le-feu» du 12 janvier 1994, le nombre de soldats fédéraux transplantés au Chiapas avait quadruplé, passant à 60 000! Elle reçut un courrier considérable de ses amis du Guatemala et du Chiapas, et elle répondait à chacune des lettres. Parmi elles, une missive de don Samuel Ruiz, l'évêque de San Cristobal, datée du 14 avril 1994, qui commençait ainsi : «Ma très chère Jeanine, en ces jours de dialogue pour la paix au Chiapas, je me suis constitué prisonnier dans ma propre maison…»

Don Samuel lui annonçait à sa manière ce que les journaux télévisés du monde entier avaient rapporté : il avait été choisi comme médiateur officiel entre le gouvernement mexicain – le PRI, au pouvoir depuis soixante-cinq ans sans interruption – et les zapatistes. De plus, les négociations de paix se déroulaient dans sa cathédrale, nommée la cathédrale de la Paix, gouvernement d'un côté et Indiens zapatistes munis de cagoules de l'autre.

Quelques semaines plus tard, alors qu'il s'était rendu au Vatican pour plaider la cause du Chiapas, on lui servit un accueil glacial. Revenu au pays, il fit face à une vaste campagne de diffamation de la part des riches éleveurs de bétail du Chiapas et des milieux politiques mexicains. Il entama ensuite une grève de la faim, afin de protester contre de nouveaux assauts de l'armée. Enfin, un an après, à cause de son engagement de plus de vingt ans auprès des Indiens du Chiapas, il fut porté candidat au prix Nobel de la paix.

Jeanine accueillit aussi avec émotion une courte lettre de son petit Andrès, en juillet 1994. Il était donc vivant! Elle pleura de joie. Andrès lui disait en termes simples, mais écrits correctement, combien son départ l'avait attristé, que tout allait bien quand même pour lui, qu'il continuait de fréquenter l'école et qu'elle n'avait pas à s'inquiéter. Il ajoutait qu'il s'occupait de ses fleurs autour de la maisonnette d'El Arenal, inoccupée. (La communauté indienne la réservait à Jeanine au cas où elle reviendrait…)

Un matin de cet été-là, alors qu'elle épluchait son courrier, on sonna à la porte du bungalow. Elle alla répondre et se retrouva face à face avec un policier de la Sûreté du Québec. Elle le fit entrer.

Sur l'entrefaite, Pierre arriva au salon. Inquiet, il supposa que Jeanine était encore soumise à des enquêtes ou à du harcèlement. Lydie s'amena à son tour. Il entendirent alors la voix du policier, très courtois : «Madame, est-ce que Jeanine Archimbaud est votre fille, ou votre sœur, ou bien...? – Mais c'est moi! répondit Jeanine, interloquée. Et vous êtes ici chez ma fille.»

Elle lui présenta Lydie, ainsi que son gendre, qui prirent place sur le divan. Puis elle débita son emploi du temps, les dates de ses déplacements, le nom des compagnies aériennes utilisées au Mexique durant le mois de janvier 1994.

Le policier ne put réprimer un sourire. Il leur expliqua que l'ambassade du Canada à Mexico avait avisé la Sûreté du Québec qu'une citoyenne canadienne répondant au nom de Jeanine Archimbaud était morte à Las Margaritas et qu'on devait effectuer des recherches pour retrouver son corps et le rapatrier au Québec!

Jeanine comprit la méprise. Elle se leva et alla chercher dans sa chambre des coupures de presse et des magazines mexicains que Thérèse Peltier, une bonne amie domiciliée à San Cristobal et qui travaillait avec don Samuel, lui avait fait parvenir quelques mois après son arrivée au Québec

Elle déploya devant lui les magazines *Impacto* et *Alarma*, exhibant les pages couvertures qui proclamaient en gros titres : «*MURIO JANINE, LA CORONELA! MURIO EN COMBATE LA GUERRILLERA JANINE ARCHIMBAUD!*» Sa mort avait été annoncée à pleines pages dans ces publications, alors qu'elle était chez sa fille, en train de récupérer. On racontait en détail comment et où la «colonelle» avait été tuée, lors de la première nuit du soulèvement à Las Margaritas, dans le Chiapas...

Le sergent-détective n'exigea pas de papiers d'identité. Il considéra que l'affaire était close, s'excusa presque de sa visite et repartit, satisfait des explications de Jeanine. Celle-ci, voyant Lydie un peu perturbée, s'employa à la calmer. Elle se promit en soupirant de ne plus jamais causer d'émotions fortes à sa famille.

Elle continuait de se sentir bien seule avec une découverte qu'elle avait faite sitôt installée à Laval, et qu'elle avait gardée pour elle : son véritable exil n'avait pas été ce dernier quart de siècle passé en Amérique centrale. Son véritable exil avait débuté à peine huit mois auparavant lorsqu'elle était descendue à l'aéroport de Dorval et qu'elle avait aperçu cette inscription géante sur le mur : «Bienvenue au Canada – Welcome to Canada».

Épilogue

Colette et Lydie sont nerveuses : Jeanine parle de plus en plus de repartir, de préférence pour l'Amérique centrale, aussitôt que sa santé le permettra. Quatre ans après son retour, elle vit maintenant chez Colette, au 10e étage d'un édifice climatisé du boulevard Gouin. Les deux femmes s'entendent à merveille, comme elles l'ont toujours fait depuis leur enfance, sans toutefois que Jeanine réussisse à se sentir vraiment *chez elle*, malgré les paroles encourageantes de Colette qui lui affirme le contraire.

Âgée de 70 ans, elle porte à la journée longue des sacs de glace sur la région lombaire, avale des comprimés de morphine pour soulager la douleur, et se déplace difficilement sur ses jambes. Elle planifie tout de même son retour parmi les *siens.* De passage à Montréal, des amis de là-bas viennent la saluer. Elle écrit des lettres, fait des appels téléphoniques, envoie des fax au Guatemala, au Mexique. Elle reçoit des propositions, pèse le pour et le contre. Tout cela n'est qu'une question de temps, de santé, elle en est persuadée. « L'important, dit-elle, c'est d'avoir des projets, sinon je suis perdue. »

Lydie et Colette l'ont compris et elles ne se tourmentent plus.

23 de abril 98 11:45 A.M.

Querida Madrina Jeanine Archimbaud,

Marraine Yanin, je suis triste parce que je te sais malade. […] Je te remercie de tes conseils, qui m'ont bien servi. J'ai maintenant une carrière : à San Cristobal, j'ai terminé mon cours de technicien en santé communautaire, et je travaille à Las Margaritas. […]

Tout va bien. Avec mes efforts, j'ai réussi ce que je voulais, mais il me manque encore beaucoup de tes suggestions, que j'ai tellement appréciées. Tu as été tellement bonne pour moi. […]

Merci à Dieu, je n'ai aucun vice et je n'en veux pas. Tu sais, marraine, je voudrais continuer d'étudier et aller à l'université, mais je crois que ce sera bien difficile à cause de l'argent. Je veux travailler très fort pour y parvenir, c'est ce que je veux le plus au monde. […]

Je voudrais que tu ne m'oublies pas, marraine, et j'aimerais que tu m'envoies une photo de toi. Je crois que tu as changé beaucoup depuis quatre ans… Ne te fatigue pas trop, ne sois pas triste. Je voudrais que tu m'écrives.

Je rêve souvent à toi. Je ne voudrais pas qu'il t'arrive quelque chose, sinon je ne pourrais pas le supporter. Je t'écris cette lettre avec affection et amour pour la meilleure des «mamans» du monde, (marraine) Jeanine Archimbaud.

Adios,
Respectueusement,

Andrés

Références bibliographiques

BARRY, Tom, *Inside Guatemala*, Mexico, The Inter-Hemispheric Education Resource Center, 1992.

BRUNET, Louis, *Luttes politiques et transition à la démocratie au Guatemala, 1973-1994*, mémoire UQAM, 1994.

BUTOR, Michel, *Terre maya*, Tournai, Casterman, 1993.

CARVER, Norman F., *Silent Cities*, Tokyo, 1966.

COCAGNAC, Maurice, *Le Christ est né à Chalma*, Paris, Albin Michel, 1994.

DREUX, Daniel, *Guatemala, dans les gouffres du pays maya*, Paris, Presses de la Cité, 1978.

GILLEN, Charles, *Bartolomé de las Casas*, Paris, Cerf 1995.

GRUNBERG, Bernard, L'Univers des conquistadores, Paris, L'Harmattan, 1993.

LAVINE, Harold, *Central America*, New York, 1964, Time Life, 1964.

LE BOT, Yvon, La Guerre en terre maya, Paris, Khartala,1992.

LE CLEZIO, J.M.G., Les Prophéties du Chilam Balam, Paris, Gallimard, 1976.

MITERRAND, Danielle, Ces hommes sont avant tout nos frères, Paris, Ramsay, 1997.

NADAL, Marie-Josée, *À l'ombre de Zapata. Vivre et mourir dans le Chiapas*, Montréal, La Pleine Lune, 1994.

RUSSEL, Grahame, *Déterrer la vérité. Exhumer une décennie de terreur au Guatemala*, EPICA/CALDH, 1994.

VIGOR, Catherine, *Parole d'Indien du Guatemala*, Paris, L'Harmattan, 1992.

Grand Atlas mondial, Paris, Librairie Gründ, 1993.

« Beautés du monde Larousse », *L'Amérique centrale et les Antilles*, Paris 1978.

GEO, « Guatemala », septembre 1990.

« Grands reportages », *Pays maya*, mars 1998.

« Guides Gallimard », *Monde Maya*, Paris, 1995.

National Geographic, « *Guatemala – A fragile democracy* », June 1988.

National Geographic, « *La ruta Maya* », October 1989.

« IXQUIC » *The Woman in Guatemala*, Mexico, 1983.

Bulletins d'information « Projet Accompagnement Québec-Guatemala », Montréal, 1997.

La Vie, n° 2535, Paris, 1994.
Les Forêts tropicales du monde, Paris, Bordas, 1990.
A Forest of Kings, New York, Morrow, 1990.
Lonely Planet, «Mexique», 1993.

Références filmographiques

Défier la peur, Télé-Québec, réalisé par Robert Cornellier, 1995.
El Norte, réalisé par Gregory Nava, 1983.
For All the Right Reasons – The Story of the Hospital de la Familia, 1992.
Le Son du violon, réalisé par Mary Ellen Davies, 1991.
Occupation militaire de X'oyep, 3 janvier 1998, Video Tropico Sur, 1998.
Témoignages du massacre d'Acteal, Video Tropico Sur, 1998.
Tierra Madre, réalisé par Mary Ellen Davies, 1996.
Émission télévisée *Femme d'aujourd'hui*, entretien avec Jeanine Archimbaud, SRC, 1977.
Émission télévisée *Le Guatemala tremble encore*, SRC, 1978.
Émission télévisée *Second regard*, «Guatemala», SRC, 1977.

Références radiophoniques

Émission *L'Aventure*, entretien de Robert Blondin avec Jeanine Archimbaud, SRC, 1994.
Émission *Le Carroussel du samedi*, entretien de Jacques Houde avec Jeanine Archimbaud, SRC, 1987.

Table